CSI: Miami: Onderstroom

Ook in de serie CSI

CSI

Dubbelblind
Verboden vruchten
Koudvuur
Bewijskracht
Oud zeer
Hartslag
Teamgeest
Slangennest

CSI*: Miami*

Vluchtgevaar
Doelwit
Noodweer

CSI*: New York*

Hard bewijs
Vermist

De forensische wetenschap van CSI
De forensische wetenschap van de Cold Case Files
De CSI-revolutie

Voor alle informatie over de CSI-boeken ga naar
www.karakteruitgevers.nl/csi

Donn Cortez

CSI: Miami: Onderstroom

Gebaseerd op de populaire CBS-televisieserie *CSI: Crime Scene Investigation.*
CSI: Miami wordt geproduceerd door CBS Productions, een business unit van CBS Broadcasting Inc. en Alliance Atlantis Productions Inc. Executive Producers: Jerry Bruckheimer, Ann Donahue, Carol Mendelsohn, Anthony E. Zuiker, Jonathan Littman. Serie ontwikkeld door Anthony E. Zuiker, Ann Donahue en Carol Mendelsohn.

Karakter Uitgevers B.V.

Oorspronkelijke titel:
CSI: *Miami: Riptide*

This edition published by arrangement with the original publisher, Pocket Books, New York.
Vertaling:
Maaike Bijnsdorp

Omslag:
Björn Goud

ISBN 978 90 6112 395 8
NUR 332

Tweede druk, maart 2007

Voor Spider en Jeanne Robinson:
voor alle jaren van liefde, inspiratie en steun.

1

Biscayne Bay lag in het late middaglicht aquamarijn te glinsteren onder een strakblauwe hemel. Vanaf zijn zitplaats aan het roer van de politieboot zag Horatio Caine als hij de ene kant op keek de zilveren wolkenkrabbers die de skyline van het centrum van Miami vormden. Als hij zijn hoofd een paar graden draaide, werd hem een prachtig uitzicht geboden op een zee die gespikkeld was met donkergroene vlekken van mangrove-eilanden waar tussendoor, op een paar plaatsen, een zeevogelnest ter grootte van een ton dreef.

Er schoot een gedachte door zijn hoofd dat hij wel heel vaak op dit soort spectaculaire beelden getrakteerd werd als hij op weg was naar iets onuitsprekelijk smerigs. Een soort compensatie, bedacht hij, maar corrigeerde zichzelf meteen weer. Geen vergoeding of compensatie. Hooguit een troostprijs.

Op het moment dat de boot knerpend het witte zand van een smal strandje op gleed, zette rechercheur Frank Tripp de motor af.

'Ga je gang, Horatio,' zei Tripp. 'Doe jij eerst je werk maar. Ik blijf nog wel even aan boord. Je plaats delict is een beetje krap.'

'Dank je, Frank,' zei Horatio.

De duinen waren hier niet heel uitgebreid, hooguit honderd vierkante meter dicht struikgewas van een meter of vijf hoog achter een smal reepje strand. Horatio stapte voorzichtig uit en bood daarna de helpende hand aan dokter Alexx Woods, die met hem mee aan land ging.

'Is er iets?' vroeg hij.

'Die rotmuggen,' mopperde ze, terwijl ze er een wegsloeg van haar arm. 'Ik snap niet waarom ze jou wel met rust laten.'

'Na een paar honderdduizend beten word je vanzelf immuun,' zei hij afwezig. Zijn aandacht werd al opgeëist door de reden waarom ze op dit piepkleine mangrove-eiland ten zuiden van Miami waren: het lijk van een jonge vrouw.

Het was geen aangenaam gezicht. Ze lag op haar rug en had behalve

een snorkelmasker niets aan. Een van haar armen lag gestrekt tussen de op spinnenpoten lijkende wortels van de rode mangroves die het eilandje bedekten. Het masker was tot de rand gevuld met een wit schuim dat haar gezicht aan het oog onttrok en uit haar mond kwam rauw, rozerood vlees gestulpt.
Alexx stapte behoedzaam over het lijk heen. Ze hurkten aan weerskanten van het lichaam neer.
'Ze is gevonden door een visser,' zei Horatio. 'Zo te zien is ze door de vloed aangespoeld.'
'Ze zou naar de bodem gezonken moeten zijn,' zei Alexx. Ze strekte een gehandschoende hand uit en bewoog de kaak zachtjes heen en weer. 'Geen rigor in de spieren van het temporomandibulaire gewricht, maar...' Ze nam de rechterpols van de vrouw in haar handen en tilde die iets op. Het hele lichaam wiebelde, de arm was duidelijk stijf. '... wel in de hoofdspiergroepen. De huid is blauwig en de rigor neemt af, wat betekent dat ze waarschijnlijk al zo'n veertien uur dood is. De buik is niet opgezwollen en ze is niet zwaarlijvig; ze had in principe niet moeten blijven drijven.'
Kooldioxide, zwaveldioxide, ammoniak, waterstofsulfide, methaan; Horatio wist dat al die gassen in het maagdarmkanaal van een lijk in ontbinding geproduceerd werden en dat, als er maar genoeg van ontstond, het lichaam als een opgeblazen ballon naar het oppervlak kwam drijven. Maar dat was een proces dat minstens vierentwintig uur kostte en het had een opgezwollen lichaam tot gevolg.
'Dat is niet het enige vreemde,' zei Horatio. 'Ze draagt een masker, maar geen zwemvliezen of snorkel. Zelfs geen badpak.'
Alexx onderzocht de vleesmassa die uit de mond tevoorschijn kwam. 'Wat pas echt vreemd is, is dit...' Ze pakte het lichaam bij de heupen en rolde het voorzichtig op de zij, waardoor de rug zichtbaar werd. Een zelfde bobbel rauw vlees kwam tussen de billen vandaan naar buiten gestulpt. 'Er is sprake van diervraat, waarschijnlijk door krabben en zeeluis,' zei ze, 'maar het is nog wel herkenbaar als delen van het spijsverteringskanaal. Iets heeft haar... binnenstebuiten getrokken, Horatio.'
'En de veroorzaker daarvan heeft ook haar lichaam hier neergelegd,' zei Horatio. 'Enig idee?'

'Ik kan je nog wel vertellen dat de zichtbare delen van haar slokdarm en karteldarm binnenstebuiten zitten. Dat doet vermoeden dat ze letterlijk opgeblazen is.'
'Explosieve decompressie?'
'Zo heftig? Dan zou ze zo'n beetje uit de luchtsluis van een spaceshuttle geduwd moeten zijn.'
'Ik dacht meer aan diepzeeduiken. Vissen die van extreem grote diepte snel naar boven gehaald worden, ontploffen soms.' Horatio schudde het hoofd. 'Maar in deze omgeving is alleen maar ondiep water te vinden. Het is nergens dieper dan drie meter.' Hij pakte een van de handen van het lijk en bestudeerde die. 'De vingernagels zijn gescheurd, wat duidt op een worsteling. En onder een ervan zit iets...'
Met een pincet haalde hij iets kleins en donkerblauws tevoorschijn en liet het in een bewijszakje glijden. 'En die plekken op haar been?'
Er zaten verschillende diepe wonden in een van de kuiten. Alexx bestudeerde ze en trok een diepe frons. 'Het lijken wel beten,' zei ze, 'maar ik zou niet weten waarvan. Het patroon komt niet overeen met een mensenbeet en is niet grillig genoeg om van een haai of barracuda te zijn. En ze zijn diep: wat het ook was, het moet in ieder geval sterk geweest zijn.'
'Dus samengevat hebben we: niet-menselijke bijtsporen, explosieve decompressie en een lichaam dat ergens ligt waar het niet hoort te liggen,' zei Horatio.
Alexx keek treurig naar het lichaam. 'Geen enkel lijk hoort te liggen waar het ligt, Horatio,' zei ze.
Hij klapte zijn zonnebril omlaag en keek naar het vasteland. In de verte kwam nog een boot aanvaren: Delko en Wolfe, die de plaats delict kwamen onderzoeken.
'Dus,' zei hij, 'moeten wij ervoor zorgen dat we erachter komen waar ze vandaan komt.'

'Uit het water gevist, hè?' zei Wolfe. De jonge CSI'er moest hard praten om boven het geluid van de motor van de boot uit te komen. 'Ik neem aan dat je dat al vaker tegengekomen bent.'
'Zeker,' knikte Eric Delko met een ernstig gezicht. 'En dat ziet er

meestal niet erg prettig uit. Aan stukken gehakt door de propellers van motorboten, afgekloven door alles wat er rondzwemt, van garnalen tot haaien, en bovendien gaat het ontbindingsproces ook nog eens razendsnel. In Florida kan het klimaat voor of tegen je werken.'
'Hoezo?'
'Hoe meer bacteriën er in het water zitten, des te sneller het lichaam ontbindt. In een warme, vochtige omgeving zoals een moeras, zwemmen extreem veel bacteriën rond. Ik heb lijken gezien die na krap vierentwintig uur in het water al zwart waren van verrotting. Maar soms gebeurt het tegenovergestelde.'
'Wat dan? Worden ze wit?'
'Zoiets. Het heet saponificatie, ofwel verzepen, en dat vindt alleen plaats in warme, vochtige, anaërobe omgevingen. Het onderhuidse vet vormt in combinatie met calcium en ammoniumionen adipocire: een wasachtig, witgrijs spul. Eigenlijk is het gewoon...'
'Zeep,' maakte Wolfe zijn zin af. 'Daar heb ik over gelezen. Ben jij dat wel eens tegengekomen?'
'Het komt niet vaak voor, maar ik heb het inderdaad wel eens gezien,' zei Delko. 'Het vertraagt de ontbinding, net zoals bij mummificatie, maar de omstandigheden luisteren nauw.'
Ze naderden het mangrove-eiland en meerden af. Alexx had weer plaatsgenomen in de eerste boot om op het kleine strand – het was niet meer dan een strook zand van een meter of zeven – ruimte te maken voor Delko en Wolfe.
Horatio kreeg het voor elkaar om in zijn donkerblauwe linnen kostuum – zonder stropdas, met een overhemd waarvan de bovenste knoopjes niet dicht zaten – net zoveel rust en leiderschap uit te stralen als wanneer hij door de straten van Miami liep.
'Wolfe, ik wil jou graag achter de camera zien,' zei hij, zodra de rechercheurs door het ondiepe water aan kwamen plonzen. 'En Eric, trek jij je uitrusting maar aan. Dit eilandje lijkt me niet de oorspronkelijke plaats delict, eerder een dumpplek, maar misschien is er onder water toch nog iets waardevols te vinden.'
'Komt voor elkaar,' zei Delko. Hij had zijn wetsuit al aan en terwijl Wolfe zijn camera en toebehoren pakte, begon Delko zijn duikapparatuur om te hangen.

'Weten we wie het slachtoffer is?' vroeg Wolfe.
Horatio deed een stap opzij om hem de ruimte te geven om te fotograferen.
'Nog niet,' zei hij. 'Calleigh checkt wie er de afgelopen achtenveertig uur als vermist zijn opgegeven.'
'Heb je al theorieën?' vroeg Wolfe. Hij zoomde in op de wonden en maakte er verschillende foto's van.
'Niets wat hout snijdt,' moest Horatio bekennen. 'Het klopt gewoon niet. Het zou goed kunnen dat we naar een geënsceneerde plaats delict staan te kijken. Kijk maar hoe die arm van haar tussen twee van die wortels gepropt zit.'
Wolfe boog zich voorover en bekeek hem van dichtbij. 'Inderdaad,' zei hij. 'Alsof iemand wilde voorkomen dat het opkomende water haar weg zou spoelen. En wat is er met haar lichaam aan de hand? Het lijkt wel alsof...' Hij viel stil.
'Alsof iemand zijn hand naar binnen gestoken heeft, haar inwendige organen heeft beetgepakt en flink heeft getrokken,' zei Horatio. 'Aan allebei de uiteinden.'

Duiken was een gevaarlijke bezigheid. Niemand was zich daar beter van bewust dan Eric Delko, die als duiker in dienst was van het forensisch laboratorium van Miami-Dade. Hij was intussen de tel kwijt van het aantal lijken dat hij uit gezonken auto's of boten getrokken had en elke dode herinnerde hem weer aan de vijandige omgeving waar hij nu doorheen gleed. De zee voor de kust van Florida had wel wat weg van Miami zelf: warm en uitnodigend, vol glinsterende schatten en schitterende kleuren, maar levensgevaarlijk.
Sommige stukken waren vanzelfsprekend mooier dan andere. In de ondiepe, brakke wateren van Biscayne Bay betekende de aanwezigheid van mangrove-eilanden en veel menselijk verkeer dat het water troebel was. Het zat vol plankton, sediment en slib: deels natuurlijk en deels door menselijke invloed ontstaan. Delko bewoog zich behoedzaam door het duister, bleef net boven de bodem zwemmen en liet zijn ogen over de wiegende zeegrasbedden gaan, op zoek naar alles wat er niet thuishoorde. Het probleem was dat er veel te veel

troep lag: bierblikjes, roestige pijpen en oude plastic melkkratten, zozeer met zeepokken en modder bedekt dat ze vaak alleen nog herkenbaar waren aan hun vorm.
Hij bewoog zich in een lus om het eiland en liet met gewichtjes verzwaarde vlaggetjes afzinken om zijn route te markeren. Hij had volop gezelschap: soepschildpadden en dikkopschildpadden, gratenvissen, pompano's, zwarte en rode tandbaarzen. Krabben en kreeften maakten zich snel uit de voeten als hij naderde en scholen garnalen kolkten langs hem heen in deinende roze golven.
Hij hoopte een van de vinnen van het slachtoffer te vinden of misschien haar snorkel, want die zouden allebei niet zijn blijven drijven. Wat uiteindelijk echter zijn aandacht trok, was iets kleins en wits. Hij dacht eerst dat het weer een witte plastic zak was, waarvan hij er al veel te veel over de bodem had zien drijven als een soort spookachtig tumbleweed, maar het was te klein en had niet de goede vorm.
Bij nadere inspectie bleek het een bovenstukje van een bikini te zijn, waarvan de bandjes leken te zijn doorgesneden.

Als forensisch onderzoeker kreeg je uiteindelijk, zo was Horatio's ervaring, een zenachtige filosofie ten opzichte van het leven. Geen onverschillige, nirvanagerichte benadering maar een diep bewustzijn dat alles met elkaar in verband stond. Nogmaals: niet op een vage, metafysische manier, maar heel direct en pragmatisch. Volgens het uitwisselingsprincipe van Locard vond er bij elk contact tussen twee zaken altijd een overdracht van deeltjes plaats, en Horatio had ontdekt dat de concepten 'overdracht' en 'spoor' op bijna ieder aspect van het leven toepasbaar waren. Er bestond een netwerk van verbintenissen tussen fysieke objecten dat voor de meeste mensen onzichtbaar bleef, maar waar Horatio een verhoogde gevoeligheid voor ontwikkeld had die bijna al zijn waarnemingen beïnvloedde. Hij kon niet naar een vrouw die een slokje wijn nam kijken, zonder de lippenstift op te merken die ze op haar glas achterliet; hij kon niet naar een meubelstuk kijken zonder de vezels te zien die op de stof waren achtergebleven. Voor zichzelf had hij dit het 'Sherlock Holmessyndroom' genoemd, maar tegen anderen sprak hij daar nooit over. Ze zouden er waarschijnlijk van uitgaan dat hij met dit syndroom doelde op Holmes' cocaïneverslaving; ze waren tenslotte in Miami. En na wat er met zijn broer Raymond gebeurd was, was dat het laatste wat Horatio wilde: een geruchtenstroom over hemzelf en drugs op gang brengen.

Overdracht en sporen. Het was al evenzeer van toepassing op reputaties.

Natuurlijk was dat in sommige gevallen een goede zaak. Horatio werd omringd door mensen die stuk voor stuk keien in hun vak waren. Hij probeerde van hen te leren, terwijl hij tegelijkertijd zo veel mogelijk van zijn eigen kennis probeerde door te geven. Idealiter werkte iedereen in zijn team als de kleinere onderdelen van een groter organisme, waarbij kennis en vaardigheden de grondstoffen waren die van cel op cel werden overgedragen.

En wat voor sporen laten we dan na, vroeg Horatio zich af toen de liftdeuren opengingen en hij de centrale hal van het forensisch lab binnenliep. Stukjes van onszelf, neem ik aan. Kruimels waardigheid, brokjes eer, vezeltjes normbesef...

'Weet je, Horatio,' zei Calleigh Duquesne, die opeens naast hem opdook, 'elke keer als ik dat lachje om je mond zie, probeer ik er weer achter te komen wat zich afspeelt in dat hoofd van jou.'

'En? Lukt dat?'

'Nee, jíj blijft een raadsel voor me. Ik had meer geluk met die dode vrouw uit Biscayne Bay.'

'O?' Horatio bleef staan en draaide zich om. 'Heb je een naam?'

'Ja.' Calleigh droeg haar lange blonde haar vandaag los en ze duwde het achter haar oor terwijl ze een dossiermap openklapte en de inhoud raadpleegde. 'Gabrielle Maureen Cavanaugh. Is gisteren als vermist opgegeven. Volgens haar huisgenote gaat ze er regelmatig alleen op uit om wandelingen te maken en neemt dan brood voor onderweg mee.'

'Weten we zeker dat zij het is?'

'De huisgenote heeft haar een paar minuten geleden geïdentificeerd. Ze is nogal van streek, maar wel bereid tot een gesprek. Ik was net op weg naar de verhoorkamer. Loop je mee?'

'Dat lijkt me wel verstandig,' zei Horatio.

De huisgenote heette Stephanie Wheeler. Ze was een korte, mollige vrouw met een bos piekerig, zwartpaars haar en een bril met een dikke rand. Ze had een op kniehoogte afgeknipte spijkerbroek aan, sandalen en een bontgekleurd hawaïhemd – geen erg gepaste kleding voor het identificeren van lijken – maar Horatio zag aan haar gezicht dat dit nu het laatste was waar de vrouw zich zorgen om maakte.

Horatio stelde zichzelf en Calleigh voor en ging tegenover Stephanie aan tafel zitten. Calleigh nam naast hem plaats.

'Gecondoleerd met uw verlies,' zei Horatio. 'Ik zal het zo kort mogelijk proberen te houden.'

'Dank u,' zei Stephanie. Haar stem klonk kalm maar af en toe welde er een traan op in haar ooghoek, die vervolgens over haar wang naar beneden gleed.

'U zei dat Gabrielle graag alleen op pad ging,' zei Horatio. 'Viel zwemmen daar ook onder?'

'Soms wel,' zei Stephanie. 'Dan nam ze een duikmasker en snorkel mee zodat ze onder water kon kijken. Geen vinnen, die gebruikte ze niet graag.' Stephanie knipperde een paar keer snel achter elkaar. 'Te veel gedoe om mee te nemen, vond ze. En ze droeg ze ook niet graag.'

'Aha. Kon ze goed zwemmen?'

'O, ja. Ik zei vaak tegen haar dat ze niet in haar eentje moest gaan zwemmen, maar... ze was erg onafhankelijk. Ze liet zich niets voorschrijven waar ze geen zin in had.' Stephanie knikte ter bevestiging, meer voor zichzelf dan voor Horatio. Een traan druppelde onopgemerkt langs haar kin.

Horatio en Calleigh wisselden een blik uit.

'Stephanie?' zei Calleigh. 'Was er iemand in Gabrielle's omgeving die haar misschien kwaad wilde doen? Een ex-vriendje bijvoorbeeld?'

Er gleed een lichte frons over Stephanie's gezicht. 'Hoezo? Ik bedoel, wilt u zeggen dat ze vermóórd is? Ik... ik dacht dat het lichaam er alleen maar zo uitzag omdat het onder water had gelegen.'

'We trekken alle mogelijkheden na,' zei Horatio. 'Weet u of er zo iemand was?'

'Nee,' zei ze vastbesloten. 'Niemand. Iedereen mocht Gabrielle heel graag. Ze was koppig, maar je kon nooit kwaad op haar blijven. Ik zou niemand kunnen verzinnen die het in zijn hoofd zou halen haar iets aan te doen.'
'Misschien iemand die ze onlangs ontmoet had en die nogal veel aandacht aan haar leek te besteden? On line misschien?' probeerde Horatio.
'Niet dat ik weet. Ze gebruikte de computer bijna nooit, zelfs niet om te e-mailen. Ze heeft op dit moment ook geen vriend,' zei ze stilletjes.
Ze hadden nog meer vragen, maar kwamen niets te weten dat belangrijk leek. Gabrielle was jong, mooi en geliefd; ze gebruikte geen drugs en ging niet met verkeerde vrienden om. Ze werkte op de receptie van een van de vele hotels van Miami. Horatio nam zich voor om Calleigh, zodra ze met Stephanie klaar waren, te vragen de vingerafdrukken van het slachtoffer door AFIS te halen, de databank voor vingerafdrukken. Hij had echter zo'n donkerbruin vermoeden dat Gabrielle's enige misdaad was geweest dat ze graag tijd alleen doorbracht.
Helaas, bedacht Horatio, zijn er genoeg plaatsen waar dat je dood kan betekenen. En Miami is zo'n plaats...

'En, Alexx?' zei Horatio, terwijl hij handschoenen aantrok. Het lijk van Gabrielle Cavanaugh lag voor hen op de roestvrijstalen autopsietafel en zag er op de een of andere manier meer levend uit nu de duikbril verwijderd was en het uit haar mond puilende vlees was weggehaald. 'Wat kun je me vertellen?'
'De doodsoorzaak is verdrinking,' zei Alexx. 'Als een verdrinkingsslachtoffer haar adem niet langer in kan houden, neemt het ademhalingscentrum in de hersenen het over. Dat dwingt haar in te ademen, of er nou lucht te halen valt of niet. Het water prikkelt de trachea en veroorzaakt een hoestreflex. Daardoor wordt lucht uit de longen geperst, die bij het inademen vervangen wordt door water. Die cyclus wordt steeds krachtiger en leidt soms tot overgeven. Het gebrek aan zuurstof veroorzaakt bewusteloosheid, maar maakt geen eind aan de cyclus; het overgeven wordt steeds heviger, er treden

stuiptrekkingen op en de fase van het agonale ademhalen treedt in. Tijdens deze fase prikkelt het ingeademde water de klieren van de luchtwegen tot het aanmaken van slijm, dat samen met het water en de achtergebleven lucht schuim vormt. Het knappen van de longblaasjes draagt daar ook toe bij en blijft dat nog een aantal uren doen nadat het lichaam uit het water is gehaald; daarom zat haar duikbril vol wit schuim. Maar toen ik haar bloed onderzocht wachtte me een verrassing, Horatio: dit meisje is niet in zout water verdronken.'

'Weet je dat zeker? Ook zonder dat de longen nog intact zijn?'

'Absoluut. Zoet water is hypotonisch ten opzichte van plasma; via osmose wordt het in een razend tempo de bloedbaan in gejaagd, door de longblaasjes heen. Dat kan tot twee keer zoveel bloedvolume leiden in minder dan een minuut; bij haar was het zo'n tweeënveertig procent meer. Ze is op een andere plaats verdronken.'

'Ze is in de buurt van brak water gevonden,' zei Horatio. 'Er komt via de kanalen wel zoet water de baai binnen. En hoe zit het met die naar buiten geperste inwendige organen?'

'De toestand van de borstholte duidt erop dat die naar buiten gedrúkt zijn en ik denk dat ik weet hoe.'

Ze wees naar een klein rood puntje op de buik. 'Dat is een prikgaatje, zo klein dat ik het pas opmerkte toen ze op tafel lag. Ik denk dat er onder hoge druk iets bij haar geïnjecteerd is. De borstholte is een afgesloten ruimte; als je er maar genoeg gas of vocht inpompt, moet er iets bezwijken.'

'En dat is ook gebeurd,' mompelde Horatio. 'Maar dat moet dan toch na het intreden van de dood gebeurd zijn?'

'Zeker. Haar longen moeten nog op zijn plaats hebben gezeten om dat schuim te kunnen produceren. Ik kan je helaas niet veel vertellen over de toestand van de longen zelf, omdat die toen ze buiten het lichaam hingen zijn weggevreten door beesten, net als de maag. Maar ik heb de bloedgassen gemeten en verhoogde waarden voor koolzuurgas gevonden; toen ze al dood was, is een deel van dat gas in haar bloedbaan terechtgekomen. Iemand heeft haar vol CO_2 gepompt, Horatio: ze is opgeblazen als een ballon.'

'En dat gas is ontsnapt op het moment dat de naar buiten geperste

organen werden doorgebeten,' zei Horatio. 'Is er sprake van een seksueel misdrijf?'
'De vagina is uitgescheurd en er is ecchymosis in de genitale regio.'
'Dat duidt op verkrachting... Heb je sperma gevonden?'
'Nee. Hij heeft niet geëjaculeerd of hij had een condoom om.'
'En de bijtsporen op haar been?'
Alexx schudde haar hoofd. 'Zoals ik al zei: niet van een mens afkomstig. Er is ook iets vreemds aan het wondpatroon, trouwens.'
'Hoe bedoel je?'
'Kijk hier eens naar,' zei ze. 'De beet gaat bijna tot op het bot en het vlees is weggescheurd; maar als de bijter echt zo sterk was, had hij wel haar hele kuitspier weggerukt. Hij is wel begonnen, maar heeft om de een of andere reden de klus niet afgemaakt. Bij het onderzoek van de wond heb ik een splintertje van niet van het lichaam afkomstig materiaal gevonden, wellicht van een tand. Ik heb het naar Sporen gestuurd.'
'Goed. Ik zal de dierendatabase raadplegen om te zien of we de sporen kunnen identificeren. Misschien hebben we wel geluk en stuit ik op een DNA-match.'
'Dit is een merkwaardige zaak, Horatio. Wat het ook was dat dit meisje heeft moeten doorstaan, aangenaam kan het niet geweest zijn.'
Horatio deed een stap terug van de tafel. Hij bestudeerde het gezicht van Gabrielle Cavanaugh, probeerde zich een beeld van haar te vormen op een van haar eenzame wandeltochten. Ze nam waarschijnlijk meestal een boek mee, iets te eten en misschien zonnebrandcrème om in de warme zon van Florida te kunnen liggen zonder te verbranden. En als het te heet werd, kon ze altijd afkoelen door een duik te nemen...
'Wat het ook was dat ze heeft moeten doorstaan, wij zullen erachter komen,' zei Horatio zachtjes.

'Waar we naar op zoek zijn,' hield Horatio zijn team voor, 'is een wapen dat bekend staat onder de naam Farallon haaienpijl.'
Ze zaten met zijn allen rond de lichttafel. Delko stond met zijn armen over elkaar geslagen tegen zijn strakke zwarte T-shirt en keek

ernstig en somber voor zich uit. Wolfe, die een grijs colbertje over een lichtblauw shirt droeg, bestudeerde de duikbril en het bikinibovenstukje op tafel: de enige fysieke objecten die ze van de plaats delict hadden meegenomen. Calleigh, in een wijdvallende witte bloes op een zwarte katoenen broek, zat met een opengeslagen notitieblok voor zich en had een pen in de hand.
'Eh, ik geloof niet dat ik die al eens tegengekomen ben, H,' zei Wolfe.
'Het is een apparaat waarmee je haaien afschrikt,' zei Delko. 'Het bestaat uit een blik met samengeperste CO_2 waaraan een lange, scherpe naald vastzit. Haaien hebben tot zesendertig procent minder pijnreceptoren dan een mens; het komt er eigenlijk op neer dat ze geen pijn voelen. Om zo'n beest tegen te kunnen houden, moet je een hoop schade in één keer kunnen aanrichten. De haaienpijl schiet gas in de lichaamsholte van de haai, waardoor zijn inwendige organen via de bek en het rectum naar buiten geperst worden.'
'En iemand heeft zoiets bij Gabrielle Cavanaugh gebruikt,' zei Calleigh.
'Postmortaal,' zei Horatio. 'Daarvóór is ze eerst nog verkracht.'
'De verminkingen van het lichaam lijken in woede te zijn toegebracht,' zei Wolfe. 'En dat geldt ook voor de wijze waarop ze neergelegd is. Iemand wilde ons zijn handwerk laten zien.'
'Ik weet niet of ze bewust zo is neergelegd,' zei Delko. 'Voor het koolzuurgas ontsnapt is, kan het lichaam hebben rondgedreven. Het kan op natuurlijke wijze in de mangrovewortels verstrikt zijn geraakt.'
'Dan is er ook nog de kwestie van de bijtsporen,' zei Horatio. 'Calleigh, heb je wat dat betreft nog vooruitgang geboekt?'
'Jazeker,' zei Calleigh. 'De verklaring was te vinden in de afstand tussen de tanden: 1,14 centimeter. Geloof het of niet, maar ze zijn afkomstig van een tuimelaar.'
'Een dolfijn?' vroeg Wolfe. 'Dat is uitzonderlijk. Die vallen bijna nooit mensen aan.'
'Dolfijnen zijn een stuk gevaarlijker dan de meeste mensen denken,' zei Delko. 'Het zijn natuurlijk wel roofdieren. Een orka is eigenlijk niet meer dan een uit de kluiten gewassen dolfijn. Dolfijnen vallen regelmatig haaien aan, en zelfs bruinvissen.'

‘Dat is waar,’ zei Horatio. ‘En al suggereert het gebruik van een wapen dat er mensen bij betrokken zijn, dolfijnen kunnen ook getraind worden.’

‘Dat zou dan wel een unicum zijn,’ zei Calleigh. ‘Flipper als moordenaar.’

‘Het is anders helemaal niet zo vergezocht als het klinkt,’ zei Delko. ‘Een paar jaar geleden deed in de duikgemeenschap het gerucht de ronde dat de marine tijdens de oorlog in Vietnam dolfijnen gebruikte om vijandelijke duikers te doden. En ik wil niet smakeloos klinken, maar dolfijnen zijn uiterst seksuele wezens; er zijn verschillende meldingen geweest van seksueel gedrag jegens mensen, in het bijzonder menstruerende vrouwen.’

‘Wil je beweren dat ze is aangerand door een dolfijn?’ zei Calleigh. Ze trok haar wenkbrauwen op.

‘Het zou een mogelijkheid kunnen zijn,’ gaf Horatio toe. ‘Maar laten we ons voorlopig richten op de menselijke invalshoek… Eric, ik wil dat jij de kustlijn van Biscayne Bay gaat bekijken. Concentreer je vooral op de afwateringsgebieden van de kanalen. Calleigh, jij gaat met die pijl verder. Zorg voor een lijst van leveranciers. Wolfe, jij blijft in het lab; we hebben sporenmateriaal aangetroffen onder de nagels van het slachtoffer en in de wond. Ik wil weten wat dat is en waar het vandaan komt.’

‘En jij, Horatio?’ vroeg Calleigh. ‘Ga jij naar Sea World om daar wat verdachten aan de tand te voelen?’

‘Als dat nodig is, zal ik het niet nalaten,’ zei Horatio welwillend. ‘Want degene die Gabrielle Cavanaugh dit heeft aangedaan, mens of dier, zwemt nog vrij rond…’

2

Op de A1 A wemelde het zoals gewoonlijk van de toeristen. Het was een weg die maar één doel had: de keys, de eilandjes die als een parelsnoer langs de kust lagen, met de rest van Florida verbinden. Alleen was dit snoer niet rond, het liep dood in Key West: de laatste en schitterendste parel van allemaal, vol excentrieke bewoners en toeristenlokkertjes waar van alles te koop was, van Ernest Hemingways lievelingscocktail tot levende heremietkreeften.

Zo ver hoefde Horatio nu niet te rijden. Zijn bestemming lag op een van de kleinere keys, een onderzoeksinstituut dat het 'Aquarian Institute' heette. Hij verliet de grote weg en reed met zijn Hummer een smalle, verharde weg op die door een gebied met dichte, weelderige vegetatie slingerde. Hij volgde de weg tot aan de allerlaatste bocht waar hij op krap vijftien meter van de zee plotseling ophield. Een gebouw dat eruitzag als een witte schoenendoos op palen strekte zich een eindje de zee in. Achter het gebouw was een steiger zichtbaar, waar twee bootjes lagen aangemeerd: een wat oudere motorboot met kajuit en een Zodiac opblaasboot met harde romp.

Horatio parkeerde en stapte uit. Het gebouw had veel ramen die allemaal met condens beslagen waren. Het was een fenomeen dat Horatio in gedachten altijd het Budweiser-effect noemde en het kwam veel voor in Miami. De hoge temperatuur en luchtvochtigheid buiten zorgden, in combinatie met een airco in zijn hoogste stand binnen, voor beslagen ruiten; net als bij een ijskoud glas bier. Persoonlijk was hij van mening dat de mensen wat meer moeite zouden moeten doen om zich aan het klimaat aan te passen. Je kon toch niet anders dan concluderen dat er iets scheef zat als je naar buiten moest om op te warmen?

Horatio liep over de korte oprit naar de voordeur die eveneens van glas was. Op de deur zaten stickers die steun betuigden aan organisaties die zich inzetten voor dierenrechten en natuurbescherming. Hij trok de deur open en stapte naar binnen.

De entree was klein, weinig meer dan een glazen portiek met een aftandse houten balie met een computer en wat plastic stoelen tegen een van de muren. Op een laag tafeltje in de hoek lag een stapel beduimelde tijdschriften, waarvan de bovenste een omslag had met een onderwateropname van een duiker en een pijlstaartrog. Aan de muur hingen ingelijste foto's van tuimelaars, orka's en witte dolfijnen.

Er stond wel een stoel achter de balie, maar daar zat niemand op.

'Hallo?' riep Horatio, maar er kwam geen antwoord.

Toen zag hij de gele Post-it aan de balie hangen, waarop stond: ALS U IETS WILT BEZORGEN, IK BEN BUITEN BIJ DE HOKKEN. EINDE VAN DE GANG, LAATSTE DEUR LINKS.

Hij volgde de aanwijzingen op en liep via een korte gang en een houten deur die niet op slot zat naar een overdekt plankier. Een lange hellingbaan leidde naar een bassin met drie betonnen wanden. De vierde wand was een hek van gaas dat het bassin van de zee scheidde. Aan de rand van het bassin stond een soort machine op wielen met een gecapittonneerde bovenkant.

Horatio liep langs de hellingbaan naar beneden. Toen hij halverwege was dook er aan de rand van het bassin een gezicht met een duikbril en snorkel op, uit het water. De vrouw die eronder verscholen zat trok de bril omhoog en riep: 'Ja?'

Horatio liep naar de rand van het bassin. 'Goedemiddag. Ik ben inspecteur Horatio Caine. Ik vroeg me af of u misschien even tijd voor me hebt.'

De vrouw keek achterdochtig naar hem op. Ze had hoge, Slavische jukbeenderen, volle lippen en zwart haar met strepen grijs erdoorheen. 'Wat wilt u? Ik heb het erg druk.' Ze had een Russisch accent en klonk afwijzend.

'Ik heb een boodschap op uw voicemail ingesproken, maar ik heb helaas geen tijd om te wachten tot u terugbelt,' zei Horatio. 'Ik heb een paar vragen...'

Ze onderbrak hem. 'Natuurlijk. Dat hebben jullie van de politie altijd, dat zit in jullie genen. Maar ik heb net zo goed vragen en ik wil niet onbeleefd zijn, maar ik vind mijn vragen belangrijker dan die van jullie.'

'Daar zou ik niet al te zeker van zijn,' zei Horatio rustig. 'U hebt de mijne nog niet eens gehoord.'
'Nou, vraag maar dan.' Ze liet haar armen op de betonnen rand rusten en keek hem kwaad aan.
'Ik zou het prettiger vinden als we ons op dezelfde hoogte bevonden.'
Ze kneep haar lippen samen terwijl ze daarover nadacht en haalde toen haar schouders op. 'Dat lijkt me sterk,' zei ze. 'Maar als u daarop staat...'
Ze plaatste haar handpalmen plat op het beton en drukte zich omhoog uit het water tot ze op haar buik op de grond lag. Ze rolde om en ging rechtop zitten waarbij ze haar voeten in het water liet bungelen. Toen ze zich omdraaide ving Horatio even een glimp op van haar benen – net genoeg om te zien dat ze zwemvliezen aanhad – en zag dat er iets met haar onderbenen aan de hand was. Toen ze zich vooroverboog om de riempjes los te maken, zag hij wat het was: kunstledematen.
Beide benen eindigden net boven de knie. Haar protheses waren functioneel en duidelijk niet bedoeld om als fraaie kunstbenen te fungeren: ze waren vervaardigd van matzwart metaal, met verschillende gebogen stukken en iets wat op een hydraulische piston leek. Ze zette de protheses, die overeind bleven staan door de zwemvliezen, naast elkaar neer; het leek een bizar soort webvoetige sculptuur. Ze wierp hem een vijandige grijns toe. 'Kunt u even helpen, misschien?'
Ze knikte naar het apparaat waar Horatio naast stond en toen besefte hij pas dat het een rolstoel was. Het was een model dat hij nog nooit eerder had gezien.
'Hij is nog nieuw voor me,' zei ze. 'Een beetje lastig om in te komen, snapt u?' Ze hield haar armen omhoog als een vragende peuter, maar aan het glinsteren van haar ogen was te zien dat zij niet degene was die zich ongemakkelijk voelde.
Horatio hurkte neer, keek haar aan en legde zijn handen stevig om de taille van haar zwarte badpak. Hij kwam overeind en tilde haar met gemak de lucht in, terwijl haar armen licht op zijn schouders rustten. Hij zette haar voorzichtig op het gecapitonneerde opper-

vlak. Zijn greep was ferm en zijn blik ondoorgrondelijk; hij zag de uitdrukking op haar gezicht van kwaadaardig plezier in geamuseerde waardering overgaan.

'*Spasiba,*' zei ze. 'Een ogenblikje.' Ze morrelde aan de knopjes en bij het gezoem van een elektrisch motortje veranderde de positie van het apparaat zodat zich een rugleuning vormde. Daar leunde ze tegenaan, terwijl ze gordels om haar taille en schouders vastklikte. Daarna gingen haar handen weer naar het bedieningspaneel. De vorm van het frame veranderde weer, helde omhoog en kwam overeind, waardoor ze volledig rechtop kwam te staan.

'Zo,' zei ze, 'nu staan we oog in oog, zij het dan helaas niet voet aan voet. Ik hoop dat uw vragen alle moeite waard zijn.'

Horatio glimlachte. 'Dat hangt ervan af. Wat is uw mening over het aanvallen van mensen door dolfijnen?'

Ze snoof. 'Jammer dat het niet vaker gebeurt,' zei ze. 'Die klotetoeristen betalen om met Flipper te mogen zwemmen. Ze denken dat dieren net zo zijn als je in de dierentuin en op tv ziet. Ze zien een beer en smeren pindakaas op de handen van hun kinderen zodat ze een foto kunnen maken als hij die eraf likt. Stomme idioten.'

Ze trok aan een joystick op de leuning van de stoel, waarop de stoel omdraaide en wegreed. Horatio moest zich haasten om haar bij te houden.

'Waar gaat dit over?' vroeg ze. 'Een of andere nieuwe dierenrechtengroepering die klachten heeft over mijn tuimelaars? Dat ik ze gevangen houd en ze allerlei vreselijks aandoe? Zeg maar dat ik wel een sticker van ze wil kopen om op de deur te plakken.'

'Pardon,' zei Horatio, die haar met een paar snelle stappen de pas afsneed vlak voor ze bij de hellingbaan was. 'Dit is wel iets serieuzer dan dat, doctor...?'

'Zjenko,' zei de vrouw. 'Dr. Nicole Zjenko. Wat is er dan gebeurd en waarom zou ik me dat moeten aantrekken?'

Horatio ademde langzaam en diep in voor hij antwoord gaf. 'Er is een vrouw gestorven, dr. Zjenko. Op haar lichaam zijn bijtsporen van een tuimelaar aangetroffen...'

'Ha! Belachelijk,' schamperde Zjenko. 'Dat moet een vergissing zijn. Dolfijnen zijn geen aaseters.'

'Er is geen vergissing in het spel,' zei Horatio geduldig. 'En de beet is voorafgaand aan het overlijden gemaakt, niet erna.'
'Dus u wilt beweren dat die dolfijn daadwerkelijk iemand vermoord heeft?' Haar toon was iets minder strijdlustig. 'Dat hij haar als een haai heeft opgegeten?'
'Nou, de doodsoorzaak is verdrinking. Er was één enkele beet, een diepe, in haar been.'
'Dan was het geen dolfijn. Er zijn walvissoorten die mensen aanvallen en hen doden door onderdompeling – een paar jaar geleden was er een geval van een orka die zijn trainer in een aquarium heeft verdronken – maar dolfijnen vallen niet op die manier aan. Was het lichaam op verschillende plaatsen gekneusd? Op de romp en de buik?'
'Nee. Waarom vraagt u dat?'
'Omdat als een tuimelaar iemand wil doden, hij die niet op zal eten, maar hem ramt. Steeds weer opnieuw. Bam, bam, bam.' Ter benadrukking vormde ze met de vingers van één hand een vuist en sloeg hiermee tegen de palm van de andere hand. 'Met zijn snuit, de neus. Zo doden ze haaien, met een groep tegelijk. Zoals jullie Amerikanen dat doen door met een stel auto's op elkaar in te rijden.'
'Een demolition derby.' Horatio glimlachte.
'Ja! Als die vrouw door een dolfijn gedood was, zou haar lichaam onder de ronde blauwe plekken hebben gezeten. Maar dat zat het niet, dus hebben jullie het mis.' Ze schoot vooruit met haar stoel en veranderde toen plotseling van richting waardoor ze rechts van Horatio uitkwam, onder een door de dakrand gevormd afdak. Ze kwam voor een oude, aftandse, witte ijskast tot stilstand en trok de deur ervan open.
'Ik zeg niet dat ze door een dolfijn gedood is,' zei Horatio. 'Ik vertel alleen wat we aangetroffen hebben. De beet was ongewoon, maar hij viel in het niet bij wat haar daarna is aangedaan.' Hij vertelde haar over de toestand van het lichaam, terwijl zij in de ijskast rommelde en een grote, groene plastic zak tevoorschijn haalde.
'Een haaienpijl?' zei ze met een frons. Ze klapte een tafelblad uit aan de zijkant van de rolstoel en legde de zak daarop. 'Dat kan ik bijna niet geloven...'

Ze aarzelde en zei toen onwillig: 'Nou ja, misschien toch. Ik dacht altijd dat het maar verhalen waren, paranoïde fantasieën, maar er zijn mensen die zwoeren dat het waar was. Mensen die zeiden dat ze het met eigen ogen hadden gezien. Misschien hadden ze dan toch gelijk.'

Ze rolde terug naar het bassin. Horatio liep met haar mee. 'Wat hadden ze dan precies gezien?' vroeg hij.

Toen ze bij de rand van het bassin was, bleef ze staan. 'Dolfijnen die door de marine getraind zijn om te doden. Ze hadden een instrument dat veel weg had van een haaienpijl aan hun snuit gebonden, zodat ze een vijandelijke duiker konden rammen. Het zwemmersvernietigingsprogramma werd het genoemd. Uw regering heeft het bestaan ervan altijd ontkend.' Ze pakte de plastic zak, stak haar hand erin en haalde er een vis van een centimeter of dertig uit. Ze wierp hem in de lucht boven het bassin, waarna er meteen een gestroomlijnd grijs lichaam in een boog uit het water sprong. De dolfijn ving de vis keurig op en gleed het water weer in.

'Ik heb begrepen dat u zelf ook met marinedolfijnen werkt,' zei Horatio. Hij staarde naar het water, naar de soepele vorm die erdoorheen gleed. 'Is dat trouwens geen marinedolfijn?'

'Aha, u hebt uw huiswerk gedaan,' zei ze, terwijl ze nog een vis in het bassin wierp. 'Heeft die arme Whaleboy een alibi nodig? Ik kan u verzekeren dat hij al een jaar niet meer in open zee gezwommen heeft. Daarvoor is hij van de marine geweest en ik heb geen idee wat ze hem toen hebben laten doen. Misschien moest hij wel wachten tot Osama Bin Laden zou gaan snorkelen.'

'Misschien wel,' zei Horatio. 'De marineofficier die ik door de telefoon sprak zei dat u dolfijnen voorbereidt op hun vrijlating in zee als de marine ze met pensioen stuurt. Is dat moeilijk?'

Ze wierp hem een schattende blik toe. 'Moeilijk? Je moet het zo zien. Stel je hebt een slimme, goed getrainde hond. Die hond heb je het grootste deel van zijn leven – tien jaar – en dan zeg je op een dag: "Ik heb je niet meer nodig. Het is tijd dat je in het bos gaat leven, maar maak je geen zorgen, deze aardige dame zal je helpen in een wolf te veranderen."' Ze schudde haar hoofd. 'Het is waanzin, maar het is mooi dat ze nog even in vrijheid kunnen leven voor ze doodgaan. Maar vrijheid is geen sinecure.'

'Dat is het zeker niet,' zei Horatio instemmend.
'Ik zie dat u mijn vervoermiddel bewondert,' zei Zjenko. 'Mooi apparaat, hè?'
'Ik kan een stukje effectieve technologie wel waarderen,' zei Horatio.
Ze maakte een gebaar met haar hand en Whaleboy reageerde onmiddellijk door rechtop op zijn staart te gaan staan en snel klapperend met zijn staartvinnen achterwaarts te bewegen, waardoor het leek alsof hij achteruitliep over het water. Ze beloonde hem met nog een vis.
Ze grinnikte. 'Effectief en kostbaar. Een op maat gemaakte Levo met V-snaar rugsysteem en hoofdsteun. Voor dit soort technologie moet je bij de Zwitsers zijn, zeg ik altijd maar. Koekoeksklokken of rolstoelen, zij maken het beste van het beste.'
'Zijn uw protheses ook Zwitsers?'
Ze wierp hem een snelle, vorsende blik toe en hij vroeg zich af of hij een misstap begaan had, maar haar antwoord klonk niet kwaad.
'Nee, Amerikaans en Duits. De voeten zijn van Otto Bock, de koker van Hanger. Koolstofvezelcomposiet met een regelbaar polycentrisch kniescharnier van titanium.' Haar stem klonk afgemeten en efficiënt. 'Vanzelfsprekend waterproof. Het liefst zou ik overgaan op een van de nieuwere systemen, zoals een Endolite Adaptive. Die hebben een hydraulisch-pneumatische hybride cilinder, derde generatie microprocessoren en tijd-, kracht- en draaiingsensoren, maar ze zijn erg duur. Ik zal me waarschijnlijk tevreden moeten stellen met een aangepaste Lord RD-1005; goedkoper, maar in de knie zit een schokdemper met MR-vloeistof en hij heeft een reactietijd van een milliseconde. Zeggen ze.'
Ze maakte een draaiende beweging met haar hand waarop Whaleboy in de lucht sprong en tegelijkertijd een salto maakte.
'Voor een marinedolfijn lijkt hij me nogal een kunstenmaker,' zei Horatio.
'Hij is een enorme uitslover,' zei Zjenko met een stem waarin vertedering doorklonk. 'Die kunstjes heeft hij bij de marine geleerd. Hij is gek op aandacht, dus die geef ik hem maar. Ik probeer hem zijn voorliefde voor dode vis af te leren, maar hij raakt de levende exemplaren met geen vin aan. Hij is een koppige donder en nog te

lui om zijn eigen eten te vangen. Maar vroeg of laat zal hij het wel leren.'
'Dat denk ik ook wel,' zei Horatio met een grijns. 'Wat kan hij nog meer?'
'Behalve mijnen zoeken in de Perzische Golf? Ik laat het wel even zien. Hier, pak die vis maar eens.' Ze gooide hem er een toe, zodat hij wel gedwongen was hem op te vangen.
'Doe nu zo,' zei ze. Ze maakte een vuist en stak die in de lucht waarna ze hem met een snelle beweging omlaag liet duiken, alsof ze met een denkbeeldige bijl hakte.
Horatio deed het na. Whaleboy dook onmiddellijk onder water en kwam even later weer boven met een feloranje frisbee in zijn bek. Hij wierp hem met een snelle beweging van zijn kop naar Horatio die de frisbee in een reflex opving.
'Alsjeblieft, vriend,' lachte Horatio en wierp hem de vis toe. 'Ik weet zeker dat jij daar meer prijs op stelt dan ik.'
'Meer krijg je niet, gulzige torpedo,' riep Zjenko. Whaleboy deed zijn bek open en antwoordde met een kwakend geluid, waarna hij met een mep van zijn staart weer onder water verdween.
'Dr. Zjenko,' zei Horatio, 'ik zie dat u veel ervaring hebt met het gedrag en de training van dolfijnen. Ik moet u wel vragen...'
Ze liet hem niet uitpraten. 'Of iemand als ik een dolfijn zou kunnen opleiden tot moordenaar? Zodat hij op bevel zou doden?' Ze haalde haar schouders op. 'Misschien wel, misschien niet. De marine beweert dat ze de dieren gebruiken voor speur- en opduikdoeleinden. Net als politiehonden. Om te bewaken en dingen op te halen. Dolfijnen kunnen tot meer dan 530 meter diepte duiken zonder last van duikersziekte te krijgen, zodat ze sneller dan een mens dingen van de bodem kunnen ophalen.'
'Politiehonden staan er ook om bekend,' zei Horatio, 'dat ze bijten.'
'Dat is waar,' gaf ze toe. 'De marinetrainers hebben me de handsignalen geleerd voor "gooien", "springen" en "staartlopen", maar hoe moet ik weten of ze hem niet meer geleerd hebben? Misschien schaaf ik mijn neus nog eens aan de bodem van het bassin en bijt hij me vervolgens de keel af.'
'Die mogelijkheid lijkt u niet erg dwars te zitten.'

Ze snoof. 'Wat heeft dat voor zin? We gaan allemaal dood en van zorgen krijg je alleen maar rimpels. Trouwens,' zei ze met een blik op haar beenstompjes, '… zoiets leert je wel relativeren. Het ergste is me al overkomen, dus wat zou ik me nog druk maken?'
'Tja, dat kan ik niet beoordelen,' zei hij.
De harde blik in haar ogen verzachtte enigszins. 'Nee, dat klopt. En u probeert me in ieder geval niets op de mouw te spelden. Ha! Een eerlijke politieman. Wie had dat gedacht?'
'Ik doe mijn best,' zei Horatio.
'Oké, dan zal ik ook eerlijk zijn. Het Marine Zoogdieren Project, zo noemen ze het, is de afgelopen jaren een aantal dolfijnen kwijtgeraakt. Dat geven ze liever niet toe, maar het is gebeurd.'
Horatio keek haar aandachtig aan. 'Hoezo kwijt?'
'Onvindbaar, niet meer op hun plaats, weg. Foetsie. Verloren. Ze sturen ze op pad en ze komen niet terug. Misschien verstrikt geraakt in een tonijnnet, misschien het gehoorzamen zat. Wie zal het zeggen? Maar ik zal je een ding vertellen, meneer de eerlijke agent: die dolfijnen hadden op de eerste plaats al nooit gevangen moeten worden.'
Ze graaide in de plastic zak op haar schoot en gooide nog een vis in het bassin. 'Hij had hier niet moeten zijn,' zei Zjenko. 'Hij niet en geen van die dieren…'

Het noordelijke deel van Biscayne Bay grensde aan Miami Beach. Het was zwaar geïndustrialiseerd en werd door allerlei schepen aangedaan, van garnalenboten tot cruiseschepen. Hoewel een groot deel van de baai ondiep was, hooguit vier meter diep, waren er diepere vaargeulen gegraven voor de grotere vaartuigen.
Hopelijk zouden de politievlaggetjes aan het oppervlak dat soort schepen ervan weerhouden Delko's zoekgebied te doorkruisen. Hij had lichamen gezien die in de schroef van een groot schip terechtgekomen waren en had geen zin om in stukken op de bodem te eindigen.
Er lag meer en groter afval in de diepere stukken. Boodschappenkarretjes, banden, afgedankte fornuizen, allemaal overdekt met de alomtegenwoordige zeepokken en koralen die alles een surrealistisch soort schoonheid verleenden. Het mag dan een vuilnisbelt

zijn, dacht Delko, het is in ieder geval wel fraai om te zien.
Hij was niet langer op zoek naar vinnen – volgens haar kamergenote gebruikte Gabrielle Cavanaugh die niet – maar hij hoopte nog wel steeds haar bikinibroekje of de snorkel te vinden.
De afwezigheid van de snorkel zat hem niet lekker. De meeste snorkels zaten met stevige rubber ringen vast aan de duikbril zelf; het was bijna onmogelijk om ze afzonderlijk van elkaar kwijt te raken. De kamergenote was er zeker van geweest dat Gabrielle hem had meegenomen, maar hij was niet bij haar lichaam aangetroffen. Het kon zijn dat ze hem niet gebruikt had bij het duiken en dat ze hem op het strand had laten liggen bij haar handdoek en proviand, maar waarom had ze hem dan van huis meegenomen?
Waar hij vooral op hoopte was de haaienpijl. Bij de modellen die hij gezien had, zat de pijl aan een stok van ruim een meter, met daaraan ook een busje CO_2-gas voor eenmalig gebruik. De stok of het busje zouden na de aanval weggegooid of kwijtgeraakt kunnen zijn, afhankelijk van wie ze gebruikt had.
Een dolfijn... Delko geloofde er gewoon niet in.
Het was niet zo dat hij dolfijnen zag als een soort hoogontwikkelde, vredelievende wezens die intelligenter waren dan de mens. Hij wist dat mannetjesdolfijnen soms dolfijnkalfjes doodden; dat soort infanticide kwam ook wel voor bij andere diersoorten. Mannetjesleeuwen doodden vaak de nakomelingen van hun rivalen om zich ervan te verzekeren dat alleen hun eigen genen zouden worden doorgegeven. Verder was het bekend dat dolfijnen soms bruinvissen doodden. De enige reden daarvoor leek te zijn dat de kleinere beesten op dolfijnkalfjes leken. Moord en domheid zijn niet alleen voorbehouden aan het menselijke ras, bedacht Delko.
Nee, hij had geen moeite met het idee dat een dolfijn een mens zou kunnen doden. Wat hem dwarszat was het gebruik van de pijl.
Delko had al vaak geënsceneerde plaatsen delict gezien. Mensen probeerden vaak genoeg een passiemoord het aanzien van een uit de hand gelopen inbraak te geven, of een moord op een ongeluk te doen lijken. En bijna altijd overdreven ze daarbij. Een echte plaats delict was chaotisch, verwarrend, tegenstrijdig; het kostte tijd en volharding om het bewijsmateriaal te decoderen en te begrijpen. Bij

een geënsceneerde plaats delict was alles verklaarbaar: een pistool, kijk! Een openstaande kluis, kijk! Hier heeft een worsteling plaatsgevonden!
Horatio had Delko geleerd om dat soort overduidelijke situaties meteen te wantrouwen. 'Als alles duidelijk lijkt, is het dat waarschijnlijk niet,' zei Horatio dan en meestal had hij ook gelijk. Als je goed keek, doken er vaak allerlei tegenstrijdigheden op.
Een haaienpijl leek Delko bijvoorbeeld een absurde keus als wapen; een mes zou net zo effectief en veel simpeler zijn. Hij nam aan dat een dolfijn met een naald aan zijn neus best vele malen achter elkaar zou kunnen toestoten, maar je liep natuurlijk altijd het risico dat de naald zou breken.
En verder leek de volgorde van de gebeurtenissen ook niet erg logisch. De pijl was pas gebruikt nadat het slachtoffer al was verdronken. Waarom? Het leek niet erg voor de hand liggend.
Toen vond hij het touw.

Calleigh besloot het prikwondje nog eens nader te bekijken, dat wil zeggen de foto's ervan. Als de pijl antemortaal gebruikt was, kon de basis waarop de naald vast had gezeten een afdruk achtergelaten hebben, zoals ook wel eens het geval was met de loop van een geweer of het gevest van een zwaard, maar zo'n afdruk was er niet.
Ze bekeek ook de foto's van de bijtsporen nog eens. Of misschien was het correcter om 'het bijtspoor' te zeggen; er leek maar één keer gebeten te zijn. Dat was op zichzelf al vreemd, omdat de meeste dieren vaker dan een keer beten. Hier leek het eerder alsof iets zich had vastgebeten en geweigerd had los te laten.
Ze pakte er een vergrootglas bij en bekeek de foto nog nauwkeuriger. Even later viel haar iets op dat ze eerder niet gezien had: het vlees was in één richting losgetrokken, in de richting van de enkel.
Dat is vreemd, dacht ze. Ze wist dat sommige walvisachtigen hun prooi doodden door ermee te schudden; orka's konden een zeehond bijvoorbeeld zo hard heen en weer schudden dat hij letterlijk in stukken geschud werd, maar dit wees daar niet op.
Ze probeerde zich voor te stellen hoe het gebeurd kon zijn.
Ondiep, troebel water waar het zonlicht van bovenaf in schijnt; iets

bijt zich vast in Gabrielle Cavanaughs been, het trekt haar naar beneden. Ze worstelt om weer boven te komen, om lucht te krijgen. Het laat niet los. Ze schopt wanhopig en in paniek om zich heen. Haar longen krijgen geen zuurstof meer...
'Daarom is het vlees in één richting gescheurd,' mompelde Calleigh bij zichzelf. 'Je trok het zelf kapot bij je pogingen los te komen. Je probeerde naar boven te komen, maar het hield je onder...'

Het wit van het touw stak fel tegen de omringende grauwheid af, als een spookachtige slang. Het zat om een stok gewikkeld die uit de bodem stak als de periscoop van een duikboot... wat ook precies was wat het was, voor zover Delko dat kon beoordelen toen hij dichterbij zwom. Hij zag zelfs de contouren van de brug van het schip, compleet met reling en luikgat.
Bij nader inzien bleek het toch een illusie te zijn. De brug bleek een stuk roestig plaatmetaal te zijn, de periscoop alleen maar een oude buis en het luik was een oud stuk triplex. Het werk van een grappenmaker, nam Delko aan. Het bouwsel had waarschijnlijk op het dek van een motorboot gestaan waarmee dronken studenten door de Baai voeren – luidruchtig grappen makend over 'duikbootraces' – tot het onvermijdelijke moment dat het geval per ongeluk in het water gevallen was, of in een dronken opwelling erin gegooid. Het zag eruit alsof het hier al tientallen jaren lag.
Maar het touw was gloednieuw; het lag nog maar zo kort onder water dat er niet eens een dun laagje algen op zat. Delko haalde zijn camera tevoorschijn en maakte een paar opnames vanuit verschillende hoeken, vooral van de plaats waar het om de buis heen gedraaid zat, voor hij het losse eind vastpakte. Er zat een musketon aan het eind: een metalen sluithaak met veer die je gemakkelijk aan iets anders vast kon klikken.
Delko wikkelde het touw van de buis en zwom naar boven met het touw in zijn hand. Het was een meter of vier lang, wat bij deze diepte betekende dat het maar tot de helft kwam.
Het kon geen ankertouw voor een boot zijn.
Maar het kon wel gebruikt zijn om een verdrinkende vrouw onder water te houden...

3

Calleigh Duquesne had weinig succes. Ze was er al snel achter gekomen dat de Farallon haaienpijl al jaren niet meer gemaakt werd. De wetgevende macht van Australië had er op een gegeven moment problemen mee gekregen en de Farallon op de lijst van verboden wapens geplaatst, hoewel er op eBay nog wel een paar te koop werden aangeboden.
Ze draaide haar stoel bij het computerscherm vandaan en zuchtte. Zelfs als ze de pijl vonden, zou het niet makkelijk zijn om te bewijzen dat zo'n klein prikwondje afkomstig was van die specifieke naald; en op gas kon ze geen ballistische tests loslaten.
Wat wel kon, was alle distributeurs in Florida opsporen die de Farallon ooit in hun assortiment gehad hadden. Ze bracht de uren daarna door met bellen naar winkels die duikspullen verkochten om een lijst samen te stellen van mensen die er ooit een gekocht hadden. Het was een tijdrovende en frustrerende bezigheid: duikwinkels waren in Florida het soort zaakjes dat als paddenstoelen uit de grond schoten, maar het vaak niet wisten te redden. De helft hield geen noemenswaardige administratie bij of ze wilden geen informatie geven zonder bevel daartoe van een rechter. Om hen zover te krijgen maakte ze beurtelings gebruik van haar zuidelijke charme of van een dreigende politietoon.
Het was geen dag om over naar huis te schrijven, besefte ze na uren van frustratie en vruchteloos hengelen.

De eerste die Horatio tegen het lijf liep toen hij weer op het lab arriveerde, was Delko, die het stuk touw in de onderzoekskamer aan het bestuderen was.
'Heb je dat op de bodem gevonden?' vroeg Horatio.
'Ja. Het zat vast aan een nepperiscoop. Een soort carnavalsduikboot die eruitzag alsof hij daar al jaren lag te roesten.'
Horatio pakte het stapeltje foto's dat op tafel lag en bekeek ze. 'Ik

zie het... maar het touw is duidelijk nieuw.'
'Multifilament polypropyleen,' zei Delko. 'Twaalf-strengs, gevlochten, zonder continukern. Ik heb de fabriek gevonden waar ze dat maken. Het wordt op veel plaatsen gebruikt, van het leger tot de industrie. Ik heb geprobeerd het aantal mogelijkheden terug te brengen, maar het blijft een groot speelveld.'
Horatio bekeek een van de foto's met extra aandacht. 'En de knopen?'
'Het metalen musketon aan het einde is vastgemaakt met een Buntline-steek, een vrij gebruikelijke scheepvaartknoop. De knoop waarmee hij aan de buis vastzat was een stuk ingewikkelder, dat was een Turkse knoop. Die wordt tegenwoordig eigenlijk vaker gebruikt voor decoratiedoeleinden dan voor praktische toepassingen.'
'Hij ziet er ook niet uit als iets wat je zomaar snel even in elkaar draait,' peinsde Horatio. 'Wat betekent dat onze man ofwel een kei was in het inhouden van zijn adem, of een duikpak aanhad.'
'Dat klinkt waarschijnlijk,' zei Delko. 'Die haaienpijl is een duikerswapen.'
'Goed werk, Eric. Ik denk dat je onze primaire plaats delict gevonden hebt.'
Delko zuchtte. 'Tja, maar of we er veel aan zullen hebben? Geen vingerafdrukken, geen sporen en geen getuigen, op wat schildpadden en vissen na.'
'Eén ding weten we in ieder geval zeker,' zei Horatio. 'Hoe slim ze misschien ook zijn, die knoop is niet door een dolfijn gelegd...'

'Zo, Ryan,' zei Calleigh. 'Lekker weekend gehad?'
'Niet slecht,' zei Wolfe zonder op te kijken. Hij stelde zijn microspectrofotometer wat scherper; hij bestudeerde het klompje materiaal dat was aangetroffen onder Gabrielle Cavanaughs vingernagels.
'Nog iets speciaals gedaan?' Calleigh was in de wacht gezet door een duikwinkel in Coconut Grove.
'Niet echt, nee,' mompelde hij.
'O. Ik ben naar de film geweest, die nieuwe met Will Smith.'
'Hm.'
'Ik moest er halverwege alleen uit omdat mijn hoofd in brand stond.'

'Leuk...'
'Maar de mannen uit de UFO hebben het geblust. Met hun roomijsraketten.'
'Welke smaak?' vroeg hij afwezig.
'Pistache?'
'Dat is mooi,' mompelde hij. 'Pistache heeft uitstekende brandvertragende eigenschappen.'
'Oké,' zuchtte ze. 'Dus je luistert toch wel. Je zou toch ten minste de moeite kunnen nemen belangstelling te veinzen.'
Hij keek op. 'Sorry. Ik ben alleen niet zo goed in praatjes maken. Dat heb ik nooit gekund. Maar het houdt elkaar wel in balans. Net als bij hockey.'
'Hockey?'
'Dat is ook iets waar ik niks van kan. Het interesseert me ook niet. Ik zal nooit een groot hockeyspeler worden, maar dat kan me niet schelen. Dat bedoel ik met balans.'
Calleigh fronste. 'Toch werkt het niet zo. Je kunt niet je hele leven in het lab rondhangen, Ryan. Voor veldwerk moet je ook met mensen kunnen omgaan. Dat weet je toch nog wel uit je politietijd?'
'Ja, ja, natuurlijk,' erkende hij. 'Maar als je met een getuige of verdachte praat, is dat altijd met een bepaald doel. Zomaar een praatje maken is meestal nogal... nou ja, doelloos. Dat gevoel heb ik altijd gehad, ook als kind al.'
'Leuke gast zul je geweest zijn op verjaardagspartijtjes.'
'Ik had nooit veel vriendjes. Ik vond boeken altijd een stuk interessanter dan mensen. Mijn ouders zijn zelfs een tijdje bang geweest dat ik misschien autistisch was. Vooral tijdens mijn robotfase.'
Calleigh knipperde vragend met haar ogen. 'Hoe bedoel je? Je robotfase?'
Hij keek haar lichtelijk gegeneerd aan. 'Dat was eigenlijk de schuld van mijn oma. Die had een enorme stapel *Reader's Digests* liggen en als we bij haar langsgingen, las ik daar altijd in. Ik was gek op die serie over anatomie die ze hadden. Ken je die? Met titels als "Ik ben Joe's brein" of "Ik ben Joe's nier".'
'Ja, die ken ik wel. Onze huisarts had er altijd wel een paar in de wachtkamer liggen. *Reader's Digests,* bedoel ik, geen nieren.'

'In een van die nummers stond een artikel over een bestaand autistisch jongetje dat in de veronderstelling verkeerde dat hij een machine was. Zo gedroeg hij zich ook. Hij verwees naar delen van zijn lichaam als mechanische onderdelen en hij stond erop behandeld te worden als een machine. Ik... nou ja, ik vond dat wel gaaf klinken en wilde dat ook wel eens proberen.'
'Hoe oud was je toen?'
'Acht. Nadat ik een week lang had rondgelopen met batterijen die ik op mijn buik had vastgeplakt en intussen alleen nog maar piepgeluiden maakte, begonnen mijn ouders zich zorgen te maken. Ze namen me mee naar een psycholoog die tot de conclusie kwam dat ik obsessief-compulsief was en niet autistisch.'
'Je ouders moeten flink in de piepzak gezeten hebben. Ik heb een neef met Asperger.'
'Ze hebben ook nog een tijdje gedacht dat ik dat had,' knikte Wolfe. 'Ik had veel dezelfde symptomen: sociale onhandigheid, een hoog ontwikkelde woordenschat, een obsessieve belangstelling voor bepaalde onderwerpen, nou ja, al die dingen waar je ook het etiket studie-nerd voor opgeplakt krijgt.'
Ze sloeg haar ogen vermoeid omhoog. 'Vertel mij wat. Maar studienerds zijn tegenwoordig zelfs wel hip; ze zitten niet meer zo in het verdomhoekje als vroeger. Al die internetmiljonairs hebben het sociale plaatje aardig door elkaar geschud.'
'Dat is waar. Met al dat geld wordt zelfs Bill Gates een sekssymbool.'
'Weet je,' zei Calleigh peinzend. 'Ik las laatst nog ergens dat het percentage van mensen met Asperger in Silicon Valley omhooggevlogen schijnt te zijn. Het gen dat het veroorzaakt, wordt versterkt als beide ouders het hebben.'
Wolfe grinnikte. 'Dus als twee sociaal onhandige mensen elkaar tegenkomen en verliefd worden, krijgen ze kleine studie-nerds?'
Ze haalde haar schouders op. 'Dat is evolutie. En wat is er mis met succes?'
'Niks. Misschien verhuis ik zelf wel naar Silicon Valley.'
Calleigh zuchtte. 'Ik begin het gevoel te krijgen dat die telefoon met mijn oor vergroeid is. Zeg Ryan, eigenlijk ben je helemaal geen

slechte gesprekspartner. Je hebt alleen wat meer ervaring nodig in oppervlakkige praatjes.'
'Als daar cursussen voor waren, zou ik me meteen inschrijven,' zei hij, half voor de grap.
'Nou. Ik krijg regelmatig te horen dat ik over vrijwel ieder onderwerp een sprankelend gesprek kan voeren,' zei Calleigh. 'Zelfs als ik in de wacht sta. Dus kom maar op, dan spelen we een potje. Ik wil zelfs de aftrap wel doen.'
'Eh... oké,' zei Wolfe.
'Nou, Ryan, wat heb je dit weekend gedaan?'
Hij dacht even na voor hij antwoord gaf. 'Niet zo veel, eigenlijk. Ik heb mijn wapen schoongemaakt, wat vakliteratuur gelezen. Er stond ergens een heel interessant artikel over een zaak in Texas...'
'Niet over het werk,' zei ze vriendelijk, maar streng. 'Niet dat ik het niet interessant vind, maar ons werk is geen gespreksonderwerp voor op een feestje. Heb je niks leuks gedaan?'
'Tja, ik ben naar een barbecue geweest.'
Ze klaarde op. 'Echt? O, mijn vader kon vroeger altijd zo goed barbecuen. Wat heb je gegeten? Ribbetjes? Steak? Een lekkere ouderwetse hamburger?'
Hij aarzelde. 'Het liep niet zo goed af. De gastheer had iets te veel spiritus gebruikt om de houtskool aan de gang te krijgen en de barbecue was al lange tijd niet meer goed schoongemaakt. De boel vloog gigantisch in de fik.'
'Jee, wat vervelend. Zijn er nog gewonden gevallen?'
'Nee,' zei hij. 'Goddank daalde er net op dat moment een UFO neer. De inzittenden hebben de brand geblust met hun roomijsraketten.'
Ze kneep haar ogen tot spleetjes en probeerde hem woest aan te kijken, maar hij keek heel serieus terug. Na een seconde gaf ze het grinnikend op.
'Je bent onverbeterlijk,' zei ze. 'Ik trek mijn handen af van elke poging om jou enige beschaving bij te brengen en verban je weer naar het hol van sociale onaangepastheid waar je uit kwam.'
'Hij schiet,' mompelde Wolfe, 'hij scoort... Zeg, volgens mij heb ik een vergelijking voor dit materiaal.'
Calleighs babbeltoontje verdween meteen. 'Wat is het dan?'

'Een soort latex. Alleen zitten op een kant ervan heel fijne, witte korreltjes. Ik heb er een paar geïsoleerd. Die ga ik nu even door de SEM bekijken.'
De SEM, een rasterelektronenmicroscoop, kon een beeld tot honderdduizend keer vergroten met behulp van conversie door een elektronenstraal en daarnaast gegevens verstrekken over de samenstelling van een bepaalde stof. Calleigh, die de telefoon nog steeds tegen haar oor gedrukt hield, kwam dichterbij om het beeldscherm samen met Wolfe te bestuderen.
'Gedehydrateerde magnesiumsilicaat?' zei ze.
Hij knikte. 'Talkpoeder.'
'Operatiehandschoenen?' opperde ze. 'Sommige merken worden met talk gepoederd geleverd om ze makkelijker aan en uit te kunnen trekken.'
'Zou kunnen, maar het is een beetje een vreemde kleur,' zei hij. 'Ik denk dat dit afkomstig is van iets dikkers, een wetsuit misschien.'
'Van rubber in plaats van neopreen? Ouderwets,' zei Calleigh.
'Ik ga kijken of ik het nog preciezer kan krijgen,' zei Wolfe. 'Misschien is er maar één fabrikant van wie dit afkomstig kan zijn.'
'Nou, ik hoop dat je meer succes hebt dan ik... Hallo? Ja, ik ben er nog. En wanneer komt die boot terug? Ja, ik wéét dat mobieltjes onder water niet werken...'
Wolfe glimlachte. 'Nu een doeltrap,' adviseerde hij.

'Volgens het sporenlab was de stof die in het been van het slachtoffer is aangetroffen ethylcyanoacrylaat,' zei Wolfe door de telefoon tegen Horatio. Wolfe was nog steeds in het lab, Horatio zat in zijn Hummer.
'Superlijm,' zei Horatio.
'Niet zomaar superlijm. Volgens de stoffendatabase is dit een lijm met een bijzondere samenstelling, gemaakt door een bedrijf dat Cyberbond heet. Het spul heet Polyzap en is bedoeld voor gebruik met kunststoffen zoals Lexan, Delrin, nylon en polycarbonaat, of voor natuurlijke materialen zoals rubber of leer. Het wordt voornamelijk op de markt gebracht voor gebruik bij taxidermie.'
'Dat betekent dat onze beet waarschijnlijk van een dier afkomstig is

dat net zo dood is als ons slachtoffer,' zei Horatio. 'Wil je tegen Calleigh en Delko zeggen dat ik jullie meteen als ik terug ben allemaal in de vergaderruimte wil zien?'
'Natuurlijk. Wat is er aan de hand dan?'
'Als ik gelijk heb,' zei Horatio, 'dan zit er een hoop werk aan te komen.'

Horatio was op weg naar het strand.
Hij hield wel van de zee. Die was zowel uitgestrekt, tijdloos en troostrijk, alsook heel dichtbij en gevaarlijk. Waarschijnlijk herinnerde de zee hem aan de dood zelf en stond hij voor de troost van het onvermijdelijke.
Na Delko's ontdekking van het touw wist Horatio waar Gabrielle Cavanaugh moest zijn geweest op het moment dat ze had besloten te gaan zwemmen: Oleta River State Park. De monding van de rivier de Oleta was nog geen vijftig meter van Delko's neponderzeeër vandaan. Horatio had via de radio al bevel gegeven het gebied te evacueren en af te zetten en hij had benadrukt dat ervoor gezorgd moest worden dat iedereen op het strand zijn spullen bij zijn vertrek moest meenemen.
Hij zette zijn auto op de parkeerplaats die nu op één patrouillewagen na, leeg was. Twee agenten stonden tegen de motorkap geleund te wachten. Ze kwamen overeind toen hij uit zijn wagen kwam en op hen afliep.
'Middag, heren,' zei Horatio en hij liet zijn insigne zien. 'Is iedereen weg?'
De eerste agent, een kleine kleerkast met een grijze snor, knikte. 'Ja. Het waren er maar een stuk of twintig. De meesten hadden geen bezwaar, een paar waren wat chagrijnig dat ze gestoord werden bij het zonnen. Iedereen heeft zijn spullen meegenomen, zoals gevraagd was.'
De andere agent, een magere, blonde knul met een te ernstige gezichtsuitdrukking, voegde eraan toe: 'Het was toch niet de bedoeling dat we iemand aanhielden?'
'Nee,' zei Horatio. 'Wat ik zoek, blijft wel liggen. Tenzij de vloed er eerder bij is dan ik.'

Hij liep het strand op. Het was uitgestorven en de spookachtige stilte voelde vreemd aan voor een stralende dag als deze.
Het lijkt het strand bij de Styx wel, dacht hij. Wit van botten, niet van zand. Misschien kom ik nog wel een stel geesten tegen die een potje volleybal spelen.
Op een stukje gras aan de rand van het strand vond hij in de schaduw van een dadelpalm wat hij zocht. Een grote blauwe handdoek, waarvan de hoekjes vastgehouden werden door een paar sportschoenen, een blauw rugzakje en een halfvol flesje water.
Hij trok een paar handschoenen tevoorschijn en maakte daarna de rugzak open. Een appel, een boterham met pindakaas in een plastic zakje, een bekertje bosbessenyoghurt en een plastic lepeltje. Een korte broek, sokken, een T-shirt met een pinguïn erop. Een sleutelbos, een zonnebril, een goedkoop polshorloge. Een pocketuitgave van *Oliver Twist.* In een van de schoenen vond hij haar portefeuille – waarom dachten mensen toch altijd dat dit een goede verstopplaats was? – en het gezicht dat hem vanaf de foto van haar rijbewijs toelachte was hetzelfde als dat op de autopsietafel van Alexx.
Hij sloeg het boek op een willekeurige pagina open en las de eerste zin waar zijn oog op viel hardop voor: 'De passie om iets na te jagen zit diep in de mensenborst ingeplant.'
Een waar woord, dacht hij. Zelfs als dat 'iets' een beetje tijd op het strand was om een goed boek te lezen en misschien een eindje te gaan zwemmen. En vervolgens werd je in het water het object van iemand anders zijn jacht.
Hij stopte het boek terug in de rugzak, draaide zich om en staarde naar het water.
En die jager had nu op zijn beurt ook weer een stel jagers achter zich aan…

Bewijsmateriaal dat op een plaats delict werd aangetroffen bestond meestal uit meer dan één element. De machine die op het lab het meest gebruikt werd om de verschillende componenten te scheiden en identificeren was de gaschromatograaf/massaspectrometer, oftewel de GC/MS. Wolfe hoopte dat die het spoor dat onder Gabrielle Cavanaughs vingernagel was gevonden zou kunnen omzetten van

een stukje latex in een unieke index van componenten.
Eerst haalde hij een nog kleiner snippertje van het stukje af en loste dat op in een vloeistof, terwijl hij het tegelijkertijd verhitte. Met een spuitje injecteerde hij de oplossing die daar het resultaat van was in een spiraalvormig glazen buisje dat aan de GC/MS vastzat. Een stroom stikstof voerde het vervolgens mee naar het einde daarvan, zodat het apparaat iedere component van de vloeistof kon identificeren aan de hand van de snelheid waarmee die door het buisje bewoog. Vervolgens werd de vloeistof gebombardeerd met elektronen uit een verhitte kathode, die de moleculen ioniseerde zodat ze elektrisch geladen werden. De moleculen werden versneld en in een circulaire baan gebracht, waar uit de positie en intensiteit ervan hun massa kon worden afgeleid en hun aandeel in het monster.
Dat was nog maar de helft van het proces. Als hij daarmee klaar was, wist hij waarvan de latex gemaakt was en wat de verhouding van de ingrediënten was. Wat hij dan nog niet had, was een overeenstemming met een bestaand product. Daarvoor raadpleegde hij internet en verschillende databases.
Toen Delko binnenkwam keek hij op. 'Ha,' zei hij.
'Ha,' was Delko's antwoord. Hij liep recht op de vergelijkingsmicroscoop af, zette daar de doos met bewijsmateriaal neer die hij in zijn handen had en maakte die open.
'Waarover denk je dat Horatio ons wil spreken?' vroeg Wolfe.
'Over de zaak natuurlijk,' zei Delko. Hij pakte twee grote enveloppen uit de doos en haalde uit de eerste voorzichtig Gabrielle Cavanaughs bikinibovenstukje tevoorschijn.
'Denk je dat hij al iets meer weet?'
'Dat zullen we wel horen als hij er is. Ik heb begrepen dat hij de spullen van het slachtoffer in het park bij de Oleta gevonden heeft.'
'Ja, dankzij jou. Goed werk, die vondst van dat touw.'
'Wacht nog maar even met bedanken,' zei Delko, die het bewuste stuk touw uit de tweede envelop trok. 'Tot nu toe heb ik het nog niet met het slachtoffer in verband kunnen brengen. Ik hoop dat het sporenmateriaal op de bikinibandjes en op het touw identiek blijkt te zijn.'
'Succes. Ik heb net het materiaal van onder haar vingernagels door

de GC/MS gehaald. En ik heb een vraag voor je: wat hebben rubber en konijnen met elkaar gemeen?'
'Een fiks caroteengehalte,' zei Delko grinnikend.
'Dat klopt,' moest Wolfe erkennen.
'Hé, je hebt het toevallig wel tegen een scubaduiker. Ik breng meer tijd door met rubber in mijn mond dan een...'
'Ja, laat maar, dat hoef ik niet te horen,' zei Wolfe. 'Maar goed, ik leer allerlei dingen over rubber waar ik geen idee van had. De plant *Hevia brasiliensis* komt uit Brazilië, vandaar die naam ook, maar hij is daar intussen bijna uitgestorven. Begin twintigste eeuw legden bijna alle exemplaren door meeldauw het loodje.'
'Ja, tegenwoordig komt bijna negentig procent van het rubber uit Zuidoost-Azië,' zei Delko. 'Dat is een van de weinige plaatsen op aarde waar genoeg regen valt. Rubber heeft zo'n 2500 millimeter regen per jaar nodig om te gedijen. Ja, toch?'
'Klopt,' zei Wolfe. 'Oké, en kun je me dan misschien ook vertellen waarom rubberbomen op een plantage niet hoger worden dan een meter of vijfentwintig?'
'Jawel,' zei Delko glimlachend. 'Door koolstof. Dat heeft de plant nodig om te groeien, maar het is ook een essentieel bestanddeel van rubber. Aangezien alleen koolstofdioxide uit de lucht de plant van koolstof kan voorzien, moet dat verdeeld worden als de plant rubber aanmaakt, waardoor de groei wordt beperkt.'
'Ja. Dat en het feit dat de boom vanwege het aftapproces alleen in de top bladeren heeft, wat de opname van koolstofdioxide beperkt. Hoe kom jij aan die kennis?'
'Hoezo? Net als jij toch?' vroeg Delko onschuldig. 'Ik neem aan dat het mijn jarenlange CSI-ervaring is...'
'Ja, vast,' zei Wolfe sceptisch. 'Hoe dan ook, slechts tien procent van de natuurlijke rubberproductie wordt omgezet in latex...'
'... Wat bestaat uit een waterige suspensie van cis-polyisopreen, een lineair polymeer met een hoog moleculair gewicht,' zei Delko. 'Het percentage rubber in de suspensie ligt rond de dertig.'
Dit keer koos Wolfe ervoor hem te negeren. '... Een substantie waarvan het biologische doel nog niet helemaal duidelijk is. Rubberbomen worden om de dag afgetapt, wat per keer één bekertje

latex oplevert. Om het rubber uit die emulsie te halen, laten ze het stollen met mierenzuur. Vervolgens kan het op twee verschillende manieren verwerkt worden. Soms wordt het tot blokken van zo'n zeventig pond geperst...'
'Drieënzeventig om precies te zijn.'
'... En soms wordt het tot vellen geperst die boven een vuur gedroogd worden.'
Wolfe zweeg en keek Delko aan. Die rekte zich uit en geeuwde, waarna hij Wolfe toelachte.
'Verveel ik je?' vroeg Wolfe.
'Nee, nee. Ik heb vannacht alleen niet genoeg geslapen. Ik ben wezen stappen. Wat zei je?'
'Een rokerig vuur,' zei Wolfe. 'De rook bevat natuurlijke fungiciden en zorgt ervoor dat de latex amber kleurt.' Hij wachtte even.
Delko bleef ook stil. 'Interessant,' zei hij ten slotte.
'Dus... afhankelijk van de samenstelling heeft latex verschillende onderscheidende kenmerken, die worden bepaald aan de hand van de Mooney-schaal en de Lovibondindex, respectievelijk voor viscositeit en kleur. Ik weet niet hoe mijn monster op die twee punten scoort, maar ik kan je wel precies vertellen hoeveel caroteen, as en hydroxylamine hydrochloride het bevat. Mijn volgende stap is na te gaan welke fabrikanten latex met die specifieke kenmerken verwerken. Tenzij jij een beter idee hebt?'
'Ik?' Delko keek zogenaamd verbaasd. 'Ik zou niet weten waar ik moest beginnen. Dit is jouw project. Ga vooral je gang.'
Wolfe kneep zijn ogen tot spleetjes en glimlachte. 'Het is me opgevallen dat ondanks het feit dat een technisch rechercheur van alles een beetje moet weten, iedereen toch zo zijn eigen specialiteit heeft. Bij Calleigh zijn dat bijvoorbeeld vuurwapens.'
'Sommigen van ons hebben meer dan een specialiteit,' zei Delko.
'Zoals jij. Jij bent een duiker, maar je hebt ook forensische artikelen geschreven over, tja, waarover ook alweer?' Nu was het Wolfe's beurt om toneel te spelen. Hij trok een frons en krabde op zijn hoofd. 'O ja, bandensporen.'
Delko's grijns werd breder. 'Betrapt.'
'Wat betekent dat je alles af weet van het materiaal waar banden van

gemaakt zijn. Vandaar je uitgebreide technische kennis van rubber.'
'Wel van rubber, maar minder van latex. Daar sla je een voor mij nieuwe weg in.'
'En hopelijk een waarop zich minder betweters bevinden,' mompelde Wolfe, waarop Delko in de lach schoot.

'Oké,' zei Horatio. 'Wat hebben we tot nu toe?'
Zijn team zat bij elkaar in de vergaderzaal. Calleigh en Wolfe zaten aan een kant van de tafel, Delko en Frank Tripp aan de andere. Meestal was Frank niet bij dit soort bijeenkomsten aanwezig, maar blijkbaar had Horatio iets serieus te melden. Hijzelf stond voor in de zaal.
Calleigh begon. 'De Farallon haaienpijl wordt tegenwoordig niet meer gemaakt, al jaren niet meer. Ik heb een kort lijstje van mensen die zullen moeten toegeven dat ze er een hebben en daarvan heb ik de helft nu gesproken. Tot nu toe komt daarvan niemand ook maar enigszins in aanmerking voor het predikaat "verdachte".'
'Goed werk. Zorg dat je de rest ook te spreken krijgt. Eric?'
'Het ziet ernaar uit dat de bikinibandjes en het touw door hetzelfde mes zijn doorgesneden. Ik kan er niet veel meer van zeggen dan dat het erg scherp moet zijn.'
'De bikini was op de rug doorgesneden, hè?' vroeg Horatio.
'Klopt,' zei Delko.
'Maar op de rug van het slachtoffer waren geen snijwonden te zien. Het seksueel misbruik doet vermoeden dat de bikini voor de dood al is verwijderd, ofwel terwijl het slachtoffer nog zwom of toen ze aan het verdrinken was. Dit betekent dat onze moordenaar bijzonder subtiel te werk is gegaan of heel handig is met een mes… of allebei. Is er al meer bekend over het sporenmateriaal onder haar vingernagels, Wolfe?'
'Latex. Op een van beide kanten ervan zat talk en de massaspectrometer heeft ook sporen van silicone aangetoond. Ik ben nog op zoek naar de fabrikant.'
'Eh, Horatio,' zei Tripp. Hij had een norse, ruwe stem die precies paste bij zijn voorkomen en houding. 'Ik wil je feestje niet bederven, maar wat doe ik hier eigenlijk? Voor mij is dit allemaal hop en

gerst: ik kan er pas wat mee als je er bier van gebrouwen hebt. Ik bedoel, ik stel het op prijs dat ik op de hoogte gehouden wordt hoor, maar...'
'Dit valt een beetje buiten je terrein? Ik weet het, Frank, maar heb nog even geduld. Ik heb je er met een goede reden bij gevraagd.'
Horatio wachtte even. Zijn ene hand had hij in zijn zij en met de andere wreef hij over zijn kin. 'Goed. Ik heb vandaag met een dolfijnendeskundige gesproken en zij heeft mijn vermoedens min of meer bevestigd. Het is hoogstonwaarschijnlijk dat Gabrielle Cavanaugh door een dolfijn gedood is. Sterker nog, het is uiterst onwaarschijnlijk dat er bij deze zaak überhaupt een dolfijn betrokken is. De lijm die in de beenwond is aangetroffen is van het soort dat wordt gebruikt bij het opzetten van dieren, wat betekent dat de wond weliswaar met dolfijnentanden is gemaakt, maar dat die op dat moment niet meer aan een dolfijn vastzaten.
Als we de bewijzen stuk voor stuk tegen het licht houden, lijken die erop te wijzen dat het om een verkrachting gaat die moest lijken op de aanval van een dier. Maar als je het totale plaatje bekijkt, is het beeld een stuk verontrustender...' Horatio telde op zijn vingers af toen hij vervolgde: 'Eén: hoewel er minstens drie wapens waren, de pijl, het mes en de neptanden van een dolfijn, is geen daarvan met dodelijk gevolg gebruikt. Ze zijn meegenomen als gereedschap, wat wijst op een zeer nauwgezette voorbereiding. Twee: de gewelddadige en seksuele aard van het misdrijf die zijn hoogtepunt bereikte in de buitenproportionele schending van het lichaam lijkt te duiden op grote woede. En drie: de plaatsing en toestand van het lichaam tonen aan dat de moordenaar goed heeft nagedacht over hoe zijn toneeltje geïnterpreteerd zou gaan worden.'
'Gelooft hij echt dat wij zouden denken dat een dolfijn zoiets kan doen?' vroeg Wolfe.
'Het is minder vergezocht dan je misschien denkt,' zei Horatio. 'De deskundige die ik gesproken heb gaf toe dat de mogelijkheid bestond, al was die dan maar heel klein.'
'Waarom al die moeite om de schuld op Flipper te schuiven?' vroeg Tripp. 'Ik bedoel, moeten we nu op zoek gaan naar iemand die een bijzondere haat heeft opgevat jegens dolfijnen of jegens knuffeldie-

ren in het algemeen? Wat kunnen we dan nog meer verwachten? Een rokend pistool in een mandje jonge poesjes?'
'Was het maar zo onschuldig, Frank,' zei Horatio. 'Het gaat die vent er niet om de dolfijnen erbij te lappen, maar de marine.' Hij vertelde hun wat Zjenko hem verteld had over het vermeende zwemmersvernietigingsprogramma van de marine.
'Een diepgewortelde haat tegen het leger is meestal het resultaat van directe ervaringen,' zei Horatio. 'Onze man is hoogstwaarschijnlijk zelf een voormalig marinier. Hij is een zorgvuldige planner, hij kan goed met messen omgaan, hij is meedogenloos en raakt seksueel opgewonden van wat hij doet. De ingewikkelde knoop waarmee het touw aan de pijp zat, lijkt te wijzen op een voorbereiding die bijna ritueel te noemen is... en ik zie aan jullie gezichten dat dit mij tot dezelfde conclusie brengt als jullie.'
Calleigh was degene die het uitsprak. 'Hij is een seriemoordenaar.'
'Eentje die deze moord al heel lang van tevoren uitgedacht heeft,' zei Horatio. 'Wat betekent dat hij nog maar net begonnen is...'
'Ho, even,' zei Tripp. 'Denk je echt dat er nog meer van binnenuit opgeblazen lijken op zullen duiken?'
'Niet noodzakelijkerwijs,' zei Delko. 'Seriemoordenaars verfijnen hun methodes meestal gaandeweg. Als dit zijn eerste moord was, hoeft de volgende niet precies hetzelfde te zijn. Maar ik denk wel dat één ding niet verandert.'
'Hij is een liefhebber van het water,' zei Wolfe. 'Daarom heeft hij het slachtoffer verdronken in plaats van haar in stukken te snijden.'
'Precies,' zei Horatio. 'Hij heeft Gabrielle Cavanaugh onder water getrokken, haar been ergens mee vastgezet en haar verkracht, terwijl ze aan het verdrinken was. Naderhand heeft hij haar lichaam naar het mangrove-eiland gesleept en daar de haaienpijl gebruikt. Dit is een gevaarlijke en zieke man, vrienden. Hij heeft een hoop moeite gedaan om zijn gestoorde onderwaterfantasieën uit te leven en hij zal het niet bij één keer houden. Daarom wilde ik ook dat jij erbij was, Frank: dit is nog maar het begin en we moeten voorbereid zijn op meer.'
'Ik ben van de partij, Horatio,' zei Tripp. 'Ik zal met de kustwacht gaan praten, hoewel het eerder klinkt alsof we een onderzeeër nodig zullen hebben.'

'Die we, hoe Delko ook zijn best gedaan heeft, niet hebben,' zei Horatio. 'Wat we wel hebben, is onze training, onze ervaring en het bewijsmateriaal. Laten we hopen dat dat genoeg is om die vent te pakken te krijgen voor hij weer zin krijgt om een eindje te gaan zwemmen.'

4

Margo Quist hield van de zee. Ze hield van de frisse, zoute geur en van het geluid dat hij maakte op het strand, een geluid waarbij ze zo heerlijk kon indommelen. Ze hield ook van zijn vele wisselende stemmingen: van de spiegelgladde stilte van een rustige lagune tot het symfonische gebulder van de golven die op de kust beukten tijdens een storm. Maar het meest van alles hield ze van hoe hij voelde.

Het water voor de kust van Miami was zo warm en je bleef er zo makkelijk in drijven, dat je als een baby in slaap werd gewiegd op de golven, met het geluid van de branding als slaapliedje ... dat wil zeggen, als je je af kon sluiten voor het felle krijsen van de meeuwen, de scheepshoorns van de motorboten en af en toe het bulderende loeien van een jetski.

Maar deze geluiden kon je allemaal zo goed als helemaal laten verdwijnen door je oren onder water te houden en dus dreef Margo het liefst met haar gezicht naar boven en haar hoofd achterover. Ze was een fors gebouwde vrouw – dat wist ze best van zichzelf – maar in het water leek het wel of ze in de ruimte zweefde. Daar woog ze niets, had ze geen last van de zwaartekracht en voelde ze zich zo licht als paardenbloempluis in de wind.

Maar zelfs pluis dwarrelt ooit een keertje neer... en niet, zoals Margo ontdekte, altijd even zachtjes.

Iets raakte haar heup. Ze was in haar eentje aan het zwemmen – een slechte gewoonte, dat wist ze, maar eenzaamheid hoorde bij de ervaring – en het was genoeg om haar met een gil overeind te laten schieten. In haar eerste paniek dacht ze dat het een haai of een pijlstaartrog was. Maar dat was het niet.

Het was een lichaam.

'Gevonden door een vrouw die aan het zwemmen was,' zei Tripp.

Horatio en hij stonden op de voorplecht van een politieboot. Delko maakte in het water een riem om het lichaam vast en gebaarde ver-

volgens naar de bemanning dat het aan boord kon worden gehesen.
'Het past niet helemaal in het plaatje dat jij schetste,' zei Tripp, 'maar ik ging ervan uit dat je toch wel op de hoogte gebracht wilde worden.'
'Zeker,' zei Horatio. 'We zitten hier niet zo gek ver van de vorige vindplaats vandaan.'
'In ieder geval nog steeds in Biscayne Bay, maar het slachtoffer is een man. En er hangen geen ingewanden uit zijn mond.'
Dokter Alexx Woods stond toe te kijken hoe degene die de lier bemande de lading over de reling het dek op zwierde. 'Voorzichtig een beetje,' beet ze hem toe. 'Het is geen zootje tonijn...'
Horatio hielp haar de riem om het lichaam los te maken van de lierkabel. Het betrof een man van achter in de dertig; hij droeg een blauwe zwembroek en een zwembrilletje. Hij had slanke armen en benen, een behaard lichaam en een buik die was opgezwollen door gassen. Hij had een klein bruin baardje en een grote kale plek op zijn hoofd.
'Bij hem is geen pijl gebruikt,' zei Alexx. 'Hij heeft een schotwond onder zijn rechterarm.' Ze draaide het lichaam gedeeltelijk op zijn zij en bekeek zijn rug. 'Geen uittredewond, dus de kogel moet er nog inzitten.'
'Geen zakken in de zwembroek, dus ook geen identificatie,' merkte Horatio op. 'Maar wel een trouwring, zie ik.'
'Als we geluk hebben, heeft zijn vrouw hem als vermist opgegeven,' zei Tripp.
'Tenzij ze hetzelfde lot als haar man heeft ondergaan,' zei Horatio.

Seriemoordenaars, zo was Horatio's ervaring, hadden vaak het gevoel dat ze geen gewone mensen waren. Omdat ze aasden op mensen, stelden ze zich gelijk aan andere diersoorten die dat ook deden: wolven, beren, leeuwen. Dat gaf hun een zekere grandeur, verleende een glamourachtige glans aan hun wreedheden en verminkingen. Ze beschouwden zichzelf niet als moordenaars; ze waren jagers die de prooi beslopen die hun toekwam.
Zo zagen zij dat. Horatio mocht degenen die hij te pakken kreeg graag uitleggen waarom ze het mis hadden. 'Bedrog,' zei hij dan.

'Dat is de enige manier waarop jij je doel kunt verwezenlijken. Een wolf wint niet eerst het vertrouwen van een konijn; een beer veinst geen vriendschap met een zalm. Je gebruikt beschaafde veronderstellingen om in de buurt van je slachtoffers te komen en slacht ze vervolgens af voor je eigen plezier. Niet als voedsel, niet om te overleven. Je bent geen jager, je bent een zíekte.'

Het was een beschuldiging die hij in het merendeel van de seriemoordzaken kon maken in de wetenschap dat hij gelijk had. Ted Bundy lokte vrouwen zijn wagen in door net te doen alsof hij een gebroken arm had; Jeffrey Dahmer kreeg mannen zijn flat binnen met de belofte van seks. Behalve van mensen, maakten seriemoordenaars net zo goed misbruik van de maatschappelijke regels zoals die in de beschaafde wereld golden. Ze gebruikten bestaande veronderstellingen als misleiding: ze deden zich voor als politieagenten, als huizenkopers, als vriendelijke onbekenden die een lifter mee wilden nemen; alles zolang ze het potentiële slachtoffer maar binnen hun invloedssfeer konden krijgen.

Sommigen van hen in ieder geval.

Seriemoordenaars had je in soorten en maten, georganiseerd en chaotisch: lustmoordenaars, visionairs, zendelingen, hedonisten. Sommigen begingen hun misdaden met als doel seksuele bevrediging, anderen deden het puur uit sadisme. Sommigen kozen hun slachtoffers met zorg en achtervolgden hen dagen-, weken-, soms maandenlang; anderen handelden impulsief en moordden zodra zich een gelegenheid voordeed. Als de moord plaatsvond in een omgeving waar de moordenaar het voor het zeggen had, werd de opeenvolging van gebeurtenissen vaak zo lang mogelijk uitgesponnen, terwijl een meer openbare moord meestal snel en meedogenloos was.

Deze moordenaar had zijn slachtoffer echter niet verleid door haar in een onschuldig ogende val te lokken, en evenmin had hij haar thuis opgezocht om zo wat ooit veilig en vertrouwd was in een horrorkabinet te veranderen. In plaats daarvan had hij haar zijn eigen domein binnengesleurd, een vijandig koninkrijk waar het slachtoffer niet eens kon schreeuwen. Sterker nog, het was de omgeving zelf die een eind had gemaakt aan Gabrielle Cavanaughs leven…

een omgeving waarin de moordenaar zich blijkbaar helemaal op zijn gemak voelde.
Hier was geen sprake van misleiding, geen schijn van onschuld. Het was de daad van een roofdier, even meedogenloos en doelbewust als een haai. Gabrielle Cavanaugh was een toevallig doelwit geweest, dat de pech had gehad zijn jachtterrein binnen te zwemmen; Horatio vermoedde dat elke zwemmer goed geweest zou zijn. En anders dan een echt wild dier, hoefde deze jager zich niet steeds tot hetzelfde gebied te beperken. Hij kon de hele oostkust afzwerven als hij wilde...
Horatio zuchtte en wreef met zijn duim en wijsvinger in zijn ogen. Hij stond in het lab nog een keer naar Gabrielle Cavanaughs spullen te kijken in de hoop dat die hem nog iets konden vertellen. Hij pakte het duikmasker en draaide het om en om in zijn handen, bekeek het vanuit iedere hoek. Hij stelde zich haar grote, doodsbange ogen achter het glas voor, terwijl ze probeerde haar laatste adem nog een paar seconden te rekken toen die angstaanjagende onbekende gruwelijke dingen met haar deed...
'Hé, H,' zei Wolfe die binnen kwam lopen. 'Nog nieuws?'
'Alleen een rotgevoel,' zei Horatio. 'En jij?'
'Nog steeds bezig met de analyse van dat stukje latex. Ik weet in ieder geval wel al dat het natuurlijk is, niet synthetisch, en dat de silicone afkomstig is van een onderhoudsmiddel.'
'Oké. De talk erop betekent waarschijnlijk dat het dicht op de huid gedragen werd. Heb je het getest op epitheelcellen?'
'Ja. Niks.'
Horatio legde het duikmasker weg. 'Dat verbaast me niks. We hebben nog geluk dat we iets aan sporen gevonden hebben, gezien de omgeving.'
'Ja. Bij een plaats delict onder water heb je niet veel om op af te gaan.'
'Nou ja, we hebben het lichaam,' zei Horatio. 'En een signatuurmoordenaar zoals deze hier moet een unieke pathologie hebben.'
Een signatuurmoordenaar was iemand die altijd een duidelijke handtekening op de plaats delict achterliet, hoeveel moeite hij misschien ook deed om die te maskeren. De handtekening was een essentieel onderdeel van het delict zelf.

'Ja, maar de signatuur van deze figuur is het gegeven dat hij onder water moordt. In feite is zijn patroon, dat hij geen sporen achterlaat.'
'Maar dat doet hij wel, Wolfe, dat doet hij wel. Hij mag dan onder water moorden, maar daar woont hij niet. Hij ademt dezelfde lucht in als jij en ik... en vroeg of laat moet hij boven water komen. Als hij op het droge is, laat hij net zoveel sporen van zijn aanwezigheid achter als ieder ander... en dat is wat wij moeten zien te identificeren. Het water mag dan zijn element zijn, maar dit...' Horatio wees met zijn hand door het lab, 'is het onze. Zijn slachtoffers mogen willekeurig gekozen zijn, maar zijn werkwijze is dat niet. En ik verzeker je dat zelfs op een plaats delict die is schoongespoeld door de Atlantische Oceaan genoeg informatie te vinden moet zijn.'
Wolfe knikte. 'Over slachtoffers gesproken: hoort dat nieuwe lichaam daar ook bij?'
'Dat is moeilijk te zeggen. Aan de ene kant past het niet binnen het patroon van de eerste moord, maar aan de andere kant worden er maar weinig mensen tijdens het zwemmen doodgeschoten. We zullen de autopsie af moeten wachten. Voorlopig hebben we nog niet eens een naam...'

Alexx staarde omlaag naar het lichaam op de sectietafel en schudde haar hoofd. 'Zorg je zo goed voor jezelf, eindig je nog op deze tafel,' zei ze droevig. 'Je ging vast elke dag zwemmen. Toch? Je hebt er de bouw voor. Een mooi gezond hart, een goed stel longen, krachtige spieren... Zonde, hoor.'
Horatio had haar al eerder tegen doden horen praten, zo vaak zelfs dat het hem niet langer vreemd voorkwam. Het maakte gewoon deel uit van haar werkwijze. Het klonk zo natuurlijk, dat hij bijna verwachtte dat het lijk zou antwoorden.
Dat zou het in zekere zin ook. Het hield allerlei antwoorden verborgen onder het stille, bleke oppervlak en Alexx wist precies hoe ze de juiste vragen kon stellen.
'COD?' vroeg Horatio. COD – cause of death – stond voor doodsoorzaak en was het soort jargon dat zo vaak gebruikt werd dat niemand er nog van opkeek. Maar vandaag viel het Horatio plotseling

en absurd genoeg op, dat je met COD ook het Engelse woord voor kabeljauw spelde.
'Schotwond in het linker bovenkwadrant van de buikstreek. Geen schroeiplekjes of schotrestdeeltjes rond de wond. De kogel is net onder de tiende rib binnengedrongen in de buikholte, heeft de bovenrand van de dikke darm geschampt, is verder gereisd door de lever, het middenrif, het pericard en de bovenkant van een van de longen. Uiteindelijk is hij in het sleutelbeen blijven steken... en wacht maar eens tot je de kogel ziet.' Ze haalde een klein, doorzichtig plastic zakje tevoorschijn met iets wat wel een klinknagel leek. 'Hij is 11,5 centimeter lang en 13,2 gram zwaar. Ik heb geen idee wat het kaliber is of waardoor zoiets afgevuurd kan zijn,' zei Alexx.
Horatio nam de envelop van haar over en bestudeerde hem ingespannen. 'Zoiets heb ik ook nog nooit gezien. Zou het uit een harpoengeweer afkomstig kunnen zijn?'
Alexx keek Horatio aan. 'Zie ik eruit alsof ik Calleigh heet?'
Horatio glimlachte. 'Oké, oké. Ik snap het. Mevrouw Duquesne doet geen schouwingen en jij doet geen ballistiek. Wat kun je me over de hoek van inslag vertellen?'
'Tweeënvijftig graden, hij reisde in de richting van het hoofd.'
'En de kogel is via de zij naar binnen gegaan. Dat is geen voor de hand liggende plaats, tenzij het slachtoffer boven de schutter zwom.'
'Of onder hem,' opperde ze. 'Hij kan vanaf een boot zijn beschoten.'
'Dat is waar. Hebben we al een naam?'
'Ik heb zijn vingerafdrukken naar Delko gestuurd. Hij haalt ze op dit moment door de database.'

'De afdrukken hebben geen overeenkomst opgeleverd, H,' zei Delko. Hij had een witte labjas aan over zijn gebruikelijke T-shirt en had een dikke envelop onder zijn arm.
Horatio sloeg zijn armen over elkaar. 'En toch maak je een bijzonder vrolijke indruk voor iemand die bot gevangen heeft.'
'Dat is omdat ik wel iets anders gevonden heb,' zei Delko. Hij stak zijn hand in de envelop en haalde er een zwembrilletje uit. 'Bekijk dit maar eens. Valt jou daar iets aan op?'
Horatio, die net als Delko al handschoenen en een labjas droeg,

pakte het brilletje aan en hield het tegen het licht. 'Ik zie het,' mompelde hij. 'Met dit ding op kon het slachtoffer goed zien: het is een bril op sterkte.'
'Ja, met een serienummer en een merknaam. Ik heb de optometrist in Miami bij wie het gekocht is al opgespoord en die had een naam voor me: David Stonecutter. Hij is nog niet als vermist opgegeven.'
'Goed gedaan. Heb je naaste familie kunnen vinden?'
'Zijn vrouw. Ik heb haar adres en telefoonnummer, maar heb haar nog niet kunnen bereiken.'
'Oké,' zei Horatio en hij gaf het brilletje terug. 'Dan wil ik dat je als volgt te werk gaat. Kijk of de Stonecutters een auto hebben en laat een opsporingsverzoek uitgaan. Vermeld daar ook bij dat vooral moet worden gekeken op parkeerplaatsen op of bij het strand.'
'Dat is goed. Waar zit je aan te denken, H?'
'Ik heb zo'n vermoeden, Eric,' zei Horatio, 'dat de heer Stonecutter niet in zijn eentje is gaan zwemmen...'

De Toyota Echo van de Stonecutters werd door een patrouillewagen aangetroffen op een parkeerplaats bij Crandon Park Beach op Key Biscayne. Key Biscayne was een barrière-eiland zo'n negen kilometer van Miami vandaan, aan de andere kant van Biscayne Bay, tegenover Coral Gables. Het was vijf kilometer lang en een kilometer breed en grensde in het zuiden aan Bill Baggs State Park en in het noorden aan Crandon Park.
Horatio nam samen met Delko de Rickenbacker Causeway, de weg die het eiland met het vasteland verbond, en even na zonsondergang kwamen ze in de Hummer aan. De laatste morrende achterblijvers werden net weggestuurd door agenten die het strand aan het afzetten waren.
'Nogal een verschil met het vorige strand,' merkte Delko op toen ze uitstapten.
'Klopt,' zei Horatio. 'Het strand bij Oleta River State Park is klein en vrij afgelegen. Key Biscayne vormt één lange, toeristische kustlijn van ruim zeven kilometer. Maar toch, ik heb zo'n voorgevoel...'
De auto zat op slot en had een bekeuring onder de ruitenwisser. 'Over vierentwintig uur zou hij weggesleept zijn,' zei Delko, die zijn

ogen met zijn handen tegen het licht afschermde en door het raampje aan de bestuurderskant naar binnen tuurde.
'Iets zegt me dat ze wel grotere zorgen hebben dan dat,' zei Horatio. 'Goed, er is werk aan de winkel. Calleigh en Wolfe zullen hier over een paar minuten wel zijn en we krijgen ook assistentie van een speurteam. Deel het terrein in vakken in, markeer die en begin met zoeken. We zijn op zoek naar alles wat er in de steek gelaten uitziet: een handdoek, een picknickmand, een rugzak. Doorzoek ook de vuilnisbakken. Het kan zijn dat hun spullen gevonden zijn en vervolgens weggegooid.'
Horatio sprak met de beheerders van het strand en liep met hen mee om te kijken of er niets bij de gevonden voorwerpen was beland. Geen van de strandwachten had iets ongebruikelijks gezien, maar ze gaven toe dat het die dag erg druk was geweest op het strand.
Horatio liep over het afkoelende asfalt van het parkeerterrein terug naar de plaats waar zijn team het stukje strand aan het uitkammen was. Calleigh was aan de rand ervan bezig en ze keek op toen Horatio bij haar in de buurt bleef lopen. 'Wat is er, H?'
'Lake Sammamish,' zei Horatio.
'Pardon?'
'Een recreatieterrein in de staat Washington. Dat zit in de zomer in het weekend altijd vol mensen die op zoek zijn naar een beetje ontspanning en zon, net als hier.'
'Klinkt wel bekend, maar ik weet niet precies waarvan.'
'Ted Bundy kwam er ook graag. Hij nam een vrouw mee van een bomvolle parkeerplaats, zoals deze. Dat beviel zo goed, dat hij een paar uur later nog eens terugkwam voor een tweede.'
'Volgens jou is dit het werk van onze man.' Het was geen vraag.
'Ja, ook al was het slachtoffer een man en is hij doodgeschoten in plaats van verdronken. Toch heb ik dat gevoel.'
'Nou, als het zijn werk is, hoop ik dat hij dit keer wat meer heeft achtergelaten dan alleen het lijk. Ik heb de rest van de eigenaren van een Farallon haaienpijl opgespoord, maar ze hadden stuk voor stuk een waterdicht alibi.'
'Maakt niet uit. We blijven gewoon zoeken en vroeg of laat duikt er wel ergens iets op...'

Het was Wolfe die de portemonnee in de vuilnisbak vond. De creditcards en het geld waren verdwenen, maar uit een beduimeld bibliotheekpasje bleek hij van Janice Stonecutter geweest te zijn. Er zat ook nog een halfvolle thermosfles koffie in, een pocket van Stephen King en een blauwe sweater.

'Hun spullen zijn waarschijnlijk door een strandwandelaar gevonden,' zei Horatio. 'Misschien gisteravond al. Hij of zij heeft wat bruikbaar was meegenomen en de rest weggegooid.'

'Daar kunnen we helaas nog niet uit afleiden waar de Stonecutters het water in zijn gegaan,' zei Wolfe.

'Nee, dat niet. Maar aangezien dit ons enige referentiepunt is, zullen we deze afvalbak benoemen tot Laatst Geziene Punt. Van hieruit trekken we een rechte lijn naar het water en daar beginnen we met zoeken.'

Wat Horatio natuurlijk bedoelde, was dat Delko daar zou beginnen. De jonge CSI'er had zijn duikpak al aan en was binnen enkele minuten te water. Hij waadde eerst een heel stuk door ondiep water – er lag een flinke zandbank voor de kust – maar heel geleidelijk kwam hij in dieper water. Delko kende de duikplekken rond Miami op zijn duimpje. Het was al lange tijd de gewoonte in Florida om met opzet scheepswrakken, oud ijzer, blokken kalksteen of ander afval op de zeebodem achter te laten, niet om het kwijt te zijn, maar om zo kunstmatige riffen te vormen waarop zich koraal kon vormen. Dat was zowel in ecologisch als economisch opzicht profijtelijk, omdat het een habitat vormde voor vissen en andere zeedieren en tegelijkertijd een onderwaterattractie was voor duikliefhebbers. Het kunstmatige rif bij Key Biscayne was een populaire duiklocatie die was opgebouwd uit vaartuigen in allerlei soorten en maten. Sommige daarvan waren boten die door de kustwacht in beslag genomen waren wegens drugssmokkel en telkens als Delko door zo'n ruim vol glinsterende vissen zwom, vroeg hij zich onwillekeurig af of het ooit vol gelegen had met pakketjes cocaïne.

Een van de opmerkelijkste voertuigen die daar lagen was geen boot maar een Boeing 727, de *Spirit of Miami.* Hij werd daar in 1993 op een diepte van 25 meter met opzet afgezonken, naar het schijnt met een tijdcapsule ergens binnenin verstopt. Het kunstmatige rif lag op meer dan drie zeemijl van de kust van Key Biscayne, maar even had Delko het gevoel dat hij op de een of andere manier te ver was gezwommen en toch voor de kust beland was. Wat hij voor zich zag moest een nieuwe toevoeging zijn aan het rif.

Op de bodem stond een auto, en niet zomaar een. Delko wist wel wat van auto's en dit was een Chrysler 300C uit 1957, met het soort vinachtige spoilers waardoor hij helemaal op zijn plaats leek onder water. Hij zwom erheen om hem beter te bekijken en scheen met zijn zaklamp door een van de raampjes.

Een bleek gezicht met een duikbril op staarde hem aan. Op de bestuurdersplaats zat het lijk van een jonge vrouw, zonder kleren en met een van ingewanden ontdaan onderlichaam. Delko had Janice Stonecutters foto op het pasje gezien en herkende haar meteen.

Horatio had gelijk gehad.

De auto lag te ver van het strand om hem met een simpele lier uit het water te kunnen trekken. Ze moesten een varende kraan regelen om hem uit het water te hijsen.

Calleigh en Horatio stonden aan boord van de kraan toe te kijken terwijl Delko vanuit het water aanwijzingen gaf.

'Hoe is die hier in vredesnaam beland?' vroeg Calleigh, die over de reling leunde. 'Zou het soms zo'n omgebouwde Cubaan zijn?' In Cuba werden auto's uit de jaren vijftig, die nog uit het pre-Castro tijdperk waren overgebleven, soms omgebouwd tot boot en gebruikt om de honderdtwintig kilometer die de eilandnatie van Florida scheidde af te leggen.

'Zou kunnen,' zei Horatio. 'Als dat zo is, is hij wel op een vreemde plaats terechtgekomen.'

'En dat geldt ook voor het slachtoffer. Waarom zou hij haar achter het stuur gezet hebben?'

'Misschien om te voorkomen dat het lijk aangevreten zou worden. Sommige seriemoordenaars keren terug naar hun prooi om verder te gaan waar ze gebleven waren.'

'Wat een vrolijke gedachte...'

Delko kwam weer boven water en stak zijn duimen in de lucht naar

de kraanbestuurder. De auto lag op twintig meter diepte en de lier draaide luid rammelend rond om de lading naar boven te hijsen.
'Hier is een nog vrolijkere,' zei Horatio. 'Onze zeemeerman heeft zijn repertoire dus uitgebreid. Hij jaagt nu ook op stellen, begeeft zich op drukbezochte plaatsen en maakt gebruik van een vuurwapen.'
'Ja, dat heb ik gehoord,' zei Calleigh. 'Ik heb het alleen nog niet gezien, maar ik kan niet wachten.'
'Al ideeën?'
'Jij zou beter moeten weten, H,' zei Calleigh met een gespeeld vermanende frons. 'Natuurlijk heb ik zo mijn ideeën, maar ik wil pas iets zeggen als ik de kogel voor me heb liggen. Bewijs weegt altijd zwaarder dan veronderstelling, toch?'
'Dat is zeker,' zei Horatio. Op dat moment kwam de auto met druipende wielkasten aan het oppervlak.
'En het ene bewijsstuk weegt meer dan het andere,' merkte Horatio op.

'Deze kogel,' zei Calleigh tegen Horatio, 'is een héél bijzonder beestje. Hij is ontworpen door Oleg Kratsjenko en Pitor Sazonov die er in 1983 in de Sovjet Unie, samen met Vladimir Simonov, een Staatsprijs mee in de wacht hebben gesleept.'
'Is hij Russisch?' vroeg Horatio.
'Dat is hij zeker,' zei Calleigh, die de bewuste kogel met een pincet in de lucht hield om hem te bewonderen. Horatio en zij waren in het vuurwapenlab, waar Calleigh op een kruk aan haar werktafel zat en Horatio over haar schouder meekeek. 'Speciaal ontworpen voor onderwatergebruik. Aan reguliere munitie heb je namelijk niet zoveel in het water: de ontsteking is niet zozeer het probleem, maar wel de baan die de kogel af moet leggen. De spiraalvormige groeven in de loop van een gewoon vuurwapen geven de kogel een rotatie die de vlucht stabiliseert, maar dat systeem werkt minder goed als hij zijn weg door een zwaarder medium moet zoeken. Kravtsjenko en Sazonov bedachten dat ze dat probleem konden omzeilen als ze de werking van een harpoengeweer imiteerden en daar bleken ze gelijk in te hebben. De lange as van de kogel veroorzaakt cavitatie in het water; de luchtbellen houden hem stabiel.'

'En voor wat voor type wapen is die munitie bedoeld?'
'Een *Spetsialnyj Podvodnyj Pistolet*, oftewel de SPP-1. Een niet-automatisch, vierloops handwapen. De lopen zitten aan het wapen gescharnierd, als bij een hagelgeweer, en het heeft een double-action trekker met de slagpin op een roterende basis. Het kan vier 40-mm flessenhalspatronen bevatten, elk met een stalen kogel van 13,15 gram met een mondingssnelheid van 250 meter per seconde. Precisie en bereik zijn afhankelijk van de diepte en nemen af op grotere diepte: op vijf meter diepte is het effectieve bereik ongeveer achttien meter, op tweeëntwintig meter diepte schiet hij nog maar tot ongeveer twaalf meter met precisie. Vuur je boven water, dan mag je van geluk spreken als je ook maar iets raakt.'
'En opeens bevinden we ons in een James Bondfilm,' mompelde Horatio. 'Dat lijkt me niet iets wat je op elke straathoek kan krijgen.'
'Nee, hij is ontwikkeld voor gevechtsduikers,' zei Calleigh. 'De sovjetmarine was zelfs zo blij met de SPP-1 dat ze met diezelfde technologie ook nog een aanvalsgeweer hebben laten ontwikkelen.'
'Waar onze moordenaar hopelijk niet de hand op heeft kunnen leggen... Maar de Russische invalshoek is wel interessant.'
'Denk je aan een connectie met de maffia?'
'De rode maffia? Een van onze Oostblokvrienden zal best iets deze kant op hebben kunnen smokkelen... maar dat is niet de richting waarin ik zat te denken.' Horatio schudde even zijn hoofd. 'Laat maar... het zal wel gewoon toeval zijn. Prima werk, trouwens. Ik moet nu even bij Wolfe en Delko gaan kijken om te zien hoe ver ze zijn met die Chrysler.'
'Oké, H. Ik zal kijken of ik SPP-1's kan opsporen. Af en toe duiken ze wel eens op eBay op of bij particuliere wapenverzamelaars.'
Horatio nam de lift naar de garage in de kelder waar Delko en Wolfe, allebei in overall, de auto aan het onderzoeken waren die ze van de bodem van Biscayne Bay hadden opgevist. Hij verkeerde in een slechte staat. Roest had kartelstroken weggevreten rond de wielkasten, de banden waren lek en een van de bumpers ontbrak volledig. De hele ruimte stonk naar natte, rottende bekleding en zeewier.
'Heren,' zei Horatio. 'Wat kunnen jullie me vertellen?'

'Op de eerste plaats,' zei Delko, 'dat hij daar, anders dan je op het eerste gezicht zou denken, niet zo lang gelegen heeft. Aan de groei van de zeepokken en algen te zien, denk ik aan een week, anderhalve week.'
'En we kunnen je ook vertellen hoe hij daar terechtgekomen is,' zei Wolfe. Hij hield een brede, kakikleurige riem omhoog. 'Delko vond deze onder de auto. Kijk eens naar de uiteinden.'
Dat deed Horatio. 'Hm, niet alleen verkoold, maar ook gerafeld. Explosieschade.'
'Precies,' zei Delko. 'We hebben vezels van de riem onder de massaspectrograaf gelegd en sporen van semtex gevonden. Verder was er op verschillende punten sprake van sporenoverdracht: roest en verf van de auto, maar ook een andere kleur en kwaliteit verf dichter bij de uiteinden. Een industriële soort, vaak gebruikt voor machines of...'

'Vaten,' zei Horatio. 'Ik begin een beeld te krijgen. Onze man heeft een stel vaten aan de auto vastgebonden, hem de baai ingetrokken – hoogstwaarschijnlijk midden in de nacht – en een lading springstof gebruikt om de riemen los te branden. De wagen is gezonken en hij is weer vertrokken.'
'En de vaten dan?' vroeg Wolfe. 'Zouden die dan ook niet gezonken zijn?'
'Dat ligt eraan hoe groot het gat was dat de springstof heeft geslagen,' zei Delko. 'Als die vent wist wat hij deed, zijn die vaten waarschijnlijk blijven drijven. Dan heeft hij ze achteraf weer op kunnen halen en wegslepen.'
'Waarom al die moeite?' zei Wolfe. 'Ik bedoel: als hij al dat werk al gedaan heeft om die auto op de bodem te krijgen, wat maakte het dan nog uit of die vaten bleven drijven of niet?'
'Inderdaad, wat maakte het uit?' zei Horatio. 'Het antwoord is: decor. Dit is toneelaankleding, net zoals het tableau op het mangrove-eiland, maar het is niet voor ons zo geënsceneerd. Het was voor hemzelf... en hij wilde net zomin ronddrijvende vaten op zijn toneel als een modeontwerper zijn modellen in kartonnen dozen zou kleden. Hij probeert een bepaalde sfeer te creëren, een bepaalde

illusie te wekken, en die auto is daar een belangrijk onderdeel van.'
'Het autogedeelte begrijp ik,' zei Delko, terwijl hij knikte. 'Persoonlijk heb ik ook erg dierbare herinneringen aan de achterbank van een Taurus uit 1989, maar die stond indertijd niet geparkeerd op de bodem van de Atlantische Oceaan.'
'Misschien probeert hij een belangrijke gebeurtenis uit zijn leven na te bootsen,' opperde Wolfe. 'Om iets uit zijn verleden opnieuw te beleven.'
'Opnieuw te beleven, of misschien te herschrijven,' zei Horatio. 'Het onder water zetten van de auto is misschien een poging om controle over een situatie te krijgen, die hij oorspronkelijk misschien niet had. Mijn gok is dat dit bepaalde merk en type daar een prominente rol in spelen. Eric, kun jij uitzoeken wie de laatste eigenaar van deze auto geweest is en die aan de tand voelen? En wil je daarna de archieven raadplegen om te zien of deze eigenaar, of zo'n zelfde type auto, betrokken is geweest bij een misdrijf of ongeluk in Florida.'
'Hoe ver wil je dat ik terugga in de tijd, H?'
'Nou, zelf zou ik niet verder teruggaan dan tot 1957...'
Delko knikte met een grijns. 'Oké.'
'En Wolfe, ga jij maar door met de auto zelf. Ik loop even bij Alexx langs om te zien wat zij over het lichaam te vertellen heeft.'

Het lichaam op de autopsietafel bood een onaangename aanblik. De romp was van ingewanden ontdaan, opengescheurd en uit elkaar gerukt. De armen en benen zaten onder de steekwonden; alleen het gezicht was onaangeroerd.
'Als ik niet beter wist,' zei dokter Alexx Woods zachtjes, 'zou ik zeggen dat ze door een of ander beest gedood is.'
'Dat is ze ook,' zei Horatio. 'Helaas loopt deze diersoort op twee benen. Wat is de doodsoorzaak?'
'Exsanguinatie. Ze is leeggebloed, Horatio, en dat heeft waarschijnlijk een hele tijd geduurd. Twaalf tot vijftien uur, zou ik zeggen.'
Horatio fronste zijn voorhoofd. 'Wacht even. Dat zou betekenen dat ze uit het water is gehaald, niet?'
Alexx schudde van nee. 'Ik vrees van niet. Haar longen vertoonden tekenen van atelectasis; ze waren gedeeltelijk ingeklapt, wat een van

de symptomen van zuurstofvergiftiging is. Duikers noemen het het Lorrain-Smith effect. Het is het resultaat van het te langdurig inademen van te zuurstofrijke lucht.'

'Dus hij heeft haar bewust onder water gehouden ... en die steekwonden zijn voor haar dood toegebracht, niet erna?'

'Die op haar ledematen wel, ja. Het openrijten van de buik is als laatste gebeurd. Ze was toen al dood. Ik heb dezelfde kunstmatige bijtwond op haar kuit aangetroffen als bij het andere lichaam, maar ze is niet verdronken. Kijk zelf maar.'

Horatio boog zich over het lichaam en bestudeerde de beet en daarna de andere wonden op het been. 'Vier evenwijdige wonden op veel verschillende plaatsen,' zei hij. 'Het lijken wel klauwsporen.'

'Dat zou je bijna denken,' stemde Alexx in. 'Maar in de wonden zelf heb ik geen organisch materiaal aangetroffen. En aangezien klauwen in lagen groeien die continu afbladderen, vind je eigenlijk altijd wel stukjes ervan in de wond na een aanval. Ik denk dat dit gedaan is met iets van metaal dat op een klauw lijkt.'

'Net als de kaak waarmee een dolfijn geïmiteerd werd,' mompelde Horatio. 'Is ze verkracht?'

'Meer dan eens, lijkt me. Er was veel meer genitaal letsel dan in de andere zaak.'

Horatio deed een stap bij de autopsietafel vandaan en zette zijn handen in zijn zij. Hij zei een moment lang niets, maar bekeek het lijk alleen met tot spleetjes geknepen ogen.

'Horatio?' zei Alexx.

'Dit is de laatste, Alexx,' zei Horatio vastberaden. 'Ik ga die vent niet nog een vrouw onder water laten sleuren. Hij heeft haar zo lang mogelijk in leven gehouden om haar in stukken te kunnen snijden, terwijl zij niet eens kon gillen.'

'Het moet een hel geweest zijn,' zei Alexx zachtjes.

'Dat is precies waar die vent vandaan komt,' zei Horatio. 'En ik ga ervoor zorgen dat hij daar ook terugkeert.'

5

Wolfe koesterde een grote bewondering voor zijn baas, niet alleen vanwege de scherpe intelligentie van Horatio en diens onvoorwaardelijke toewijding aan zijn werk, maar ook omdat hij onder druk altijd kalm en beheerst bleef. Wolfe had nog nooit meegemaakt dat Horatio zich had laten intimideren of met zijn mond vol tanden stond, hoe ongewoon of gespannen de situatie ook was.

Dat was echter niet de enige reden dat Horatio zijn grote voorbeeld was. Zijn baas ging de maalstroom van krachtige emoties die een zaak vaak met zich meebracht niet uit de weg, integendeel: Horatio voelde de pijn van de betrokkenen vaak sterker dan wie ook. Hij bleef sterk bij alle gruwelen, wanhoop en verdriet en leek over een onuitputtelijke voorraad medeleven te beschikken.

Dat was iets wat Wolfe niet van zichzelf kon zeggen. Zijn sociaal-emotionele vaardigheden waren lang niet zo goed, al waren ze wel aanwezig. Hij maakte opmerkingen op momenten dat hij beter zijn mond had kunnen houden, hij onderbrak mensen als ze aan het praten waren, hij was zich niet altijd bewust van bepaalde sociale omgangsvormen... waardoor er regelmatig dingen dramatisch misgingen.

Hij vond dit hevig frustrerend. Voor Wolfe was wetenschap wat zuurstof voor de mens was: hoe meer factoren hij bij een bepaalde gebeurtenis kon kwantificeren, hoe gelukkiger hij was. Helaas had dat tot gevolg dat hij zich het gelukkigst voelde in het lab en het minst op zijn gemak in een groep mensen; zet een stel mensen bij elkaar en het aantal variabelen wordt gewoon te groot. Vanaf het moment dat hij zich daar als tiener van bewust werd, had hij geprobeerd het probleem op een methodische, beredeneerde manier te benaderen door het proces van sociale interactie te bestuderen en te analyseren. Hij had lange lijsten aangelegd waarop hij in detail zaken noteerde als opmerkingen die in bepaalde sociale situaties gepast waren en onderwerpen die vermeden dienden te worden.

Toen hij na een tijdje een essentiële waarheid had ontdekt, had hij het analyseren opgegeven: mensen waren te onvoorspelbaar.
Gedeeltelijk was dit de reden dat hij bij de politie gegaan was. De taak van de politie, zoals Wolfe het zag, was orde brengen in de chaos: de politie zag toe op handhaving van de regels. Het werk van de technische recherche was nog beter, omdat daar voor het handhaven van de regels de wetenschap werd ingezet, en natuurwetten waren altijd meer kwantificeerbaar dan menselijke wetten.
Met Horatio als baas had hij zijn standpunt moeten bijstellen. Hij zag nu in dat het mogelijk was de balans te vinden tussen die twee, hoewel het precieze mechanisme hem nog ontging. In de tussentijd hield hij zich bezig met het bestuderen van Horatio's methodes en die waar mogelijk na te volgen. Dat hield in dat hij ook probeerde zich net zo te kleden als hij.
Zoals veel studiebollen besteedde Wolfe weinig aandacht aan zijn kleding. In zijn begintijd bij de technische recherche droeg hij meestal sweatshirts en T-shirts met lange mouwen. Geleidelijk aan was hij overgegaan op T-shirts met daarover nonchalant een colbertje, tot hij was uitgekomen bij hetzelfde soort overhemden en blazers als Horatio meestal droeg. Wolfe was nog er nog niet helemaal achter hoe het precies met de verschillende merken zat, maar daar werkte hij nog aan.
Terwijl hij door een deprimerend lange lijst van zedenmisdadigers scrolde, dwaalden Wolfe's gedachten af naar uiterlijk en hoe onbetrouwbaar dat was. Sommige van de misdadigers op de lijst zagen er precies zo uit als je zou verwachten van een verkrachter of pedofiel. Anderen zagen er zo onschuldig uit als een crècheleider. Er was gewoon geen peil op te trekken.
Monsters, dacht Wolfe. Als ze nou gewoon hoorntjes hadden die uit hun voorhoofd groeiden of iets anders zichtbaars, dan zou dat ons werk een stuk makkelijker maken.
Natuurlijk had hij ook wel eens soortgelijke gedachten gehad over vrouwen met vriendjes, baliemedewerkers die hun dag niet hadden, kleine kinderen naast hem in het vliegtuig die op het punt stonden te gaan overgeven... het zou sowieso handig zijn als mensen voorzien waren van een makkelijk herkenbaar etiket.

Hij klikte een naam aan en kreeg de gegevens in beeld van ene David Posterly. Het was een mollige man met waterige oogjes, een grote neus en een wijkende haargrens. Hij zag eruit alsof hij bij een bank werkte.
Zijn strafblad omvatte zeventien seksuele misdrijven, waarvan negen met minderjarigen. Hij bleek in een ijscokarretje rond te rijden.
Wolfe schudde zijn hoofd. Kon je zo iemand nog menselijk noemen of had hij zijn ontslag al lang aangeboden bij het menselijk ras? En wat voor indruk zou die vent maken, als je hem tegenkwam en een praatje met hem maakte? Waarschijnlijk een betere dan ik, dacht hij wrang.
'Hé, Ryan,' zei Calleigh, die het computerlab binnenkwam. 'Wat is er? Je kijkt zo somber.'
Hij zuchtte. 'Ach, niks eigenlijk, maar deze zaak roept wel vragen op over de dingen waartoe sommige mensen in staat zijn.'
Ze ging bij een ander beeldscherm zitten en drukte een aantal toetsen in. 'Ja, ik snap wat je bedoelt. Ik krijg ook de kriebels van die onderwaterverkrachting. Ik zou op het moment zelfs niet in een zwembad durven springen.'
'Dat zou niet eens zo onverstandig zijn. Ik heb hier een aantal gevallen van seksueel misbruik gevonden in openbare zwembaden. De meeste daarvan gingen weliswaar niet verder dan exhibitionisme en betasting, en waren geen verkrachting, maar toch.'
'Denk je dat het met onze man ook zo is gegaan?'
'Ik weet het niet. Hij moet ergens begonnen zijn. Waar ben jij mee bezig?'
'De klauwsporen bij het derde slachtoffer. De afstand tussen de wonden komt niet overeen met ons bekende dierenklauwen, maar dat klopt dus wel met Horatio's theorie dat ze kunstmatig zijn. Het wondpatroon wijst er wel op dat ze een kleine kromming aan het eind hebben, net als echte klauwen.'
'Die kerel heeft zijn huiswerk goed gedaan.'
'Maar dat doen wij ook, Ryan. Dat doen wij ook...'

Delko had zich door een berg archiefmateriaal heen geworsteld. Hij was nu op de hoogte van elke overval op benzinestations, elk autoongeluk, en elke diefstal waarbij een Chrysler 300C uit 1957 betrokken was geweest, in Florida tenminste. Hij had ze allemaal tegen het licht gehouden in een poging iets te vinden wat de carrière van een psychopaat ontkiemd kon hebben – een verkrachting op de achterbank, een verminkend ongeluk, een aanrijding waarna de dader was doorgereden, andere misdrijven – maar het meeste wat hij had gevonden was onbeduidend: lichte aanrijdingen en auto's die als gestolen waren opgegeven.

Het is lastig te bepalen wat echt belangrijk is, dacht hij bij het doorkijken van nog weer een dossier. Een stelletje tieners dat was gaan joyrijden leek een onbetekenend voorval, maar stel dat een van die tieners als gevolg daarvan in elkaar geslagen was door een mishandelende ouder? En het kon natuurlijk ook nog dat van de gebeurtenis waarbij de auto betrokken was geweest nooit aangifte was gedaan.

Hij zuchtte, stond op en rekte zich uit. Tot nu toe was hem nog niets speciaals opgevallen. Hij nam aan dat elk van die incidenten waar hij over gelezen had tot iets gruwelijks had kunnen leiden, maar als dat zo was, zaten de gruwelen verstopt op een plaats die voor hem onzichtbaar was.

Zijn mobieltje ging over. 'Met Delko. Ja, mevrouw Pershall, bedankt voor het terugbellen. Ik heb begrepen dat u een paar weken geleden een auto verkocht hebt? Een Chrysler uit 1957? Dat klopt, de 300C. Ik vroeg me af of ik u daar misschien wat vragen over zou mogen stellen in het kader van een onderzoek waar wij mee bezig zijn… Nee, liever niet telefonisch. Natuurlijk kan ik daarvoor naar u toe komen. Wat is uw adres? Mm, mm, oké, dan ben ik er over een uur. Bedankt.'

Hij hing op. Misschien had hij meer geluk met de voorlaatste eigenaar van de auto zelf.

'Horatio! Wacht even!' Rechercheur Frank Tripp kwam net aanrennen op het moment dat Horatio in zijn Hummer wilde stappen.

'Wat is er, Frank?'

'Ik wilde alleen even bijpraten. Heeft die kogel nog wat opgeleverd?'

'Calleigh heeft een mogelijke bron voor het wapen gevonden: een wapenhandelaar in Miami Beach die in de wat minder gebruikelijke modellen gespecialiseerd is. Ik ga er nu heen.'

Frank knikte. 'Ja, ik ging er al vanuit dat het alleen maar een kwestie van tijd was.'

Horatio zette zijn zonnebril op. 'Hoezo?'

'De Nieuwe Wereldorde, Horatio. Voor de muur was gevallen, hoorde je hier vrijwel nooit iemand Russisch praten. Tegenwoordig hoor je het al bijna evenveel als Spaans. Alsof we onze handen nog niet vol genoeg hebben aan de Cosa Nostra en de Colombianen. Nu lopen er ook nog ex-KGB'ers rond die hier snel rijk hopen te worden.'

Horatio antwoordde niet meteen. 'Dat het wapen Russisch is wil nog niet zeggen dat de schutter dat ook is, Frank.'

Tripp keek hem stuurs aan. 'Dat bedoel ik ook niet. Ik heb niks tegen Russen, Horatio, maar wel tegen alles wat ze met zich meebrengen. Heb je gehoord dat het Rode Leger een tijd lang geen geld had om de soldaten te betalen die de kernwapenopslagplaatsen moesten bewaken? Ze bleven daar in Verweggistan op kernkoppen zitten die op de zwarte markt met gemak voor tien miljoen dollar in harde valuta per stuk verpatst konden worden, en die arme sloebers kregen niet eens hun soldij. Dat had in elk ander land gedonder gegeven.'

'Dat is een waar woord,' zei Horatio. 'Dan mogen wij ons waarschijnlijk gelukkig prijzen dat we ons maar over één geweer druk hoeven te maken. Wat me meer zorgen baart is de deskundigheid waarmee de dader het gebruikt heeft.'

'Denk je dat hij een professionele moordenaar is? Voor geheime sovjetoperaties misschien?'

Horatio deed het portier van de Hummer open. 'Alles is mogelijk, Frank, maar die vent heeft ook al geprobeerd om de marine de zwarte piet toe te schuiven. Misschien is dit opnieuw een afleidingsmanoeuvre. Toch durf ik te wedden dat hij ergens iets van een militaire achtergrond heeft.'

'Tja,' zei Tripp. 'Maar bij welk onderdeel?'

Horatio stapte in zijn wagen. 'Belangrijker nog,' zei hij, 'is de vraag of hij nog meer wapens heeft, die hij nog niet heeft ingezet.'

De vorige eigenaar van de Chrysler woonde ten zuidwesten van Miami, voorbij Medley, op een stuk grond dat met veel goede wil kon worden omschreven als een boerderij. Het huis, dat bar weinig punten zou scoren in een bouwtechnisch rapport, had een puntdak en stond er lusteloos bij op een erf vol wilde braamstruiken en onkruid. Een verzameling oude machines, uiteenlopend van rolstoelen met kapotte spaken tot het roestende chassis van tractors en pick-ups, werd eveneens overwoekerd door onkruid. Kippen maakten zich haastig uit de voeten voor Delko's Hummer die op het erf tot stilstand kwam en een gevlekte pitbull op de veranda tilde zijn platte kop op, bekeek hem even ongeïnteresseerd en dommelde vervolgens verder.
Delko stapte uit en liep naar het trapje. De hond hield hem vanuit zijn ooghoeken in de gaten en geeuwde, waarbij hij een stel kaken liet zien waarvan Delko zeker wist dat hij er bakstenen mee kon verbrijzelen.
Hij klopte op de voordeur. In het raam links van hem zat een oude airco ter grootte van een brievenbus; het luidruchtige geratel dat hij voortbracht wekte de illusie dat het hele huis op het punt stond een startbaan over te taxiën.
Hij klopte nog eens, nu harder. Geen reactie. 'Hallo?' riep hij. 'Mevrouw Pershall?' Hij vroeg zich af of hij wel het goede adres had.
'Ja?'
Hij draaide zich om. Een vrouw stond onder aan het trapje dat hij zojuist beklommen had; ze moest om het huis heen zijn gelopen. Delko schatte haar ergens halverwege de dertig. Ze had een stel grote, zwarte soldatenkisten aan en een gebloemde hoed op haar kortgeknipte, diepzwarte haar; verder droeg ze alleen ondergoed...
'O, hallo,' zei Delko. De vrouw maakte geen gegeneerde of verraste indruk; haar lijf was pezig en gebruind en ze had een uitgebreide tatoeage op haar buik van een vogel die oprees uit de vlammen en zijn vleugels uitsloeg zodat ze haar borsten omlijstten als vurige haakjes om twee nullen. Haar beha was van zwarte kant en ze had een witte herenboxer aan in plaats van een slip.
'Jij bent zeker die politieman,' zei ze. Haar stem had de rauwe heesheid van jarenlang roken; hij herkende hem van hun telefoonge-

sprek. 'Ik ben Bonnie Pershall.'
Als zij er niet mee zit, ga ik er ook geen punt van maken, dacht hij.
'Bedankt, dat u even met me wilde praten,' zei hij.
'Graag gedaan.'
Hij zag nu dat ze ouder was dan hij eerst had gedacht; wat haar slanke lichaam verhulde, werd door de rimpels rond haar ogen en mond verraden. Halverwege de veertig, waarschijnlijk.
'Is het goed als we achter het huis verder praten?' vroeg ze. 'Ik ben nog ergens mee bezig.'
'Prima,' zei hij. Hij liep achter haar aan om het huis heen naar de achtertuin, die beter onderhouden bleek dan het voorerf. Het gras was gemaaid, er stond een tafel met een witte parasol en bijpassende stoelen op een terrasje van rode baksteen. En er stond een motor.
Delko floot. 'Een oude Indian, hè?' De motor stond op een stuk blauw zeil en er omheen lagen allerlei verchroomde dopsleutels en ander gereedschap.
'Een Chief uit 1953. 1300 cc motor, telescoopvoorvorken. Deze is uit het laatste jaar dat die zwaargewicht geproduceerd werd voordat het bedrijf in een neerwaartse spiraal terechtkwam.'
'Heel fraai,' zei hij. 'Bent u monteur?'
'Zo zou je het kunnen zeggen,' zei Bonnie Pershall. Ze liep naar de tafel, boog zich eroverheen en viste een blikje Coors bier uit de koelbox die eronder stond. Haar achterkant, kon Delko niet anders dan erkennen, bood hem een al even indrukwekkend uitzicht als de voorkant. Ze had twee engelenvleugels op haar rug getatoeëerd staan die al even groot en gedetailleerd waren als die op de voorkant.
'Ik sleutel graag aan motoren en soms krijg ik ervoor betaald,' zei Pershall, terwijl ze overeind kwam en het blikje met één hand opentrok. 'Ik was hem net een onderhoudsbeurt aan het geven.' Haar stem klonk luchtig.
'Ik zal niet te veel van uw tijd in beslag nemen. Ik wil alleen wat meer weten van degene die de Chrysler '57 van u gekocht heeft.'
'Dat kan. Het is eerlijk gezegd een beetje vreemd gelopen met die auto. Ik kreeg een telefoontje van die gast dat hij had gezien dat ik een oude Chrysler in de voortuin had staan; hoe hij aan mijn num-

mer kwam, weet ik trouwens ook niet. Hij vroeg wat ik ervoor wilde hebben, en hij wilde niet eens weten of hij nog reed. Het enige wat hij vroeg was of alle ruiten nog heel waren, en dat was zo.'
'Zo vreemd klinkt dat niet,' zei Delko. Hij had een notitieblokje en een pen tevoorschijn gehaald en maakte aantekeningen.
'Dat was ook nog niet het vreemdste. We kwamen een prijs overeen en hij vroeg of hij contant mocht betalen. Ik zei dat ik dat best vond. De volgende dag vond ik het volledige bedrag in een envelop in de brievenbus, geen briefje, niks. Terwijl ik het geld stond na te tellen, kreeg ik een telefoontje van hem. Hij was langs geweest, maar ik was er niet en daarom had hij het geld maar achtergelaten zodat ik de auto niet intussen aan een ander zou verkopen. Nou moet je weten dat het barrel het grootste deel van mijn huwelijk en mijn hele scheiding daar heeft gestaan, een dikke tien jaar dus, maar er hebben nooit kopers voor in de rij gestaan...'
'Ja, dat is wel vreemd,' zei Delko.
'Het wordt nog veel gekker. Daarna probeerden we een afspraak te maken voor een moment waarop hij hem zou kunnen komen ophalen. Hij bleef maar tijdstippen voorstellen om meteen daarna weer te bedenken dat hij dan toch al wat anders had, tot we uiteindelijk uitkwamen bij een moment dat ons allebei goed uitkwam. Op een avond kom ik thuis van mijn werk, een bar in Hialeah, is de auto weg. Achteraf gezien denk ik dat het hele gedoe rond die afspraak alleen maar een manier was om uit te vogelen wanneer ik er niet zou zijn.'
'Dus u hebt de koper uiteindelijk nooit ontmoet?'
'Nee. Ik had het geld natuurlijk kunnen houden en aangifte doen van autodiefstal, maar hij zal er wel van uitgegaan zijn dat ik dat toch niet zou doen. En daar had hij nog gelijk in ook. Ik was alleen maar blij dat ik er vanaf was.'
Delko knikte en maakte een paar aantekeningen. 'U hebt de envelop waar het geld in zat zeker niet bewaard?'
'Nee, sorry. Die heb ik weggegooid. Het had weinig zin om die te bewaren.'
'Voor u niet. Ik had er graag de hand op willen leggen.'
Ze wierp hem een geamuseerde blik toe, keek alsof ze iets wilde

gaan zeggen en veranderde toen van gedachten. Delko begreep evengoed wat ze had willen zeggen: is er nog meer waar je je hand wel op zou willen leggen?
'Oké,' zei Delko en hij moest moeite doen zijn gezicht in de plooi te houden. 'Kunt u zich verder nog iets herinneren?'
Dit keer lachte ze wel hardop. 'O, jawel,' zei ze, terwijl ze hem aankeek. 'Een paar dingen.'
'Namelijk?'
'Eerst even dit: is die vent gevaarlijk?'
Het was niet de vraag die hij verwacht had, maar hij moest toegeven dat het wel een goede vraag was. 'Ik kan niet zoveel zeggen over een onderzoek dat nog niet is afgerond,' antwoordde hij bedachtzaam. 'Als u nog eens met hem te maken krijgt, raad ik u aan voorzichtig te zijn. Maar ik denk niet dat dit zal gebeuren; ik vermoed dat het hem alleen om die auto te doen was. Hij heeft zoveel moeite gedaan om geen sporen achter te laten. Het zou niet erg logisch zijn als hij nog een keer terugkwam.'
'Oké. Tweede vraag. Als ik me zorgen maakte over mijn veiligheid, zou het politiebureau dan iemand sturen om mijn hand vast te houden?'
Hij deed zijn best zijn grijns in bedwang te houden. 'Het belang van de burger gaat de politie van Miami zeer ter harte. Als u... ergens mee zit, wil ik graag samen met u naar een oplossing zoeken.'
'Mooi zo,' zei ze, terwijl ze het blikje bier naar haar lippen bracht zonder haar blik van hem af te wenden. 'Ik geloof namelijk dat ik wel ergens mee zit op het moment...'

Miami was een stad van extremen, dat wist Horatio maar al te goed. Een van die extremen was leeftijd: het leek wel alsof er alleen maar twintigers en senioren woonden, met niets daartussenin. Horatio was gewend aan dat effect... maar af en toe kwam zelfs hij voor een verrassing te staan.
De eigenaar van Max' Militaire Curiosa zag eruit alsof hij nog in de Burgeroorlog had meegevochten. Hij was rond de een meter vijftig en had een kromme rug waardoor hij qua bouw op een vraagteken leek. Zijn kale hoofd was bespikkeld met levervlekken, hij had een

enorme neus en oren, en de kwabben los, rimpelig vel die onder zijn kin bungelden onttrokken zijn adamsappel zowat aan het oog. Het tropische hemd dat hij aan had deed zo'n pijn aan je ogen dat de aanblik ervan dodelijk kon zijn voor iemand met een kater. Toen Horatio de winkel binnenkwam, stond de man in een mobieltje te schreeuwen.
'Nee, nee, nee! Het kan me niet schelen wie de eigenaar geweest is. Ik krijg zoveel van die vuursteengeweren aangeboden dat ik er de Bastille intussen wel mee kan bestormen! Zeg hem maar dat het mijn laatste bod is en als hij het niet wil accepteren, dan wens ik hem veel succes bij het zoeken naar een andere sukkel met te veel geld en zonder hersens.'
Horatio keek om zich heen. De winkel vertoonde dezelfde merkwaardige tegenstrijdigheid als zoveel antiekwinkels, waar volkse kunst en stinkend rijke kopers elkaar ontmoetten. Enerzijds werd er naar huiselijk, authentiek en oud gestreefd terwijl er anderzijds gelonkt werd naar mensen met een verfijnde smaak en een designbudget. Meestal uitte zoiets zich in een belichtingssysteem van tienduizend dollar dat met veel zorg zo was opgehangen dat het een dressoir of klerenkast belichtte die waarschijnlijk gemaakt was door iemand uit de vorige eeuw. In de zaak van Max werd diezelfde belichting gebruikt voor een vitrine vol pistolen uit de Tweede Wereldoorlog. Aan een van de muren hingen zwartgelakte houten rekken met Japanse zwaarden, terwijl een andere wand vol hing met geweren, van musketten tot Winchesters.
De glazen toonbank waarachter Max stond – Horatio ging er tenminste vanuit dat het de baas zelf was – bevatte vele rijen medailles en militaire insignes uit een uiteenlopende verzameling landen en regimes, inclusief enkele minder voor de hand liggende. Die stond hij te bekijken toen Max eindelijk zijn telefoongesprek beëindigde en vroeg: 'Was u naar iets speciaals op zoek?'
'U hebt een uitgebreide collectie,' zei Horatio.
Max kwam naar Horatio toe gesloft en volgde diens blik. 'Ik weet wel wat u denkt,' zei hij, terwijl hij met zijn gerimpelde vinger op het glas tikte. De vitrine bevatte IJzeren Kruizen, SS-insignes en medailles met swastika's. 'Wat doet een oude Jood zoals ik met dat

soort spullen? Welk recht heb ik om die te verkopen? Moet ik die troep niet in de vuilnisbak smijten of verbranden of zoiets?' Hij wachtte niet op Horatio's reactie. 'Ik zal u vertellen welk recht ik heb. Mijn zus, allebei mijn broers en mijn ouders: dát recht. Allemaal zijn ze in de kampen gestorven en alles werd hen door de nazi's afgepakt, inclusief hun vullingen. Ik ben in '37 weggegaan om mijn geluk te zoeken en heb ze nooit meer teruggezien. Dat is me allemaal afgenomen door die hufters, dus ik neem aan dat ik daar wel wat geld voor terug mag krijgen.'

'Een schamele vergoeding,' zei Horatio.

'Nou en? Krijg je een vergoeding voor de pest, voor een horde sprinkhanen? Als je goed verzekerd bent misschien, maar meestal krijg je noppes. Natuurrampen, heet dat. Wat ze bedoelen is dat sommige dingen te groot zijn om ze nog persoonlijk te kunnen opvatten. De meeste mensen kijken niet zo tegen de holocaust aan. Die denken dat het was alsof iedereen in het land opeens in Hannibal Lecter veranderde, maar zo ging het niet. Het leek meer op een industrie, alsof het opeens ieders werk was om Joden te doden. Dat klinkt krankzinnig, maar zo was het wel. Opeens waren we geen mensen meer; het was alsof we van de ene op de andere dag in brandhout veranderd waren. En wie maakt zich nou druk om brandhout?'

Daar was geen goede reactie op mogelijk. Horatio probeerde de vraag niet eens te beantwoorden, keek de man alleen effen aan en wachtte tot hij door zou gaan.

'Maar goed,' zei Max, 'alles wat ik aan die rotzooi verdien gaat naar de Jewish Defense League, zodat het uiteindelijk toch misschien nog iets goeds oplevert. Maar ik hang ze niet aan hun neus waar het geld vandaan komt, want dat haalt alleen maar oude wonden open.'

'Heel prijzenswaardig,' zei Horatio. Hij liet Max zijn insigne zien. 'Maar eigenlijk heb ik meer belangstelling voor spullen van Russische herkomst dan Duitse.'

'Sovjetspullen? Die heb ik genoeg. Meer dan genoeg, om u de waarheid te zeggen. Sinds de val van de muur is er een lawine op gang gekomen van spullen van het Rode Leger. Ik zou er een aparte winkel mee kunnen vullen als ik wilde, maar dat wil ik niet. Aan één heb ik mijn handen al vol.'

'Ik heb begrepen dat een bepaald, gespecialiseerd vuurwapen hier door uw handen is gegaan; een pistool ontworpen voor onderwaterdoeleinden, dat gebruikt werd door de sovjetmarine.'
Max fronste zijn voorhoofd. 'U bedoelt een SPP-1? Tenminste, dat mag ik hopen, want de semi-automatische versie heb ik nog nooit gezien. Het pistool heb ik één keer verkocht. Een maand of zes, zeven geleden, geloof ik.'
'Aan wie?'
'Eén momentje, dan kijk ik er de administratie even op na.' Hij slofte naar het uiteinde van de toonbank. Horatio verwachtte min of meer dat hij zou gaan rommelen in een stoffige oude archiefkast, maar in plaats daarvan trok hij een zwart fluwelen gordijn opzij waarachter een nis bleek te schuilen met een computer. Max typte snel achter elkaar wat commando's in en mompelde iets onverstaanbaars.
'Sorry, dat verstond ik niet,' zei Horatio.
'Niks, niks. Ik vervloek Bill Gates en al zijn nakomelingen. Dit ding is zo traag dat ik tijdens het wachten een kou zou kunnen vatten en eraan doodgaan. Aha, daar komt hij. Het is zeven maanden geleden verkocht aan een man die Avery Barlow heette. Alle verplichte formulieren zijn ingevuld, geen vuiltje aan de lucht.'
'Eén vuiltje toch, Max,' zei Horatio. 'We hebben namelijk nergens een registratieformulier kunnen vinden voor dat wapen. Een collega van me heeft het via eBay opgespoord. Er zijn in de hele staat Florida geen geregistreerde eigenaars van een SPP-1 onderwaterpistool.'
'Aha. Ja, dat komt omdat er voor voorwerpen met een bepaalde herkomst niet altijd een geschikt formulier voorhanden is. Ik kon geen formulier vinden voor een onderwaterpistool en heb er dus maar een beetje een draai aan gegeven.'
Horatio schudde het hoofd. 'Zou u me alstublieft wat preciezer kunnen uitleggen wat u bedoelt?'
'Ik heb hem geregistreerd als een Makarov, toch altijd nog een Russisch wapen.'
'Ik zal een uitdraai van die transactie nodig hebben, Max.'
'Natuurlijk, natuurlijk, ik ben blij dat ik kan helpen. Het is ook niet

zo dat ik ergens mee weg probeerde te komen of zo. Ik bedoel, er was niks verbodens aan die verkoop, zijn papieren waren in orde.'
'Laten we dan maar hopen,' zei Horatio, 'dat de heer Barlow verder ook helemaal in orde is.'

In de jaren twintig van de vorige eeuw, toen George Merrick zijn mediterrane fantasie van een stad ontwierp die hij Coral Gables noemde, werd het ruwe materiaal dat hij nodig had voor zijn pleinen, fonteinen en esplanades uitgehakt uit een nabijgelegen kalksteengroeve. En terwijl de straten en gebouwen groeiden, was ook het gat in de bodem gegroeid; een lelijke, rotsachtige put waar zo op het eerste gezicht niks mee te beginnen was geweest.
En nu, peinsde Wolfe, is het een steengroeve die in het Register van Historische Plaatsen is opgenomen. Grappig toch, wat je kan bereiken door een beetje water toe te voegen...
Natuurlijk was 'een beetje water' veel te zacht uitgedrukt – een dikke drie miljoen liter welputwater kwam dichter in de buurt – om nog maar niet te spreken van het palmbomeneiland in het midden, de drie verdiepingen hoge observatietorens en de zuilengangen en loggia in Spaanse stijl. De Venetian Pool, zoals hij tegenwoordig heette, kon zich zelfs beroemen op koraalgrotten en twee watervallen.
Maar Wolfe was niet gekomen om de met zorg vormgegeven pracht en praal te bewonderen. Het onderwerp dat hij kwam bespreken was een stuk minder aantrekkelijk en hij hoopte dat hem dit zou lukken, zonder op tenen te trappen.
De manager, een man die Anthony Osella heette, kwam hem al tegemoet bij de smeedijzeren toegangspoort. Osella haalde de poort van het slot en liet hem binnen; het zwembad ging pas over een uur of wat open.
Wolfe liep achter de slanke man in het witlinnen pak aan naar een tafel met een parasol aan de waterkant. Hij was zo te zien bezig geweest met zijn administratie; een koffiemok met het logo van het zwembad beschermde een stapel formulieren tegen het warme briesje.
Osella ging zitten en gebaarde dat Wolfe hetzelfde moest doen. De manager had een smal gezicht met een haakneus en een puntvor-

mig zwart sikje. Zijn ogen zaten verborgen achter een zonnebril met spiegelglazen die hem beschermde tegen het felle zonlicht dat van het blauwgroene water weerkaatste, maar zijn lach was open en vriendelijk.
'Fijn dat u even tijd voor me wilde maken,' zei Wolfe. Hij trok zijn palmtop tevoorschijn en een plastic stiftje om aantekeningen mee te maken.
'Geen dank. Ik ben allang blij dat u voor openingstijd wilde komen; dit is een gevoelig onderwerp en ik zaai liever geen paniek.'
'Dat begrijp ik,' zei Wolfe en aarzelde toen. 'Goed, nu dan over het incident. Ik heb het politieverslag natuurlijk gelezen, maar ik zou graag uw versie willen horen.'
Osella knikte en de lach verdween van zijn gezicht. 'Het gebeurde afgelopen maart. We krijgen hier veel, heel veel bezoekers: honderdduizend per jaar. Alcohol is hier verboden, maar af en toe krijgen we natuurlijk toch onruststokers binnen. De badmeesters weten hoe ze daarmee om moeten gaan, dat is geen probleem. Maar deze… dit was anders.'
'Dat kan ik me voorstellen.'
'We hebben veel verschillende gedeeltes: de waterval, het ondiepe bad, het eiland en de grotten. We zijn heel grondig waar het de veiligheid van de gasten betreft.'
'Dat wil ik graag geloven,' zei Wolfe geduldig, al wenste hij inwendig dat Osella ter zake kwam.
'Toch kunnen we niet alles overal continu in de gaten houden. En wat deze man deed… tja, dat valt moeilijk te bewijzen.'
'Wat deed hij dan precies?'
'Volgens de vrouw die zich beklaagde niet veel meer dan… kijken. Hij had een zwembrilletje op en zat achterin in een van de grotten te wachten tot er een jonge vrouw binnenkwam. Als je vanuit het felle licht van buiten komt, duurt het even voor je ogen zich hebben aangepast; ik denk dat de meeste vrouwen hem niet eens gezien zullen hebben. Maar goed, hij haalde dan diep adem en dook onder. Het water komt daar tot je middel, dus je kunt helemaal onderduiken en je onder water verstoppen.'
'En daar bleef hij dan gewoon zitten?'

'Ja. Dat bood hem een uitstekend uitzicht… van heel dichtbij, als u begrijpt wat ik bedoel. Ik weet niet hoe lang hij dit al deed voor we hem in de gaten kregen, maar een van de kassamedewerkers zei dat hij hier al weken kwam.'

'Is hij nooit verder gegaan dan dat?'

'Nee. Hij heeft nooit een vrouw aangeraakt of aangesproken.' Osella pakte zijn kop koffie en hield die met beide handen vast. 'Vanzelfsprekend heb ik hem gevraagd weg te gaan.'

'En deed hij dat?'

'Ja, hoor. Hij was niet zo lang maar goedgebouwd en ik was bang dat hij moeilijk zou doen, maar dat was niet het geval. Hij knikte alleen en vertrok zonder tegen te sputteren.'

'Klinkt alsof hij bijna verwacht had betrapt te zullen worden.'

'Misschien wel. Naast het zwembrilletje had hij ook nog een dikke riem om zijn middel met zware zakjes erop genaaid. Ik herkende er een loodgordel in, zoals duikers die dragen.'

'Om te voorkomen dat ze naar boven drijven tijdens het duiken,' zei Wolfe. 'Of om te zorgen dat je op de bodem van een zwembad kunt blijven zitten om te gluren.'

'Dat denk ik ook, ja.' Osella leek even licht te huiveren.

'Kunt u me vertellen hoe hij eruitzag?' vroeg Wolfe.

'Hij was blank, ongeveer een meter vijfenzeventig, vrij gespierd, achter in de dertig of begin veertig. Zijn haar was roodblond en heel kort geknipt. Hij was gladgeschoren. Zijn gezicht… tja, daar was niet zo veel ongebruikelijks aan te ontdekken, geen littekens of zo. Ik kon zijn ogen niet goed zien, dus ik weet niet wat voor kleur die waren.'

'Had hij littekens of tatoeages?'

Osella fronste zijn voorhoofd en dacht na. 'Voor zover ik me kan herinneren niet. Zijn zwembroek was dofgroen, dat weet ik nog wel. Daar heb ik nog speciaal op gelet voor het geval hij weer terug zou komen.'

'Trouwring of sieraden?'

'Ik geloof het niet, nee.'

Wolfe krabbelde aantekeningen op het scherm van zijn PDA. 'Oké… is het mogelijk dat u later vandaag nog naar het bureau komt om wat foto's te bekijken? Er is een grote kans dat hij al eer-

der gearresteerd is en het zou ons erg helpen als u hem zou kunnen identificeren.'
Osella knikte. 'Natuurlijk. Heeft die man... iets misdaan?'
'Het is nog te vroeg om daar iets over te kunnen zeggen. Het is slechts een aanwijzing die we natrekken, maar ik kan u wel vertellen dat het deel uitmaakt van een lopend onderzoek en dat we het heel serieus nemen.'
Osella beloofde dat hij die middag langs zou komen. Wolfe bedankte hem en stond op. Nou, dacht hij, dat ging nou eens een keertje niet zo slecht...
'Als die man zich hier weer laat zien, zal ik u vanzelfsprekend onmiddellijk waarschuwen,' zei Osella. 'Als ik het idee had gehad dat hij gevaarlijk was, had ik hem wel hier gehouden tot de politie was gearriveerd.'
'Het zou niet makkelijk zijn geweest om hem van het plegen van een strafbaar feit te beschuldigen,' zei Wolfe. 'Technisch gezien heeft hij de wet niet overtreden.'
'Dat zal ook wel niet,' erkende Osella. 'Maar toch...'
'Ja, ik weet het,' zei Wolfe. 'Zo'n engerd die, als een onderwatertrol in zijn grot weggestopt, op slechts een paar centimeter afstand zit te gluren naar een fraaie vrouwe...'
Wolfe stopte toen hij de blik op Osella's gezicht zag. Hij mompelde nog iets ten afscheid, draaide zich snel om en vertrok.
Verdorie. Het was net zo goed gegaan...

'Een Makarov?' riep Calleigh uit. 'Dat is niet eens...' Ze griste de uitdraai uit Horatio's handen en bekeek hem met een frons. 'Een IJ-70-18H? Die heeft een 10-schots double-stack magazijn en lijkt in de verste verte nog niet op een SPP-1! Geen wonder dat ik hem nergens kon vinden...'
'Dat kon je wel,' zei Horatio. 'Ondanks iemands slordige administratie. En nu hebben we een adres.'
'Oké, oké,' sputterde Calleigh. 'Is die vent al opgepakt?'
'Nog niet, maar ik stond op het punt dat te gaan doen. Wil je mee?'
Calleigh klaarde meteen op. 'Jeetje, H, jij weet hoe je een meisje een uitverkoren gevoel kan geven...'

Avery Barlow woonde in een onpersoonlijk flatgebouw met spiegelruiten aan Collins Avenue, in de hotel- en appartementenbuurt ten noorden van Twentyfirst Avenue die door de inwoners van Miami zelf Miami Modern genoemd werd, oftewel MiMo.

Horatio en Calleigh liepen door de voordeur het gebouw in, tegelijk met een blonde vrouw die worstelde met tassen vol boodschappen en een buggy. Horatio hield de deur voor haar open en ontving daarvoor een dankbare glimlach; Calleigh lachte naar de peuter in de buggy en ontving in ruil slechts een verbijsterde blik.

De lift bracht hen naar de veertiende verdieping. Barlows deur was helemaal aan het eind, op het punt waar de gang eindigde bij een glazen wand die uitzicht bood over Biscayne Bay. Horatio wierp een blik op het glinsterende, blauwgroene wateroppervlak, waaruit witte zeilen van boten als tanden omhoogstaken, en vroeg zich af hoeveel je voor zo'n uitzicht zou moeten neertellen.

Hij roffelde met zijn vuist op de deur, terwijl Calleigh rechts van hem uit het zicht bleef staan.

'Ja?' De stem klonk nors en achterdochtig; de deur bleef dicht.

Horatio hield zijn insigne voor het kijkgaatje. 'Politie, meneer Barlow. We willen u graag even een paar vragen stellen.'

De deur ging open. Er stond een kleine, goedgebouwde man met een blauwe handdoek om zijn hals; hij droeg slechts een trainingsbroek en sandalen. Op zijn schedel waren hier en daar wat vlekjes scheercrème te zien; blijkbaar was hij net klaar met het scheren van zijn hoofd.

'Waar gaat dit over?' snauwde hij.

'Een pistool dat u gekocht hebt bij Max' Militaire Curiosa,' zei Horatio. 'Om precies te zijn, een SPP-1 pistool van Russische makelij.'

Hij keek hen niet begrijpend aan. 'Wát voor pistool?'

'Een SPP-1, een wapen dat speciaal ontworpen is om mee onder water te schieten,' zei Calleigh.

De man fronste zijn voorhoofd. 'Zoiets heb ik helemaal niet in mijn bezit,' zei hij. 'Er moet een vergissing in het spel zijn.' Hij wilde de deur weer dichtdoen.

Horatio sloeg met een klap zijn hand tegen het hout en hield de deur tegen. ‘Dan bent u degene die zich vergist, meneer Barlow. Ik heb uw naam zwart op wit op een aankoopformulier staan en dat is genoeg om toestemming voor een huiszoeking te krijgen. Wilt u nu met me praten of pas nadat ik elke centimeter van uw flat doorzocht heb?’

De man staarde hem onaangedaan aan. ‘Nou moet je eens goed horen, ik heb al gezegd dat ik zo’n wapen niet in huis heb en er bestaat helemaal geen stuk papier waarop zoiets beweerd wordt. Veel succes dus met dat huiszoekingsbevel. Dat zul je nog nodig hebben.’

Hij sloeg de deur met een klap dicht.

‘Charmant,’ zei Calleigh.

Horatio knikte peinzend. ‘Om niet te zeggen verdacht…’

6

'In haar óndergoed?' zei Wolfe sceptisch.
'Ik zweer het je,' zei Delko met een grijns.
Ze waren terug in de CSI-garage om nog eens naar de Chrysler te kijken. Bonnie Pershall had zich tijdens het gesprek met Delko opeens herinnerd dat ze nog ergens wat oude foto's van de auto moest hebben en die had ze voor hem opgezocht. Wolfe en Delko stonden die foto's nu te vergelijken met het voertuig om te zien of de moordenaar dingen veranderd had.
'Mooie boel weer,' zei Wolfe. 'Jij krijgt een sexy, halfnaakte vrouw en ik mag mezelf voor schut zetten bij de manager van een zwembad.'
'Een toevalsgelukje,' zei Delko. 'Trouwens, we hebben alleen maar gepraat, hoor. Voornamelijk over motoren. Transmissie en zo.'
'Ja, ja, dat zal wel.'
'Nee, echt. Ze hield een heel betoog over hoe de grenzen tussen mens en machine steeds verder beginnen te vervagen. Ze zei dat als ze op haar motor rijdt, het ding als een verlengstuk van haarzelf voelt. Ze wilde weten hoe ik daarover dacht.'
'O ja? Wat heb je toen gezegd?'
Delko lachte. 'Ik zei dat ik dat gevoel wel kende van duikexpedities. Als je een rebreather gebruikt, kun je dagenlang onder water blijven...'
De meeste duikapparatuur was 'open circuit', wat betekende dat als de duiker uitademde, alles wat hij uitblies in het omringende water uitgestoten werd. Gemiddeld gebruikt een mens maar ongeveer een kwart van de ingeademde zuurstof; de rest wordt ongebruikt uitgeademd, samen met kooldioxide en stikstof. Met een rebreather wordt die uitgeademde zuurstof herwonnen en opnieuw gebruikt. Daarnaast wordt het giftige CO_2 eruit gefilterd en opgevangen in een filterbus met natronkalk. Door de gebruikte lucht weer aan te vullen met nieuwe zuurstof wordt de tijd die een duiker onder water kan blijven aanzienlijk verlengd.

'Na een tijdje,' zei Delko, 'krijg je het gevoel dat het water je natuurlijke leefomgeving is. Alsof de apparatuur die ervoor zorgt dat je kunt ademen bij je lichaam hoort, je long is.'
'Huh,' zei Wolfe. 'Probeer ik de laatste tijd bewust minder technisch georiënteerd te zijn, gaat de rest van de wereld juist die kant op.'
'Misschien kom je ons dan halverwege wel tegen... Maar goed, ik zie niet veel verschil tussen die foto's en de auto zelf. Als hij er iets aan veranderd heeft, zie ik dat niet.'
'Laat eens zien.' Wolfe nam de foto's van hem over en bestudeerde ze. ' Hm... Er is in ieder geval één belangrijk verschil.'
'Wat dan?'
'Hij ruikt nu een stuk onaangenamer.'

Horatio hoorde haar voor hij haar zag. Hij kende niet veel Russisch, maar een vloek herkende hij zo ook wel.
'...*Ya tebial dostal! Ti durak!* Waar is hij? Laat me binnen of ik rij met dit ding over je tenen!'
Horatio liep naar de balie, waar een woedende Nicole Zjenko iedereen binnen gehoorsafstand voor rotte vis stond uit te maken. Haar Levo-rolstoel stond in verticale stand en zo was Zjenko zelfs een paar centimeter langer dan de agent tegen wie ze stond te schreeuwen, een gekweld ogende man met een kartonnen bekertje koffie in zijn hand.
'Dr. Zjenko?' zei Horatio. 'Wat is het probleem?'
'Het probleem?' beet ze hem toe, terwijl ze met een zoemend geluid om haar as draaide. 'Dit! Dit is het probleem!' Ze had een krant in haar hand die ze hem met al haar kracht toesmeet.
Horatio liet hem tegen zijn borst afketsen en boog zich toen beheerst naar de grond om hem op te rapen. Hij bekeek de ene pagina en toen de andere voor hij het artikel zag dat haar zo kwaad had gemaakt. Hij fronste zijn wenkbrauwen.
'Waar denkt u in *chyertu* mee bezig te zijn...'
Hij stak zijn vinger in de lucht om haar tot stilte te manen terwijl hij snel het artikel doorlas. Tot zijn verbazing werkte het: ze bleef de volledige drie tot vier seconden stil tot hij weer opkeek.
'Dat kunt u helemaal niet zeggen! U...'

'Dr. Zjenko, dit is nieuw voor mij. Ik kan u verzekeren dat ik er ook niet blij mee ben, maar ik denk niet dat het zinnig is om hier tegen elkaar te gaan staan schreeuwen.'
'Ha! Dat artikel is evenmin zinnig. Het staat vol leugens en insinuaties!'
'Daar lijkt het inderdaad wel op,' zei Horatio geduldig.
Ze had haar longen al volgezogen voor een volgende uitbarsting, maar nu viel ze stil en keek hem achterdochtig aan. 'Wist u hier echt niks van?'
'Zullen we in plaats van hier over mijn onschuld te gaan staan bekvechten misschien naar mijn kamer lopen zodat ik die kan bewijzen?' zei Horatio.
Ze knikte onwillig. Horatio draaide zich om en liep door de gang naar zijn kamer; achter zich hoorde hij haar rolstoel zoemen.
Zodra ze allebei binnen waren las hij, leunend tegen zijn bureau, het artikel nog een keer over; maar nu grondig.
'Nou?' zei ze scherp. 'Waar is het bewijs?'
Zijn antwoord klonk bedachtzaam. 'Wat zou ik in vredesnaam voor reden kunnen hebben om te willen beweren dat er een zwemster vermoord is door een dolfijn?'
'Geen idee! Het is waanzin!'
'Inderdaad. Dat was ook de conclusie die mijn team en ik al meteen hebben getrokken. Daarna zijn we andere wegen ingeslagen.'
'Dat is niet wat er in de krant staat.'
'Wat er in de krant staat is onvolledig en uiterst speculatief. Zou ik, als ik zo'n verhaal naar de pers zou lekken, dan niet minstens een paar feiten geven om zo'n bizarre theorie mee te ondersteunen?'
'Het zou wel heel achterlijk zijn om dat niet te doen.'
'Precies. Uit dit verhaal krijg je de indruk dat we een stelletje halfbakken amateurs zijn die tegen windmolens vechten. Klinkt dat als iets wat ik graag in de krant zou zien?'
Ze keek hem woedend aan. 'Weet ik veel. Misschien heb je wel een reden om een debiele indruk te willen maken, maar dat zal mij verder een rotzorg zijn. Wat ik erg vind, is dat half Miami nu bang is opgepeuzeld te zullen worden door dolfijnen.'
'Dat lijkt me geen slechte zaak voor u. "Angst kweekt respect", is

dat niet wat uw vrienden van de Dierenbevrijdingsalliantie zeggen?' Horatio's stem klonk nog steeds kalm, maar zijn ogen fonkelden.
Ze wachtte even voor ze antwoord gaf en toen klonk ze eerder op haar hoede dan vijandig. 'Aha. Ik hoor het al. U hebt mijn achtergronden nagetrokken, zoals het een goed agentje betaamt.'
'Grondig werk betekent betere resultaten... tenzij die resultaten natuurlijk op onethische wijze verkregen zijn.'
Ze vertrok haar mond tot een strak lachje. 'Wilt u met mij over ethiek discussiëren? Sorry, daar heb ik geen tijd voor, maar bega vooral niet de vergissing te denken dat mijn ethiek dezelfde is als die van de Dierenbevrijdingsalliantie. Ik ben al tijden geleden een andere weg ingeslagen dan die idioten.'
'Maar pas nadat u een keer gearresteerd bent.'
'Dat was bij een demonstratie tegen sleepnetten. Weet u wel hoeveel schade die dingen aanrichten? Alsof je met een dorsmachine over de zeebodem gaat en alles weggooit waar je geen behoefte aan hebt.'
Horatio keek haar onaangedaan aan. 'Dus toen besloot u van uw kant ook maar te reageren met wat vernietigingen?'
'Het was niet mijn idee om die boten te laten zinken, dat was het werk van Anatoli. Daarna had ik het ook helemaal gehad met hem, en met de hele groep. Je kunt gekken niet met gekte bestrijden.'
'En dan doelt u op Anatoli Kazimir, de stichter en leider van de groep, neem ik aan? Hij heeft ook een fiks strafblad: vernietiging van privé-eigendommen, illegaal bezit van explosieven, verzet bij arrestatie. Toch is het hem op de een of andere manier gelukt om uit de gevangenis te blijven.'
Ze snoof. 'Tot nu toe, bedoelt u. Vroeg of laat zal hij wel iets ongelofelijk stoms en idealistisch doen en dan zal het geen enkele burgerrechtenorganisatie meer lukken om hem vrij te krijgen.'
'Maar u zou zoiets nooit doen?'
'Ik ben wetenschapper, geen revolutionair.'
'En ik ben politieman, een die wel beter weet dan wilde geruchten te verspreiden onder journalisten.'
Ze keek hem met tot spleetjes geknepen ogen aan en haalde toen haar schouders op. 'Nou, oké, dan weten we allebei waar we aan toe

zijn. Maar als dit verhaal niet van u afkomstig is, van wie dan wel?'
'Dat is een goede vraag,' erkende Horatio. Hij sloeg zijn armen over elkaar. 'Het artikel citeert een anonieme bron. Ik heb zo'n idee dat die tip wel eens van de moordenaar zelf afkomstig zou kunnen zijn.'
'Ik geloof dat ik het begrijp. Om de schuld af te schuiven?'
'Daar begint het op te lijken, ja.'
Ze sloeg tegen de joystick op de armleuning van de stoel en rolde tot recht voor Horatio, zodat de wielen nog net zijn schoenen niet raakten.
'Oké, oké, ik geloof u,' zei ze. 'U bent te slim om zoiets stoms te doen, lijkt me.'
'Dat klinkt bijna als een excuus.'
Haar lachje maakte eerder een droevige, dan een verontschuldigende indruk. 'Meer heb ik niet te bieden. Waar ik vandaan kom, heb je twee soorten politie: slim en corrupt, of eerlijk en dom. Ik ken vooral de eerste soort; de andere overleeft niet lang genoeg om vrienden te maken.'
'Soms lijkt het daar in Miami ook wel op, maar tot nu toe heb ik het weten te redden.'
Ze zuchtte. 'Dit is vreselijk. Dat stomme artikel is er nog steeds, maar nu heb ik niemand meer om uit te kafferen.'
'Ik zou een persbericht kunnen laten uitgaan met een ontkenning, maar dat zou alleen maar klinken alsof we iets proberen te verdoezelen.'
'Wat kunnen we dan doen?'
'Een nieuwsbericht is net een vuurtje: hoe meer zuurstof je het geeft, des te groter het wordt. Zonder brandstof dooft het vanzelf weer uit.'
'Gewoon negeren?' Ze nam het in overweging, draaide zich toen met een ruk om en reed naar de deur. Bij de drempel bleef ze staan en keek om. 'Dat zal dan wel, maar als de een of andere hufter een tuimelaar doodschiet, sla ik hem naar de andere wereld met een diepgevroren kabeljauw.'
'Voor iemand die nog moet wennen aan haar nieuwe vervoermiddel, bent u wel handig met dat ding,' merkte Horatio op.
'Ik leer snel,' zei ze en ze snorde ervandoor.

Horatio glimlachte. 'Ik ook, dr. Zjenko. Ik ook...'

'Slecht nieuws, Horatio,' zei Calleigh. 'Avery Barlow heeft een paar dagen na de aankoop van zijn zogenaamde Makarov aangifte gedaan van diefstal ervan.'
'Dus we kunnen hem niet eens vragen het wapen te laten zien dat hij volgens de documentatie zou moeten bezitten,' zei Horatio.
Calleigh en hij zaten in zijn kantoor, Horatio achter het bureau en Calleigh ervoor. Horatio keek bedachtzaam en nam een slok van zijn koffie.
'Plus dat we niet eens zeker weten,' zei Calleigh, 'dat zijn pistool het wapen is dat we zoeken. Ik bedoel, een SPP-1 is zeker geen alledaags wapen, maar er zijn er wel meer dan één in omloop.'
'Als we hem vanuit die invalshoek niet kunnen pakken, moeten we gewoon iets anders proberen. Als hij onze man is, komt hij ongetwijfeld op een of andere manier in het systeem voor: door zijn militaire verleden of door een eerdere aanvaring met de wet, en waarschijnlijk zal hij ook wel een duikvergunning hebben. We zoeken op alle mogelijkheden en als we wat vinden kijken we daarna wel hoe we het verder aanpakken.'
'Is goed,' zei Calleigh, terwijl ze opstond. 'Gewoon aan de boom schudden en kijken wat eruit valt.'
'Als jij vast aan de boom gaat schudden,' zei Horatio, 'dan ga ik een paar kettingzagen verzamelen...'
Wolfe liep net langs toen Calleigh naar buiten kwam. Hij knikte haar kort toe en zei tegen Horatio: 'H? Heb je even?'
'Zeker, Wolfe. Zeg het maar.'
'Ik heb met de manager van de Venetian Pool gesproken. Hij komt later vandaag langs om politiefoto's te bekijken, om te zien of hij een verdachte kan identificeren die onder water vrouwen begluurd heeft. Ik vroeg me alleen af...'
'Ja?'
'Nou ja, toen ik hem eerder vandaag sprak, heb ik, geloof ik... een wat onhandige opmerking gemaakt. Niks aanstootgevends of zo,' haastte hij zich eraan toe te voegen, 'maar niet zo professioneel, ben ik bang.'

'En?'
'Nou, ik dacht dat het dus misschien beter was als iemand anders hem te woord zou staan. Calleigh en Delko hebben het allebei erg druk, dus...'
'Je wilt weten of ik het zou kunnen doen?'
'Kan dat?'
Horatio glimlachte. 'Dat zou wel kunnen, maar dat doe ik niet. Met burgers omgaan hoort bij het vak, Wolfe. Zelfs bij de ergste blunders geef je niet op. Oké?'
'Oké, H,' zei Wolfe instemmend.
'Ik heb trouwens een tandartsafspraak vanmiddag.'
'O? Heb je last van een kies?'
'Van een heel gebit, Wolfe...'

De scènes in *Psycho* die Horatio altijd het meest verontrustend had gevonden, waren niet die in de douche. Het meest verontrustend vond hij de momenten waarop een glimlachende Norman Bates het de gasten van zijn motel naar de zin probeerde te maken, terwijl de dode, glazen ogen van de beesten die hij had opgezet op de achtergrond blind voor zich uit staarden...
De winkel heette Mt. Trophy Taxidermie en was gelegen in Liberty City, zonder twijfel het gevaarlijkste stukje Miami. Achter de roestige ijzeren spijlen voor het raam zat een vervaarlijk kijkende grizzlybeer gevangen, terwijl een adelaar met breed gespreide vleugels en uitgestoken klauwen leek neer te dalen vanuit een op een paneel geverfde blauwe hemel.
Horatio liep naar binnen, waarbij het gerinkel van een belletje dat aan de deur gemonteerd zat zijn entree aankondigde. De winkel was niet groot, maar iedere vierkante millimeter ervan was volgepropt met dode dieren in allerlei houdingen: een veelvraat liet haar tanden zien aan een rode lynx, eekhoorns zaten in waakzame houdingen op stukken drijfhout, berggeiten stonden zij aan zij met dikhoornschapen. Vele soorten waterdieren, van marlijnen met hun speervormige bovenkaak tot barracuda's, sierden de muren; valken en haviken hingen aan bijna onzichtbare draden aan het plafond. Er hing een warme, stoffige lucht en het enige geluid was dat van

een sirene die in de verte wegstierf, als een kreet van iets dat werd opgejaagd.
Horatio bekeek de levenloze menagerie op zijn gemak. Er was geen toonbank, alleen een kaarttafeltje met een ouderwetse kassa erop.
'Hallo?' riep hij.
Geen antwoord. Een raaf staarde hem vanaf een gelakte boomstronk met een onheilspellende blik aan en zag eruit alsof hij alleen nog maar wachtte op een kans om 'Nooit meer' te kunnen krassen.
Horatio liep naar de kassa en keek of hij ergens een teken van leven zag, mensenleven. In de achterwand zat een deur met een bordje waarop stond: ALS U GEHOLPEN WENST TE WORDEN, DEEL UW VERZOEK DAN LUID EN DUIDELIJK MEE IN DE GIER.
Inderdaad stond er een kalkoengier op een plank naast de kassa, die met geopende snavel een geluidloze kreet slaakte. Horatio liep erheen en zag achter in de bek een kleine lens glinsteren.
Hij haalde zijn insigne tevoorschijn en liet die aan de vogel zien. 'Inspecteur Horatio Caine,' zei hij. 'Ik zou graag iemand een paar vragen stellen over dolfijnentanden.'
De gier gaf geen antwoord. Horatio wachtte.
Er klonk een luide klik van een deur die van het slot gehaald werd. Die zwaaide langzaam open en onthulde zo een dikke, bebrilde vrouw van in de zestig die haar grijze haar opgestoken droeg in een grootmoederlijke knot. Over haar geruite blouse droeg ze een plastic slagersschort vol vlekken. Verder had ze een spijkerbroek aan en een snoerloze boor in haar hand.
'Ik heb altijd geweten dat het ooit zover zou zijn,' zuchtte ze. 'Neem me maar mee, agent. Ik heb het gedaan. Ik heb ze allemaal omgebracht.'
'Eh...'
'Sorry, ik bedoel "opgezet". Ik heb ze allemaal opgezet.' Ze lachte vrolijk. 'Dat heb ik nou altijd al eens willen zeggen. U hebt geen idee hoe lang je soms moet wachten voor je een simpel zinnetje kunt uitspreken.'
'Op een plaats als deze vast wel een tijd,' zei Horatio.
Ze wees met haar boor in zijn richting en zei: 'Geen. Idee. Maak je niet druk, hij is niet geladen. Ik ben Hattie Klezminster. Wat was dat met die dolfijnentanden?'

Ze lijkt meer op Kathy Bates dan Norman Bates, dacht Horatio.
'Mevrouw Klezminster...'
'Hattie, alsjeblieft!'
'We zijn met een onderzoek bezig waarbij een stel namaak dolfijnenkaken gebruikt is bij een moord. Verschillende mensen raadden me u aan toen ik een deskundige zocht om mee te gaan praten.'
'Ha! Ik geloof best dat ik een zekere reputatie heb in dit veld, maar ik moet er wel meteen bij zeggen dat het verhaal over John Wayne die ik zou hebben geprepareerd en opgezet, een broodje-aap is. Over wat ik wel met hem gedaan heb, laat ik me verder niet uit.' Ze keek hem stralend aan. 'Maar als we over mijn werk praten, kunnen we beter naar de werkplaats gaan. Kom maar mee naar achteren.'
Hij volgde haar door de deur. Erachter lag een werkruimte, die ruim drie tot vier keer groter was dan de winkel. Er was veel licht, dat afkomstig was van lampen aan de muur die de vorm van fakkels hadden. De muren waren zo geverfd dat ze leken te zijn gemaakt van de grote, grijze, ruw uitgehakte stenen die je in de kelders van kastelen aantreft. Aan die wanden hingen wel meer ornamenten die het goed zouden doen in een kerker: schedels in alle soorten en maten, van de lange dunne snuit van een krokodil tot de enorme kop van een bizon, compleet met hoorns. Aan een kledingrek hingen bontvachten in dikke, borstelige rijen.
De illusie werd bedorven, of in ieder geval verstoord, door een hoek met allerlei elektrische apparatuur, inclusief een lintzaag. Tegen drie van de wanden stonden tafels en op de meeste daarvan lagen kadavers in verschillende stadia van reconstructie. Hattie liep zonder dralen naar een kast naast de lintzaag en deed die open.
'Jack Daniels is mijn favoriete borrel als ik met de politie praat,' meldde ze. Ze legde de boor weg en haalde een fles en een glas tevoorschijn. 'Ook één?'
'Nee, bedankt.'
'Dacht ik al. Ik vroeg het eigenlijk meer uit beleefdheid.' Ze schonk zichzelf een borrel in, zette de fles terug en deed de kast weer dicht. 'Gelukkig dat je niet van de krant bent, anders had ik de absint tevoorschijn moeten halen. En de laatste loodgieter die zich hier liet

zien, is nog steeds aan het afkicken.' Ze nam een damesachtig slokje.
Horatio keek verbijsterd om zich heen. 'Wat een plek... Ik moet zeggen dat uw beveiliging wel iets te wensen overlaat in een buurt als deze.'
'Maak je om mij maar geen zorgen. Iedereen in de wijde omtrek is doodsbang voor me. "Dat mens van het dierenkerkhof" noemen ze me. En de laatste sukkel die een roodstaartbuizerd als souvenir mee wilde nemen, kreeg de verrassing van zijn leven.' Ze gniffelde. 'Er zit geen geld in de kassa, maar als je een van mijn stukken mee probeert te nemen, gaat de deur op slot, begint er een zwaailicht van tienduizend watt te draaien en klinkt er Godzilla-gebrul op het decibelniveau van een straaljager. Zien? Ik heb de laatste drie nog op video.'
'Nee, dat hoeft niet.' Horatio wreef over de achterkant van zijn hoofd. 'Maar over die dolfijnentanden...'
'Oké, oké. Welke soort? Witflank? Witgestreept? De slanke? Clymene?'
'De tuimelaar.'
'Aha. *Tursiops truncates*: donkere en gebogen rugvin; ronde meloen, dat is de bobbel op zijn kop; spits toelopende borstvinnen; donkere mantel. De bovenkaak bevat tussen de veertig en tweeënvijftig tanden, de onderkaak tussen de zesendertig en achtenveertig. De tanden zelf zijn scherp, kegelvormig en ongeveer een centimeter in doorsnee. Ze gebruiken ze goed, en niet alleen om vis te eten. Dolfijnen kunnen behoorlijk agressief worden als ze tijdens het paarseizoen met elkaar concurreren. Zo houden onderzoekers ze ook uit elkaar.'
'Aan hun gedrag?'
'Aan hun littekens. Heb je een dolfijnenhuid al eens van dichtbij bekeken? Ze hebben meer groeven, butsen en krassen dan een dertig jaar oude Volvo in een slechte buurt.'
Horatio knikte. 'En hoe moeilijk zou het zijn om zo'n soort gebit na te maken?'
Ze schonk zichzelf nog een glas in en grijnsde hem toe over de rand van het glas. 'Ik zal je eerst eens wat laten zien en jou een vraag stellen,' zei ze. Ze liep terug naar de showroom en gebaarde dat hij haar moest volgen.

'Kijk,' zei ze en ze wees naar een zeilvis die aan de muur hing. De trofee was een dikke twee meter lang; de naaldvormige snuit en de gigantische rugvin die zich over zijn rug uitstrekte gaven hem het aanzien van een reusachtige mug met een iriserend blauwe hanenkam. 'Hoeveel denk je dat er kunstmatig is aan dat beest?'
Horatio bestudeerde het dier zorgvuldig. 'Vijfentachtig procent?' zei hij.
Ze lachte. 'Je doet het beter dan de meeste. Zeg maar gerust honderd procent.'
'Dus het is geen echte vis?'
'Nee. Het is namaak, de tofu van de taxidermie. Met glasvezel versterkte kunsthars met een beschilderd oppervlak. Blijft eeuwig goed en er hoeft geen vis voor te sterven. Erg in trek bij de teruggooivissers.'
'Ik snap het. En bestaan er ook werkende modellen?'
'Je bedoelt echt bijtende exemplaren? Tja, alles kan. Ik zal je nog wat anders laten zien.'
Ze liepen terug naar de werkplaats. Hattie liep naar een grote, houten kast, viste in haar zak naar de sleutel en maakte hem open. Ze gooide de dubbele, kastbrede deuren met een zwaai open; een rij spots floepte automatisch aan.
'Nou?' vroeg ze met een ondeugende blik in haar ogen. 'Wat zeg je daarvan?'
'Volgens mij,' zei Horatio, 'vindt u de reacties van mensen minstens zo leuk als het maken van uw kunstwerken.'
De wezens die in de kast tentoongesteld stonden hadden in geen enkel land ter wereld ooit gekropen, gezwommen of geschuifeld. In plaats daarvan waren ze rechtstreeks uit iemands nachtmerrie de werkelijkheid in geslingerd: het gerimpelde lijf van een aap droeg een varkenskop; een menselijke foetus met hoorntjes, reptielogen en een gevorkte staart dreef in een pot met groenige vloeistof; een tweekoppige lapjeskat, waarvan de ene kop woedend blies en de andere vragend scheefstond, leek een gevleugelde schorpioen onder zijn poot gevangen te houden; een chihuahua, met octopusachtige tentakels in plaats van poten, gebruikte die om een verzameling botten vast te houden, waarvan er enkele verontrustend menselijk leken...

‘Kunstwerken, hè?’ zei Hattie. ‘Bedankt. Niet iedereen reageert zo vriendelijk.’
Ze lachte, maar in haar oog zat een glinstering die er eerder niet in te zien was geweest; ze leek nu niet meer op iemands excentrieke oma, maar op iets heel anders. Horatio kreeg opeens de neiging om zijn hand op zijn pistool te leggen.
Hij kwam dichterbij, boog zich voorover en onderwierp de voorwerpen aan een kritische studie. ‘Veel aandacht voor details,’ merkte hij op. ‘Ik neem aan dat dit een combinatie van echte dieren en namaak is?’
‘Klopt. Ik ben nog niet aan het rotzooien met animatronica, daar ben ik me nog op aan het oriënteren. Ik wilde alleen maar even laten zien hoe ver je komt met een beetje fantasie en technische kennis.’
‘Behoorlijk ver, zou ik zeggen,’ mompelde Horatio. ‘Zijn dit soort objecten gebruikelijk in uw vak?’
‘O, elke preparateur heeft wel ergens in een kast een gehoornde haas of een driekoppige eekhoorn staan, maar het vormt slechts een klein onderdeel van het vak. De meeste mensen die dit soort dingen leuk vinden specialiseren zich in het bouwen van Japanse modelbouwmonsters of ze gaan in de speciale effecten. Ik ben een beetje een uitzondering; ik werk graag met echte dierenonderdelen, maar ik zoek wel steeds naar manieren om het werk van moeder Natuur te verbeteren.’ Ze lachte en nam nog een slok. ‘Nou ja, misschien is verbeteren niet helemaal het juiste woord.’
‘Hm. Dus een werkende dolfijnenbek is niet eens zo onwaarschijnlijk…’
‘Helemaal niet. Als ik er de tijd en het geld voor krijg, kan ik waarschijnlijk ook wel een werkende dolfijn voor je maken. Natuurlijk zou de mijne wel vleermuisvleugels hebben en leeuwenmanen.’
‘Hoeveel preparateurs kent u hier in de buurt die de kennis en de interesse bezitten om een paar werkende tuimelaarkaken te fabriceren?’
Ze nam nog een slok, waarmee ze haar glas leegde. ‘Eens even zien… daar zou ik de lijst van erkende preparateurs op moeten naslaan, maar dan moet ik toch makkelijk met een stuk of zes

namen kunnen komen. De hoofdmoot van ons werk bestaat uit het opzetten van vissen, dus dan zit je goed in Florida.'
Horatio trok zijn kaartje tevoorschijn en overhandigde het aan haar. 'Ik zou het zeer op prijs stellen als u me die lijst zo snel mogelijk zou kunnen bezorgen.'
'Zal ik doen,' zei ze opgewekt en na een vluchtige blik op het kaartje stak ze het in haar zak. 'Er is toch weinig leven in de brouwerij op het moment.'

7

'Statistisch gezien,' zei Wolfe, 'worden de meeste verkrachtingen gepleegd door mannen van tussen de vijfentwintig en vijfenveertig jaar.'

Delko en hij zaten tussen de middag te eten bij Auntie Bellum's, een ouderwetse eettent niet ver van het lab. Wolfe zwaaide met zijn tosti om zijn uitspraak te benadrukken, terwijl Delko een voorzichtig slokje nam van zijn gloeiendhete *café con leche*. Drie vingerhoedsgrote *tacitas* met Cubaanse koffie en een laag wit, besuikerd schuim stonden als borrelglaasjes bier voor hem opgesteld.

'Ja, en de verhouding zwart-blank is onder verkrachters ongeveer fiftyfifty, net als die van bekenden en onbekenden van het slachtoffer,' zei Delko. 'Statistisch gezien komt het er dus op neer dat die getallen onbruikbaar zijn. Er is een lichte tendens dat verkrachters iets vaker iemand kiezen van hun eigen ras, maar niet genoeg om er echt iets aan te hebben.'

'Misschien niet op de meest voor de hand liggende manier,' zei Wolfe. 'Maar het helpt ons wel bij het vormen van een beeld.' Hij nam een hap van de tosti.

'Hou in gedachten wat Mark Twain zei,' adviseerde Delko. '"Er zijn drie soorten leugens: leugens, grote leugens en statistieken." De zogenaamde typische verkrachter is volgens de statistieken een twintigjarige man uit een lage sociaal-economische klasse die al eerder in aanraking met de politie is geweest in verband met een vermogensmisdrijf zoals diefstal of inbraak. Dat valt tenminste af te leiden uit gegevens van de politie. Andere bronnen beweren weer dat het aantal verkrachters dat hun slachtoffer kent dichterbij de tachtig procent ligt, omdat van die andere dertig procent nooit aangifte wordt gedaan.'

'Maar dat zijn onbetrouwbare gegevens,' pareerde Wolfe. 'Dat zijn maar schattingen.'

'Schattingen van mensen met ervaring,' zei Delko. 'Die tachtig pro-

cent is een berekening van mensen die werken op crisiscentra voor verkrachting.'
'Dat is nou niet direct een objectieve bron.'
'Verkrachting is nou ook niet direct een objectief onderwerp.'
'Nee, maar wij worden wel geacht objectief te zijn.' Wolfe schudde zijn hoofd. 'Ik weet het niet. Het lijkt mij dat vermoord worden erger is dan verkracht worden, maar de laatste keer dat ik die mening ventileerde werd ik bijna knock-out geslagen door een vrouw.'
Delko zette zijn kop koffie neer en sloeg een van de Cubaanse borrels achterover. 'Dat verbaast me niets. Krijg jij ooit wel eens een meisje zo gek dat ze met je uit wil?'
'Dat wás tijdens een romantisch etentje.'
Delko grijnsde. 'Dan zal het niet lang romantisch gebleven zijn. Luister, onze taak als technische recherche is het verzamelen van informatie en het verwerken van gegevens, maar dat betekent niet dat we machines zijn. Objectiviteit is één ding, vervreemd zijn van de rest van de mensheid is wat anders. Je moet niet vergeten waaróm we doen wat we doen.' Delko keek om zich heen en wees toen naar twee tienermeisjes aan een tafeltje verderop. 'Zie je die meisjes? We kennen hen niet en weten niets van hen. We zullen hun namen waarschijnlijk nooit te weten komen, nooit een woord met hen wisselen, maar als we ons werk naar behoren doen, maken we hun leven er wel veiliger op. Dat kun je niet meten of in cijfers uitdrukken maar soms, na een lange dag op het werk, maakt dat het in slaap vallen iets makkelijker.'
Wolfe staarde hem aan. Hij nam een hap van zijn tosti, kauwde er bedachtzaam op en slikte hem door. 'Dus jij beweert,' zei hij ten slotte, 'dat het goed is om voor het slapen gaan aan tienermeisjes te denken?'
'Weet je zeker dat dat meisje je toen niet echt knock-out geslagen heeft?' Delko sloeg nog een minikopje *café cubano* achterover.
Wolfe fronste zijn voorhoofd. 'Weet je, cafeïne is niet echt een stimulerend middel.'
'Dat ben ik helemaal met je eens. Het is meer een eerste levensbehoefte.'

'Nee, echt. Het enige wat cafeïne doet, is de receptorpunten blokkeren zodat er geen adenosine bij kan om de neurotransmitterproductie te reguleren. En zelfs dat doet het niet voor honderd procent, anders zou het een depressor zijn.'
'Toch zou ik nog steeds serieus overwegen iedereen die tussen mij en mijn eerste kop van de dag kwam, tegen de grond te slaan.'
'Tja, nou ja, ik zou je in ieder geval adviseren niet meer te drinken dan je daar hebt staan. Onderzoek heeft aangetoond dat na vier koppen sterke koffie de cafeïne het enzym fosforylase begint te remmen. Het maakt je dus juist minder alert in plaats van meer.'
'Misschien bij een ander. Ik drink dat spul al zo lang dat mijn tolerantie niet normaal is.'
'Je bent dus verslaafd.'
Delko zuchtte overdreven. 'Dat kan ik niet ontkennen. Ter verdediging, edelachtbare, voer ik een opvoeding met Coke, Pepsi en Mountain Dew aan.'
'Maak er maar een grapje van, maar het is toch een drug. Een doorgewinterde koffiejunk zoals jij heeft waarschijnlijk tien tot vijftien keer zoveel cafeïne nodig dan toen je ermee begon. Als je het zonder moet doen krijg je onthoudingsverschijnselen: hoofdpijn, vermoeidheid, depressiviteit, verhoogde spierspanning, apathie of zelfs overgeven.'
'Tien tot vijftien keer zoveel?' Delko haalde zijn schouders op. 'Daar kan ik mee leven. Een langdurig heroïneverslaafde heeft soms meer dan tienduizend keer zoveel als zijn begindosis nodig. Tegen de tijd dat ik zoveel koffie begin te drinken, heb je mijn toestemming om maatregelen te nemen.'
'Nou, dan zul je in ieder geval niet moeilijk te vinden zijn. Ik hoef dan alleen maar uit te kijken naar een man met een blaas ter grootte van een Volkswagen.'
'Ja, en het concentratievermogen van een kolibrie. Het zou niet gek zijn als onze dader zo opvallend zou zijn. Zei je dat er vandaag iemand langskomt om politiefoto's te bekijken?'
'Over een uurtje. Hij heeft in een openbaar zwembad een gluurder betrapt, die wel eens in het profiel van onze man zou kunnen passen.'

'Iets zegt me dat als we die man te pakken krijgen, hij uniek zal blijken te zijn.'
'Misschien. Bij meer dan twintig procent van de verkrachtingen is meer dan één dader betrokken. Werken scubaduikers niet altijd met een buddysysteem?'
Delko hield zijn laatste kopje koffie op weg naar zijn lippen stil. 'Weet je dat ik daar helemaal nog niet bij stilgestaan had? Ik bedoel, het is al zo'n uniek delict, het is nooit bij me opgekomen dat er meer dan één vent bij betrokken zou kunnen zijn. Heb je het daar al met H over gehad?'
'Nog niet. Om eerlijk te zijn kwam het ook nu net pas bij me op. Denk je dat het waar kan zijn?'
'Ik weet het niet, maar misschien moeten we het bewijsmateriaal nog eens bekijken om te zien of het die theorie ondersteunt.'
'Je beseft toch wel wat dat zou betekenen?'
'Wat dan?'
'Dat statistieken zo slecht nog niet zijn...'

Horatio bracht het grootste deel van de dag door met praten met de taxidermisten van de lijst die Hattie Klezminster hem had gefaxt. De meesten van hen werkten met vissen, enkelen waren werkzaam in de speciale effecten, maar geen van hen had een werkende dolfijnenkaak nagemaakt.
De boeiendste man die hij sprak was een Mexicaan, Felipe Segredo. Felipe was al gedeeltelijk met pensioen, maar hij deed af en toe nog interessante klussen. Hij was beroemd in Guadalajara, zei hij, waar hij in de jaren tachtig zijn reputatie gevestigd had met bestellingen van drugsbaronnen.
'Het is niet wat u denkt,' verzekerde hij Horatio. 'Ik bedoel, het was niet zo dat ik waterbuffels uitholde zodat ze volgestopt konden worden met zakken cocaïne. Nee, het draaide allemaal om prestige. Iemand zag bijvoorbeeld een van mijn stukken, een leeuw die ik voor een warenhuisetalage gemaakt had, en wilde die ter plekke van me kopen. Een paar dagen later kreeg ik dan een telefoontje van iemand die beweerde een vriend van de eerste man te zijn, en die wilde dan een nog groter model: een Bengaalse tijger. Voor ik het

wist stond ik levensgrote Indiase olifanten te maken met een ingebouwd barmeubel.'
Horatio had hem gevraagd hoe hij wist wat zijn klanten voor de kost deden, en Felipe was in lachen uitgebarsten. 'Ach, als je aanbelt om zo'n beest aan de muur te komen hangen van een huis ter grootte van een overdekt winkelcentrum en je wordt gefouilleerd door vijf kerels met machinegeweren voor je naar binnen mag, dan krijg je al snel een vermoeden. En natuurlijk betaalden ze altijd contant.'
Maar die dagen lagen ver achter hem, zei Felipe. Tegenwoordig maakte hij meer dieren van kunststof dan dat hij echte beesten prepareerde, en zijn klanten waren eerder sportvissers dan drugskoeriers. 'De meesten van die lui zijn waarschijnlijk allang dood, of ze zitten in de gevangenis,' zei hij opgewekt. 'Maar ik loop nog steeds rond. De man met de zeis laat mij ongemoeid en weet je waarom? Uit collegialiteit.'
Felipe was weer in lachen uitgebarsten.
Horatio had alleen geglimlacht.

Calleigh Duquesne wist niet wat ze moest doen.
Ze kende het merk en model van elk pistool dat ooit door haar handen was gegaan. Ze kon elke grote fabrikant van vuurwapens ter wereld opnoemen en de meeste van de kleinere ook. Ze kon een kogel alles laten doen behalve opzitten en pootjes geven. Maar tegenover kopieerapparaten stond ze machteloos.
Ze wierp woedende blikken op het onverstoorbare apparaat voor haar. Het was niet zo dat ze moeite had de werking van het ding te begrijpen, althans de veronderstelde werking, want die was overduidelijk. En al zou dat niet zo zijn, dan nog kon Calleigh prima overweg met allerlei soorten technologie: ze kon net zo gemakkelijk een fax sturen of een bestand downloaden, als een AR-15 geweer in en uit elkaar halen zonder daar diep over na te hoeven denken.
Maar kopieerapparaten háátten haar.
Ze wist dat het geen rationele gedachte was. Ze wist dat het nergens op sloeg. Toch was ze er getuige van geweest dat een kopieerapparaat kalm en zonder enig probleem een document van driehonderd pagina's vijfhonderd keer afdrukte en op volgorde uitspuugde,

waarna het de geest had gegeven toen zij een enkel blaadje had willen kopiëren. Ze had haar pogingen om het fenomeen te begrijpen al lang geleden opgegeven en probeerde het klusje nu maar gewoon zo veel mogelijk te vermijden.

'Eén, gewoon één kopie,' riep ze woedend tegen het weigerachtige ding. 'Meer heb ik niet nodig. Daarna laat ik je met rust. Als je mij probeert te dwarsbomen, laat ik je kennismaken met de loop van een SIG-Sauer P-220.'

'Ahum,' zei Horatio.

Als gebeten draaide ze zich om. 'O hallo, Horatio,' zei ze. 'Stond je daar al lang?'

'Ik heb het begin van het conflict niet meegekregen, maar ik was wel op tijd voor de dreigementen.'

Ze kleurde. 'Ik weet dat het idioot is,' zei ze. 'Maar als ik die dreigingen achterwege laat, neemt dat stomme ding me niet serieus.'

'Dat zou een ernstige vergissing van zijn kant zijn,' zei Horatio.

'Dank je. Maar goed, ik denk dat ik iets heb wat Avery Barlow aangaat.' Ze gaf hem het velletje dat ze vast had. 'Het lijkt erop dat de heer Barlow niet alleen een verzameling bijzondere wapens heeft, hij verkoopt ze ook. Hij heeft zijn eigen internetbedrijfje, waarin hij allerlei soorten zaken verhandelt: messen, zwaarden, blaaspijpjes, je kunt het zo gek niet verzinnen. En het is allemaal legaal, hier in Florida in elk geval.'

'Maar?'

'Maar sommige van de dingen die hij verkoopt zijn in andere staten wel verboden. New York, bijvoorbeeld, verbiedt de verkoop van vechtsportwapens zoals werpsterren en nunchuks, die hij allebei aanbiedt op zijn site. Ik neem aan dat New York een te grote markt vormt en te dichtbij is om te laten liggen, dus hij zal daar best wel eens spullen heen sturen.'

'Wat ons helaas alleen maar verder zou helpen als we in New York waren.'

Calleigh glimlachte. 'Klopt. Wat ons wél verder helpt is dat ik daar iemand ken, Danny Fortrenzo: een politieman uit Queens die ik twee jaar geleden op een conferentie ontmoet heb. Hij was toen nogal in de weer met Ninjitsu, je weet wel, die vechtsport die Nin-

ja's schijnen te beoefenen... Enfin, hij verzamelde onder andere het soort spullen dat Barlow verkoopt, dus heb ik hem maar even gebeld. Hij heeft wat voor me rondgekeken en heeft inderdaad mensen gevonden die beweerden verboden wapens van Barlows site gekocht te hebben, inclusief ballistische messen.'
Horatio glimlachte terug. 'Die in Florida al net zo verboden zijn als in New York. Hebben we nog meer dan deze beweringen om het te ondersteunen?'
'Dat was wat ik probeerde te kopiëren. Authenticiteit is erg belangrijk voor verzamelaars, dus Barlow zorgt waar mogelijk voor documentatie. Wat je daar in je handen hebt, is een formulier dat Danny me gefaxt heeft waarop staat dat dit specifieke ballistische mes ooit het eigendom van de zoon van Bruce Lee is geweest.'
'Dat heeft dat vriendje van je wel heel snel te pakken gekregen,' merkte Horatio op.
'Ja, ik heb hem niet gevraagd wie degene is die dat mes gekocht heeft... maar het formulier bewijst in ieder geval dat Barlow een illegaal wapen in zijn bezit heeft gehad. Wie het nu heeft, is een zaak voor New York.'
'En dus valt alleen de verkoper van het voorwerp onder ons werkterrein,' zei Horatio. 'Goed werk. Dat moet genoeg zijn voor een huiszoekingsbevel om zijn huidige voorraad te kunnen bekijken. En ik durf te wedden dat de heer Barlow meer dan één verboden artikel in zijn bezit heeft.'

Horatio zat nog te wachten op dat bevel, toen Wolfe zijn kamer binnen kwam lopen. 'Ik denk dat ik iets heb, H,' zei hij. 'De manager van de Venetian Pool heeft zojuist de vent geïdentificeerd die onder water vrouwen heeft zitten begluren: Ezekial Redfield. Hij is al een keer opgepakt wegens aanranding en een keer voor inbraak.'
Horatio stond direct op. 'Hebben we een adres?' zei hij, terwijl hij de gang op liep met Wolfe op zijn hielen.
'Ja. In Miami-Noord. Op een steenworp afstand van Biscayne Bay.'
'We gaan meteen naar hem toe.'

Delko onderzocht de auto centimeter voor centimeter. Terwijl hij dat deed, probeerde hij zich de volgorde van de gebeurtenissen voor te stellen die zich afgespeeld zouden hebben als er twee daders waren geweest in plaats van een.
Oké. Zouden ze haar allebei tegelijk aangevallen hebben of had een van hen een speciale taak?
Het verroeste en gebutste casco van de auto leek op de lege schelp van een of ander dood weekdier of een krab en de stank die ervanaf sloeg versterkte die indruk. Hij knielde op de chauffeursstoel en liet zijn handen over de onderkant van het dashboard glijden.
De aanval was van tevoren gepland, door één persoon of door een paar mensen met duikervaring. Ze zouden de verantwoordelijkheden verdeeld hebben en verschillende scenario's op voorhand uitgedacht. Er waren veel variabelen waar je bij het duiken rekening mee moest houden en Delko wist hoe een ervaren duiker dacht: zorg dat je alle mogelijkheden incalculeert om er zo zeker mogelijk van te zijn dat je er morgen ook nog bent.

Het huis in het midden van de straat was als een rotte tand in een vriendelijke lach. De huizen aan weerskanten ervan waren niet groot of duur, maar ze waren keurig onderhouden: de rode pannen waren allemaal heel, de groene gazons waren gemaaid en gesproeid. Ezekial Redfields woning daarentegen was verzakt en smerig en snakte naar een nieuwe laag verf. Om de met onkruid overwoekerde voortuin heen stond een houten hek waarin verschillende latjes ontbraken. Voor het raam aan de straatkant hingen groezelige gordijnen met vlekken en het mos dat op het dak groeide was dikker dan de pannen.
'Blijf scherp,' droeg Horatio Wolfe op toen ze in het portiek stonden. Hij klopte op de afgebladderde voordeur, wachtte even en klopte toen nog eens. Geen antwoord.
Toen hoorden ze het allebei.
'Is dat... gespetter?' vroeg Wolfe.

Delko stelde zich de situatie nauwkeurig voor. Eentje bleef er op de bodem met de extra zuurstoffles, de ander ging op jacht. Ze kozen een

plaats waar genoeg mensen langskwamen om zeker te weten dat zich vroeg of laat wel een slachtoffer zal aandienen.
Onder het dashboard zat niets. Delko zakte op zijn knieën en scheen met zijn zaklamp onder de stoelen.
Nee, dat is niet handig, bedacht hij. Het lijkt meer voor de hand te liggen dat ze samen op jacht zijn gegaan. Dat maakt het makkelijker het slachtoffer te grijpen en naar beneden te trekken. En daarnaast moeten ze natuurlijk ook nog de zuurstofregulator zien aan te sluiten terwijl het slachtoffer in paniek en half verdrinkend om zich heen trapte.
Onder de stoelen lag ook niks, net als de vorige keer toen hij daar keek. Hij stapte uit, dacht even na en klom toen achterin.
Goed, op de een of andere manier is het hun gelukt het mondstuk van de regulator aan te brengen en haar kalm genoeg te krijgen om de situatie te kunnen overzien. Hoe zouden ze daarna met haar gecommuniceerd hebben?
Scubaduikers maakten vaak gebruik van een lei en ander schrijfmateriaal voor onder water; dat moesten de verkrachters ook gedaan hebben.

Horatio bonsde op de deur. 'Politie!' schreeuwde hij. 'Openmaken die deur, nú!'
Wolfe trok zijn pistool een seconde later dan Horatio. Horatio probeerde de deur en ontdekte dat die niet op slot zat. Hij duwde hem voorzichtig met één hand open.
Nu de deur openstond, klonk het gespetter nog veel harder en heftiger. Horatio liep snel maar op zijn hoede naar binnen, zijn Glock stevig in de hand, met zijn vinger aan de trekker. Ze kwamen in een soort halletje waar een tafeltje vol oude kranten en reclamefolders stond. Het gespetter kwam uit een kamer links van hen, aan het eind van een korte gang.
Horatio gebaarde dat Wolfe moest blijven staan waar hij stond en liep op zijn tenen de gang door. Nu hij binnen was, hoorde hij een ander geluid naast het eerste: een laag, pulserend gezoem.

De rest van het scenario was gruwelijk simpel, bedacht Delko. Ze zouden om de beurt hun gang gegaan zijn. Degene die niet met het slachtoffer in de weer was zou ofwel de wacht gehouden hebben, of naar een bootje teruggekeerd zijn. Ze zouden tot het eind gewacht hebben met snijden om geen nodeloze aandacht van haaien te trekken…

Wacht, ze zou de hele tijd al gebloed hebben door de verwondingen met die nepkaak van dolfijntanden. Waarom iets gebruiken waarmee je haaien aantrekt als je twee paar handen ter beschikking hebt om haar mee onder water te houden?

Hij fronste zijn wenkbrauwen. Er bleef toch iets onverklaarbaars aan de zaak…

De stank achter in de auto was om de een of andere reden nog erger dan voorin. Delko vroeg zich af waar ze de zuurstofflessen bewaard zouden hebben, voorin of achterin; niet te ver weg in ieder geval, voor het geval ze iets hadden moeten bijstellen. Waarschijnlijk voorin, zodat ze de ruimere achterhelft van de auto verder vrij hielden.

Vrij om hun onbeschrijfelijke wreedheden te begaan.

De woede in zijn onderbuik verraste Delko. Hij had wel eerder aan gruwelijke misdrijven gewerkt, maar deze keer was het anders. Hij wist wel waarom. Duiken was voor hem altijd een bezigheid geweest die hij associeerde met een zekere sereniteit, een bepaalde vredigheid. Zelfs toen hij een keten van lijken had opgehaald die aan een anker vastgebonden had gezeten, had hij een zekere afstand tot de gruwelijkheden kunnen bewaren. Dat was deels het gevolg van professionaliteit, deels ook van het gevoel van beheersing dat hij aan het duiken ontleende: als je eenmaal onder water was, moest je je omgeving de baas zijn om niet door die omgeving te worden gedood.

Nu was dat gevoel van beheersing besmet, aangetast. De moordenaar of moordenaars hadden het misbruikt als gereedschap om pijn en dood te zaaien. Hij voelde zich als een beeldhouwer die het lijk vond van iemand die met een beitel vermoord was.

Het beste woord voor wat Horatio te zien kreeg toen hij de hoek om glipte met zijn pistool in zijn uitgestrekte hand was 'bizar'.

Het enige wat in de kamer stond was een gigantisch aquarium met

een inhoud van minstens duizend liter water. Het was heuphoog en stond op een kale houten vloer met een laddertje tegen de rand zoals dat vaak gebruikt wordt voor stapelbedden. Het werd verlicht door een aantal groene spots aan de overkant van de kamer die door het aquarium heen schenen en zo het silhouet aftekenden van wat zich erin bevond.
Het zoemen kwam van een luchtcompressor naast het aquarium. Twee dikke, zwarte slangen liepen vanuit de compressor naar het water en leverden zo zuurstof aan de twee inzittenden van het aquarium: een naakte man en vrouw. Het gespetter was afkomstig van de benen van de vrouw, die uit het water staken en heftig bewogen. Horatio liep verder, haalde zijn insigne tevoorschijn en klopte op de ruit, waarop direct gereageerd werd: ze stopten met waar ze mee bezig waren en keken hem met geschrokken blik van achter hun duikmasker aan. Ze ontwarden zich en kwamen boven water, waarna de man als eerste zijn masker afrukte.
'Wat moet je in mijn huis?' riep hij kwaad. De vrouw hield haar masker op, wat Horatio het gevoel gaf bekeken te worden door een of ander buitenaards oceaanwezen.
'Een partijtje synchroonzwemmen onderbreken zo te zien,' zei Horatio. 'U bent vast Ezekial Redfield...'

8

Ezekial Redfield zag er precies zo uit als hij beschreven was: klein, stevig gebouwd en met een dun laagje roodblonde stoppels op zijn hoofd. Voor hij was meegegaan naar het bureau, had hij een witte boxershort aangetrokken en een sporthemd met het logo van de Miami Dolphins, plus witte sportschoenen. Horatio was er nog niet achter of dat hemd een poging van Redfield was om bijdehand te doen. Met zijn lichtblauwe ogen staarde hij Horatio brutaal aan vanaf zijn stoel aan de andere kant van de tafel, waar hij als een tegendraadse scholier in hing.
Horatio staarde terug en keek vervolgens naar de dossiermap die voor hem lag. 'Ik zie dat u van watersport houdt, meneer Redfield?'
Redfield trok een grijns. De scheve tanden met nicotinevlekken die hij zo ontblootte, vormden geen fraai plaatje. 'Watersport? Nou nee. Dat klinkt meer als plas-seks en dat soort zaken, daar doe ik niet aan. Ik ben aquafiel.'
'Aha. En uw "aquafilie" omvat ook seksueel geweld, begrijp ik?'
'Kijk je wel een beetje uit met wat je zegt? Dat had niks met geweld te maken, ze vond het lekker, man. Die heeft de genen van een zeemeermin, dat is zeker.'
'Ik doelde op uw activiteiten in het recente verleden,' zei Horatio.
'Hé, dat was een misverstand, ja? Niet meer en niet minder.'
'De jongedame die aangifte tegen u deed dacht daar heel anders over.'
'Die aangifte heeft ze later weer ingetrokken. Niks aan de hand.'
'Dat ben ik niet met u eens, ben ik bang. En die veroordeling wegens inbraak in een... aquariumspeciaalzaak, als ik me niet vergis, zegt me dat deze gril van u wel meer is dan een onschuldige hobby. Ik zie het eerder als een obsessie.'
Redfield bestudeerde hem met tot spleetjes geknepen ogen. 'Iemand als jij begrijpt dat toch niet.'
'Probeer het dan maar uit te leggen.'

'Als je het per se weten wilt, oké dan. Het is geen geheim of zo, ik ben vroeger niet door een vis lastiggevallen of zoiets. Ik hou gewoon van water. Ik drijf graag, ik hou van het gedempte geluid onder water. Ik hou van het gevoel van iets warms en nats dat elke centimeter van mijn huid aanraakt. Dat windt me op. Is dat zo erg?'
'Nee,' zei Horatio. 'Dat is het niet. Maar het aanranden van een badjuffrouw en proberen haar te verdrinken is dat wel.'
'Je snapt er echt niks van. Ik probeerde haar niet te verdrinken. Ik was zelf degene die dreigde te verdrinken.'
'Volgens het proces-verbaal deed u alsof u tijdens het zwemmen in moeilijkheden raakte en probeerde u haar onder water te trekken, toen ze u te hulp kwam.'
'Het is heel normaal dat slachtoffers van verdrinking in paniek raken en hun redder onder water duwen.'
Het viel Horatio op dat Redfield niet ontkende dat hij het gedaan had. 'Is het ook normaal dat ze doen alsof ze bewusteloos zijn en vervolgens hun redder betasten op het moment dat ze mond-op-mondbeademing toepast?'
'Ik was echt bewusteloos. Ik wist niet wat ik deed.'
'Weet je, Ezekial, dat klinkt bijna aannemelijk... behalve dan dat het de derde keer was dat je dat flikte.'
Redfield haalde grijnzend zijn schouders op. 'Ik ben geloof ik niet zo'n geweldige zwemmer.'
'Toch heb je je duikbrevet.'
'Iedereen kan met vinnen en een luchtfles zwemmen.'
'Is dat zo? Heb je onlangs nog in Biscayne Bay gedoken? In de buurt van Oleta River State Park of Key Biscayne bijvoorbeeld?'
'Zou kunnen. Ik duik zo vaak en op zoveel plaatsen.'
Horatio knikte. 'Maar mensen vermoorden doe je maar op een paar daarvan.'
Redfields mond viel open, maar er kwam geen geluid uit.
Horatio legde zijn onderarmen op tafel en boog zich naar voren. 'Ik zal je vertellen hoe we te werk gaan. Mijn team is op dit moment je woning aan het uitkammen. Ze hebben een gerechtelijk bevel om je computer, je duikuitrusting en alles met een scherpe rand in beslag te nemen. Dat gaan ze allemaal binnenstebuiten keren en ik denk

dat ze vervolgens zullen kunnen bewijzen dat je Gabrielle Cavanaugh, David Stonecutter en Janice Stonecutter vermoord hebt.'
Redfield vond eindelijk zijn stem terug. 'Wat? Dat is... Dat slaat nergens op! Ik ben geen moordenaar! Ik ben eerder het tegenovergestelde!'
Zijn reactie was vreemd genoeg om twijfel te zaaien bij Horatio. 'En wat moet ik daaronder verstaan?'
Nu zag Redfield er meer dan alleen bang uit. Hij keek gegeneerd. 'Als je aquafiel bent, betekent dat niet alleen dat je opgewonden raakt van H_2O. Er zijn er ook heel wat onder ons die fantaseren over verdrinken. Maar het is en blijft iets pássiefs. Dat is ook wat ik met die badjuffrouwen probeerde. Ik wilde ze echt niets aandoen. Ik wilde alleen...' Hij keek heel ongelukkig. Zijn volgende woorden klonken schor en gefluisterd: 'Ik wilde alleen maar door een mooie vrouw onder water gehouden worden.'
Horatio keek hem onderzoekend aan. 'Als je onschuldig bent,' zei hij, 'heb je er vast geen bezwaar tegen wat DNA-materiaal af te staan?'
'Nee. Nee. Natuurlijk niet.'
Horatio had zijn spullen bij zich. Hij maakte zijn koffertje open, haalde er een paar handschoenen uit en trok die aan ter voorbereiding van de afname.
'Eh, kan dat wel heel voorzichtig,' zei Redfield nerveus.
'Maak je geen zorgen, ik heb dit al vaker gedaan,' zei Horatio. Hij stond op en liep om de tafel heen.
Redfield stak zijn hand omhoog. 'Nee, ik heb het over die handschoenen. Hou die alsjeblieft bij me uit de buurt, tenzij je het leuk vindt om me een anafylactische shock te bezorgen. Ik ben extreem allergisch voor latex.'
Horatio bleef staan.
'Is dat zo?' zei hij welwillend.

'Dat is pech hebben,' zei Calleigh. 'Was hij echt allergisch voor latex?'
'Volgens zijn medisch dossier wel,' zei Horatio. Calleigh en hij zaten in de Hummer en waren met een huiszoekingsbevel op weg naar Avery Barlow.

'Tja, latex is een van die dingen waar mensen heel sterk op kunnen reageren, zoals op pinda's en schelpdieren,' zei Calleigh. 'Latex zelf is een heel merkwaardige substantie. Niemand weet eigenlijk waarom sommige planten het produceren. Sommige wetenschappers denken dat het een verdedigingsmiddel is tegen predatie of beschadiging; anderen beweren dat rubber en andere koolwaterstofverbindingen koolstoffilters zijn die voor evenwicht zorgen tussen atmosferische CO_2 en planetaire biomassa. Er is zelfs een theorie dat de isoprene emissie van latexproducerende bomen een natuurlijk tegengif zou vormen tegen ozon.'
'In dat geval lijkt Moeder Natuur niet zo dol te zijn op Ezekial Redfield. Ongeveer één procent van de natuurlijke, vloeibare latex bestaat uit eiwitten en die eiwitten kunnen drie soorten immuunreacties veroorzaken: irritatie, vertraagde overgevoeligheid en directe overgevoeligheid. Raad maar van welk type hij last heeft.'
'Dan kies ik voor deur nummer drie.'
'Bingo. De latexallergenen binden zich aan receptoren op het oppervlak van de mestcel, waardoor een grote hoeveelheid histamine vrijkomt wat kan leiden tot: uitslag, jeukende ogen, gezwollen lippen en tong, ademnood, duizeligheid, buikpijn, misselijkheid, lage bloeddruk, shock... en de dood.' Horatio schudde zijn hoofd. 'Hij was zo gevoelig dat hij al raar begon te ademen zodra ik mijn koffer opendeed.'
'Waarschijnlijk van het maïszetmeel op je handschoenen,' zei Calleigh. 'De meeste medische producten maken gebruik van latex in een ammoniaoplossing. Het vulkaniseringsproces houdt in dat het mengsel dertig minuten lang op een temperatuur van 130° C verwarmd wordt waardoor eiwitten in de latex, inclusief de nieuwe die zich vormen tijdens het vulkaniseren, in het poeder aan de binnenkant van de handschoenen terechtkomen.'
'Het kwam er in ieder geval op neer dat hij het spul niet in de buurt van zijn huid kon verdragen,' zei Horatio. 'Toch kunnen we hem op grond van zijn allergie nog niet schrappen als verdachte. Wolfe heeft de theorie dat er misschien meer dan een dader geweest is. In dat geval kan het latexmonster dat we gevonden hebben afkomstig zijn van de andere dader. Wolfe is Redfields alibi aan het checken.'

Ze stopten voor de flat waar Barlow woonde en stapten uit. Frank Tripp stond er al, met het bevel in zijn hand.
'Horatio. Calleigh,' zei hij met een knikje. 'Zullen we maar?'
Dit keer deed Horatio geen moeite beleefd te blijven, toen Avery Barlow de deur opendeed. Hij hield alleen het huiszoekingsbevel omhoog en zei: 'Komt u maar even naar buiten, meneer Barlow. We gaan uw koopwaar inventariseren.'
Barlow pakte het bevel aan en liep de hal in. 'Jullie doen je best maar,' zei hij.
Calleigh en Horatio liepen naar binnen. Ze kwamen in een ruime kamer die Aziatisch was ingericht: roodzijden lantaarns; witte rijstpapieren kamerschermen; lage, met satijn beklede sofa's waarop draken stonden afgebeeld. Horatio bekeek een stel Japanse zwaarden aan de muur en vroeg zich af of die bij Max gekocht waren.
'Een *tachi* en een *nodachi*,' zei Calleigh. 'De *tachi* is iets langer en iets meer gebogen dan een traditionele *wakizashi*, en is bestemd voor cavaleriedoeleinden; de *nodachi* heeft een verlengd handvat omdat hij op de rug van de zwaardvechter gedragen wordt. Afhankelijk van de smid kon het gebruikte staal wel uit vijfenzestigduizend laagjes bestaan.'
'Veel meer in ieder geval dan de integriteit van de eigenaar,' zei Horatio. 'Laten we maar eens kijken wat hij in de andere kamers heeft staan.'
Dat Barlow zijn bedrijf vanuit zijn eigen woning runde, was meteen duidelijk toen ze in de logeerkamer keken. Die lag van boven tot onder vol wapentuig: machetes, kruisbogen, strijdbijlen. Je kon het zo gek niet bedenken, van middeleeuwse zwaarden en schermdegens tot messen en knuppels en kogelvrije vesten.
'Ik zie geen vuurwapens,' zei Calleigh. 'Wat ik wel zie is een verdachte afdruk in de vloerbedekking naast de deur.'
'Alsof daar onlangs iets zwaars is weggehaald... Het lijkt erop dat de heer Barlow door ons vorige bezoek ietwat nerveus is geworden. Hij heeft uit voorzorg dat deel van zijn voorraad dat wij wellicht dubieus zouden vinden vast weggehaald, maar dat betekent niet dat er hier niets meer te vinden is. Aan de slag dus maar.'

Wat Delko zocht, was een boodschap.
De vraag is, dacht hij, of Janice Stonecutter lang genoeg met rust was gelaten om een boodschap achter te kunnen laten.
Delko was nog steeds in de garage en bestudeerde de auto. Als er twee aanvallers waren geweest, was het niet erg waarschijnlijk dat ze haar alleen hadden gelaten: ze zouden om beurten hun sadistische lusten op haar botgevierd hebben en elke seconde van haar gevangenschap benut hebben.
Maar als er slechts één dader was geweest, was de kans groot dat hij haar een keer alleen gelaten had in die twaalf tot vijftien uur, om naar de oppervlakte terug te keren. Hij zou haar dan natuurlijk wel vastgebonden hebben om te voorkomen dat ze zichzelf van het leven zou beroven of zou proberen te ontsnappen. Maar hoe?
Hij herinnerde zich het witte touw dat hij gevonden had en dat was vastgebonden aan de namaak onderzeeër. Misschien had ze met een langer stuk van datzelfde touw vastgezeten, zodat ze zich niet had kunnen bewegen. Maar haar belager had haar met het oog op zijn bedoelingen – bedoelingen waar Delko liever niet te veel bij stilstond, maar waar hij wel rekening mee moest houden – op een bepaalde manier vast moeten binden. Haar handen zouden zeker vastgebonden zijn geweest. En zelfs als ze dat niet waren geweest waar had ze dan mee moeten schrijven, of waarop? Om een boodschap in metaal te krassen had ze gereedschap moeten hebben, wat ze niet had. Hij inspecteerde de bekleding nauwgezet, maar die was van leer en te hard om makkelijk te beschrijven.
Dan was het enige wat overbleef...
Delko haalde zijn mobiel tevoorschijn en belde Alexx.

'Het doet me deugd, meneer Barlow,' zei Horatio, 'dat u toch besloten hebt uw medewerking te verlenen.'
'Ja, u bent een echte modelburger,' zei Frank Tripp.
Vanaf de andere kant van de tafel beantwoordde Avery Barlow hun sarcasme met een blik die naast minachting vooral verveling uitdrukte. 'Ik wil alleen dat dit zo snel mogelijk opgehelderd wordt zodat ik weer aan het werk kan,' zei hij. Hij was als een zakenman

uitgedost, in een driedelig lichtgroen zijden kostuum dat zo perfect gesneden was dat Horatio zich maar slonzig gekleed voelde. Barlows geschoren hoofd glom alsof het net in de was gezet was – wat het waarschijnlijk ook was, nam Horatio aan – en hij had zich net boven zijn oor gesneden.

'Ja, ja, het werk van de wapenhandelaar, zo levensbevestigend en van vitaal belang,' zei Horatio. 'U mag dan een deel van uw voorraad voor ons verstopt hebben, meneer Barlow, maar vanaf nu is het afgelopen met de illegale verkoop. We zullen u vanaf nu scherp in de gaten houden en ik heb begrepen dat u binnenkort een bezoekje kan verwachten van de officier van justitie van Queens.'

Barlow schudde zijn hoofd. 'Dan zal ik voorzichtig moeten zijn, neem ik aan.'

'U kunt meer doen dan dat. Als u ons de informatie geeft die we zoeken, kunnen we onze vrienden in New York misschien overhalen om niet te streng te zijn. Er zou rekening gehouden kunnen worden met de plaatselijke wetgeving.'

Barlow glimlachte. 'En het gaat zeker om die SPP-1? Dat onderwaterpistool waar jullie naar op zoek zijn?'

'Klopt.'

Barlow zuchtte. 'Stel dat ik informatie heb over de plaats waar het zich momenteel bevindt. Kunnen jullie me, als ik die informatie verstrek, garanderen dat ik niet beschuldigd zal worden van het geven van misleidende informatie?'

'Als de bedoelde informatie accuraat is,' gromde Tripp, 'zie ik geen probleem.'

'Dan kan ik u denk ik wel helpen,' zei Barlow minzaam. 'Ik heb het pistool namelijk zelf in mijn bezit.'

Horatio bestudeerde hem aandachtig voor hij reageerde. 'En bent u bereid het aan ons over te dragen?'

'Natuurlijk. Ik heb er immers geen misdaad mee gepleegd...'

Alexx trok de lijkenlade open. 'Janice Stonecutter,' zei ze tegen Delko. 'Ik heb haar weer zo goed mogelijk dichtgenaaid, maar ze lag nogal uit elkaar.' Ze trok het laken dat het lichaam bedekte weg.

Delko knikte. 'Mm. Niets ten nadele van je werk, Alexx, maar ik

denk dat je misschien iets over het hoofd gezien hebt. Iets wat iedereen over het hoofd gezien heeft.'
De opgetrokken wenkbrauwen op Alexx' gezicht vertelden hem dat ze niet erg blij was met zijn inschatting. 'En waar ben je dan precies naar op zoek?'
'De laatste woorden van een dode vrouw,' mompelde Delko. 'Zij het dan dat het geen uitgesproken woorden zijn.' Hij liet het vergrootglas met verlichting langzaam over de romp van het lijk glijden en inspecteerde de hechtingen nauwkeurig. Het waren er zoveel dat de buik wel een patchwork quilt van vlees leek.
'Want weet je, ik herinnerde me opeens dat Janice lange vingernagels had. Daar hebben we niets onder aangetroffen, maar dat wil nog niet zeggen dat ze ze ook niet gebruikt heeft. De kwestie is, ik denk niet dat ze ze tegen haar aanvaller heeft gebruikt, maar misschien wel op zichzelf.'
'Bedoel je dat ze een boodschap in haar éigen huid gekerfd heeft?'
'Ja. Het was het enige gereedschap dat ze had en het enige oppervlak dat ze kon gebruiken. Afhankelijk van hoe ze vastgebonden was, was er maar een beperkt aantal plaatsen op haar lichaam dat ze kon bereiken. Als het op een andere plaats had gezeten, weet ik zeker dat je het gevonden zou hebben.'
'Hm,' zei Alexx, slechts ten dele gesust. 'Dus jij denkt dat er iets op haar buik moet staan?'
'Kijk maar,' zei Delko. Hij hield het vergrootglas stil en gebaarde dat ze dichterbij moest komen. Dat deed ze.
Toen ze weer overeind kwam, keek ze beschaamd. 'Het spijt me, Eric. Ik snap niet hoe...'
'Hé, ik had het eerst toch ook niet gezien,' zei Delko. 'Laten we nou niet met de zwartepiet gaan schuiven. De vraag is, wat probeert ze ons te vertellen?'
'Dat hangt ervan af waar dat symbool voor staat.' De kras die Delko had gevonden had de vorm van een X met een verticale streep erdoor; als je er niet speciaal naar zocht, verdween het in het woud van krassen en wonden.
'O, ik weet heel goed waar het voor staat,' zei Delko grimmig. 'Wat ik niet weet, is wat het betékent...'

'Eerst het goede of eerst het slechte nieuws?' vroeg Calleigh. Horatio en zij stonden in het ballistische lab en ze was net klaar met het onderzoeken van Barlows pistool.
'Eerst het slechte maar,' zei Horatio.
'Dit is niet het pistool waarmee David Stonecutter vermoord is,' zei Calleigh. 'Sterker nog, ik geloof niet dat dit pistool recent nog gebruikt is. En hoewel het mogelijk is dat Avery Barlow ons simpelweg het verkeerde wapen gegeven heeft, is er geen enkel bewijs dat hij er meer dan één in zijn bezit heeft.'
'Oké, maar als het pistool niet het moordwapen is, waarom heeft hij het dan als gestolen opgegeven?'
'Misschien zag hij de kans schoon om zijn voordeel te doen met die slordige documentatie. Het pistool valt buiten de boeken en hij kan het verkopen zonder de transactie te melden.'
'Dat is een mogelijkheid. En het goede nieuws?'
'Toen hij nog in een coöperatieve bui was, heb ik de heer Barlow meteen ook maar naar Farallon haaienpijlen gevraagd. Aangezien die niet illegaal zijn, had hij er geen problemen mee me wat informatie te geven over een stuk of wat van die pijlen die door zijn handen waren gegaan.'
'Heb je adressen?'
Ze trok met een glimlach een lijstje uit de zak van haar labjas. 'Die heb ik.'
'Nou, kennelijk blijkt de heer Barlow dan toch niet helemaal van burgerzin verstoken te zijn,' zei Horatio.

Horatio was niet echt verbaasd toen het onderzoek opeens op een dood punt leek te zitten.
Het had niets te maken met een tekort aan ijver bij zijn team, en zelfs niet met een gebrek aan bewijsmateriaal. Het was puur en alleen een gevolg van het feit dat een aantal aanwijzingen tegelijk doodlopende sporen bleken te zijn, wat bij een toeschouwer misschien de indruk wekte dat alle mogelijkheden om verder te komen waren uitgeput.
Horatio wist wel beter.
Ezekial Redfield had op het moment dat de Stonecutters vermoord

werden een aquarium in Georgia bezocht, al viel zijn verblijfplaats op het moment dat Gabrielle Cavanaugh de dood vond minder goed te bewijzen: thuis naar de dvd van *De kleine zeemeermin* kijken kon je nauwelijks een spijkerhard alibi noemen, maar Horatio had het idee dat het waarschijnlijk wel waar was.

Avery Barlow beweerde dat hij meestal vanuit huis werkte en dat hij online was geweest op de momenten dat Gabrielle Cavanaugh vermist raakte en Janice Stonecutter gemarteld werd. Zijn computergegevens leken dat te bevestigen.

Van de drie Farallon haaienpijlen die Barlow had gekocht en verkocht, waren er twee naar het buitenland verstuurd: een naar Europa en de andere naar Zuid-Amerika. De derde was verkocht aan een bokkige, zeventienjarige punkrocker in Little Haiti, die hem onwillig aan Horatio overhandigd had, nadat die hem kort en uiterst beleefd had toegesproken. Het joch had de schacht afgesneden tot een korte handgreep en hem in zwart elektriciteitstape gewikkeld om hem als mes te kunnen gebruiken. Calleigh had hem voor de zekerheid onderzocht, maar na een blik op het volle blikje CO_2 dat aan de pijl vastgeroest zat, kwam ze tot de conclusie dat hij waarschijnlijk nooit gebruikt was.

En toen had Delko hem laten zien wat hij gevonden had.

Horatio bestudeerde een foto van het merkteken op Janice Stonecutters buik en zei: 'Je hebt gelijk. Dat ziet er oppervlakkiger en hoekiger uit dan de andere sneden.'

'Ja,' zei Delko. 'Herken je het?'

'Het is een letter van het cyrillische alfabet,' zei Horatio, 'al zou ik je niet kunnen zeggen welke.'

'Zj,' zei Delko. 'Als in Zjivago.'

'En als in dr. Nicole Zjenko,' zei Horatio grimmig.

Zo gaat het nou altijd als een zaak vast lijkt te zitten, dacht Horatio. Je moest gewoon even op de juiste plaats duwen en de boel kwam vanzelf weer in beweging.

Calleigh hield van orde. Ze hield ervan als haar wapens schoon en geolied opgeborgen waren, als haar doosjes met munitie gesorteerd en geëtiketteerd waren, en als haar kartonnen schietschijven in de

juiste lade lagen. Als ze haar handen niet vol had aan een zaak, reserveerde ze elke week wel wat tijd voor het opruimen van haar werkplek en het op de juiste plaats terugleggen van alles.
Als ze wel met een zaak bezig was, had ze andere prioriteiten, maar dan nog probeerde ze de boel netjes te houden. Daar was ze juist mee bezig, toen Wolfe binnenkwam en vroeg of ze even tijd had.
'Ja, hoor. Wat is er, Ryan?' Ze stopte nog snel een dossiermap in een la en schoof die weer dicht.
'Ik heb twee klussen die gedaan moeten worden en ik vroeg me af of jij er misschien een van me kan overnemen.'
'Mag ik zelf kiezen welke?'
Hij aarzelde en zei toen: 'Nou, eigenlijk hoopte ik...'
Ze zuchtte. 'Mag ik raden? Voor de een moet je op pad en voor de ander kun je in het lab aan de slag?'
'Eh, ja...'
'Ik doe het labklusje wel.'
Hij lachte. 'Mooi. Dat wilde ik je ook net vragen.'
Ze keek hem achterdochtig aan. 'Ho even, dat ging veel te gemakkelijk. Ofwel je gaat een stripteasedanseres verhoren of het labwerk is een heel smerig klusje.'
'Nee, hoor. Ik moet naar Verdant Springs om een vrouw te vragen naar de omstandigheden bij een mogelijke aanranding.'
'En het labwerk?'
'Het testen van ruwe latexmonsters om die te kunnen vergelijken met het stukje dat we onder Gabrielle Cavanaughs vingernagels gevonden hebben.'
Ze schudde haar hoofd. 'Wacht, ik snap er niks van. Je laat de kans om iets puur technisch te doen liggen ten gunste van een emotioneel en lastig gesprek met een onbekende? Wat is hier aan de hand?'
Wolfe haalde zijn schouders op. 'Ik volg alleen maar Horatio's advies op. De omgang met het publiek hoort tenslotte bij ons werk.'
'Dat is zeker. Mag ik je dan één ding aanraden?'
'Wat dan?'
'Ik zou niet beginnen over die buitenaardse wezens en hun roomijsstraal. Ik heb gemerkt dat mensen je dan wat vreemd aan gaan kijken...'

Horatio bracht meestal niet veel tijd door in zijn kantoor, maar nu trok hij zich er bewust terug. Hij zat achter zijn bureau met het licht uit. Het enige licht in de kamer kwam door de spleetjes in de luxaflex. Hij hield zijn handen met de vingertoppen tegen elkaar voor zijn gezicht, staarde voor zich uit en dacht na.
Zoals zoveel politiemensen wilde Horatio graag zo veel mogelijk feiten kennen voor hij met het stellen van vragen begon. Het onderzoek dat hij aanvankelijk naar dr. Zjenko gedaan had, was vooral om haar wetenschappelijke kwalificaties te achterhalen; over haar achtergronden als activist en het verlies van haar benen had hij niets gelezen in de artikelen die hij had gevonden. Pas na hun eerste ontmoeting was hij wat dieper gaan graven – deels uit nieuwsgierigheid, deels uit instinct – en had hij wat van de meer duistere details uit haar verleden naar boven gehaald.
Haar benen waren afgebeten door een tijgerhaai toen ze bij het Grote Barrière Rif in Australië aan het duiken was. De dubbele amputatie tot boven de knie was voor haar geen reden geweest om het duiken op te geven, maar het had haar prioriteiten wel verlegd. Na de aanval was ze betrokken geraakt bij de activiteiten van de Dierenbevrijdingsalliantie: een militante dierenrechtenorganisatie waarvan de tactieken grensden aan ecoterrorisme. Deze grens hadden ze twee jaar geleden blijkbaar overschreden toen verschillende van hun leden gearresteerd waren tijdens een demonstratie in een vissershaven. Iemand had explosieven geplaatst tegen de bodem van zeven visserstrawlers. Iemand die ervaring moest hebben met duiken én met explosieven.
Dr. Nicole Zjenko bezat dat eerste wel maar het tweede niet, voor zover Horatio dat kon beoordelen. Maar de moordenaar op wie Horatio jacht maakte hoefde niet per se zelf bij de marine gezeten te hebben; hij koesterde er alleen een diepe haat tegen.
Hij... of zij. Dr. Zjenko's afkeuring van de manier waarop de marine met dolfijnen omging was duidelijk. En tot nu toe hadden ze, afgezien van de verkrachtingen, geen onomstotelijk bewijs dat de moordenaar een man moest zijn. Dr. Zjenko had al aangetoond dat ze bedreven was met één soort prothese; waarom dan ook niet met een andere?

Verkrachting, wist Horatio, had minder te maken met seksuele ontlading dan met geweld en macht. Hoewel er niet zoveel vrouwelijke seriemoordenaars waren, bestonden ze wel. En een van de dingen die een seriemoordenaar vaak over de grens tussen fantasie en echte moord heen trok was een traumatische gebeurtenis: het verlies van een baan, een geliefde, een ouder.

Of van ledematen?

Horatio hoorde geroezemoes vanaf de gang: flarden van gesprekken tussen agenten die een zaak bespraken; andere medewerkers die over koetjes en kalfjes praatten; af en toe een harde lach. Daaronder klonk het alomtegenwoordige gezoem van de airco.

De koele, gedempte schemering had veel weg van een onderwateromgeving.

9

Horatio parkeerde de Hummer en stapte uit. Op de stoep bleef hij even staan om zijn zonnebril op te zetten. De hitte die uit het gebarsten cement opsteeg gaf hem het gevoel alsof hij op een bakplaat stond. Hij bekeek het gebouw waar hij voor stond om te peilen wat hem te wachten stond.

Het hoofdkwartier van de DBA bevond zich in een kringloopwinkel, achter een afgebladderde en gebarsten geelgeverfde houten deur die naast een vuile ruit van spiegelglas zat, waarop in verbleekte groene letters DIERENBEVRIJDINGSALLIANTIE – SNUFFELWINKEL stond. Achter de etalageruit lagen wat spullen: een rieten mand met golfclubs, wat T-shirts met het opschrift Key West, een schaal met zonnebrillen en een verzameling knuffeldieren, van pluche in plaats van doodgeschoten en opgezet. Horatio trok de deur open en liep naar binnen.

Het was er warm, de lucht was zwaar en zuurstofarm. Stofdeeltjes bewogen zich loom in het zonlicht, te moe om te dansen. De ruimte was lang en smal en stond vol kledingrekken, op de grond stonden open kartonnen dozen die tot de rand gevuld waren met gebruikte reclamepetjes en goedkope sjaals. Overal hing de lucht van oud polyester, als een verdelgingsmiddel voor jeugd.

Een glazen vitrine diende tegelijkertijd als toonbank. Er stond een kassa op en er zat een verveeld kijkende man achter. In de vitrine lag een verzameling horloges, ringen en armbanden, die er geen van alle uitzagen alsof ze het beschermende glas waard waren. De man was ergens in de veertig; hij had een lang, vaalgeel gezicht, wat dunne plukjes bruin haar om een kale schedel met sproeten, en een brede mond met dunne lippen. Hij droeg een verbleekt oranje T-shirt, een lichtbruine korte broek en plastic sandalen; hij was de enige aanwezige in de winkel.

Er lag een stapeltje folders naast de kassa. Horatio pakte er een en bekeek die. De tekst erop was een scheldkanonnade tegen de exploitatie van dieren, met korrelige zwartwitfoto's van slachthuizen en details over de vermeende praktijken van de rundvlees-, pluimvee- en bontindustrie. Het eindigde met een verzoek om donaties, en een rekeningnummer waarop die gestort konden worden.

'We verkopen geen dierproducten,' zei de man bij de kassa. 'Geen leer, geen bont, zelfs geen wol.'

'Prijzenswaardig,' zei Horatio. Hij hield zijn jack open om zijn insigne te laten zien dat aan zijn riem vastzat. 'En u bent?'

'Malcolm. Torrence,' zei de man wiens toon nu koeler en formeler werd. 'Is er een probleem?'

'Dat hangt ervan af, Malcolm. Ik ben op zoek naar een kameraad van je, Anatoli Kazimir. Is hij misschien in de buurt?'

Torrence liet een droog, snuivend lachje horen. 'Nee, dat is hij niet. Hij is al een tijdje niet meer in de buurt en dat zal nog wel even zo blijven.'

'En hoe moet ik dat opvatten?' vroeg Horatio.

'Ik bedoel dat hij hier niet is.'

Horatio glimlachte. Het was geen blij lachje, maar Malcolm liet zich er niet door van zijn stuk brengen. 'Dat had ik al begrepen, Malcolm. En aangezien zijn afwezigheid een gat slaat in mijn sociale agenda, kun jij misschien zijn plaats innemen.'

Malcolm keek hem aan met een gezicht zo effen als zijn verbleekte shirt.

'Wat ik in gedachten had,' vervolgde Horatio, 'is een gezellig spelletje Twintig Vragen, alleen met iets andere regels dan anders. Ik mag namelijk zoveel vragen stellen als ik wil, en jij kunt niet ongestraft verkeerde antwoorden geven.' Horatio's lach werd iets breder. 'Ik zou dat spelletje eigenlijk liever met de heer Kazimir spelen, maar als hij niet beschikbaar is, zal ik het met jou moeten doen...'

Malcolm liet nog een snuivend lachje horen. 'Oké. Prima. Maar ik wil eerst nog iets zeggen voor ik vertel waar hij is.'

'Ga je gang.'

'Jullie zijn allemaal hetzelfde: grote pistolen in leren holsters. Krab het bovenlaagje van een smeris af en er zit altijd een cowboy onder; wijdbeens, luidruchtig en met clichés als: "Kom op, dan gaan we

iemand afknallen". Jullie denken dat je bovenaan in de voedselketen staat, maar dat is een illusie.'
Horatio keek hem koeltjes aan, zonder iets te zeggen.
'Wil je weten wat er dan wel bovenaan staat?' vervolgde Malcolm. 'Wórmen. De wormen eten ons allemaal op, vriend. Ook jou.'
'Nou, dan hoop ik dat ze van barbecue houden,' zei Horatio, 'want ik overweeg ernstig om me te laten cremeren. Vertel op, waar hangt Anatoli Kazimir uit?'
Dat kreeg hij vervolgens te horen van Malcolm.

'Goed zeg, dat je die boodschap van Janice Stonecutter nog ontdekt hebt,' zei Calleigh. Ze stond in het lab Wolfe's latexmonsters te prepareren voor het onderzoek.
'Dank je,' zei Delko, terwijl hij een labjas aanschoot. 'Ik geloof alleen dat Alexx minder blij met me was.'
'Welnee, die is alleen kwaad op zichzelf. Soms concentreren we ons zo op allerlei esoterische details dat we een voor de hand liggend stukje informatie over het hoofd zien. Dat is ons allemaal wel eens overkomen. Ik geloof alleen dat zij het nog iets persoonlijker opvat.'
'Dan hoop ik niet dat ze dat op mij gaat botvieren. Ze wierp me daarnet in de koffiekamer een blik toe waar je wodka mee zou kunnen bevriezen. Waar ben jij mee bezig?'
'Met uitvogelen waar dat stukje latex onder Gabrielle Cavanaughs vingernagels vandaan komt.'
'O, ja? Ik dacht dat Wolfe dat zou doen.'
'Hij is gaan praten met een slachtoffer van aanranding. Wist je dat opium ook een latex is?'
Delko kwam naar haar toe en bekeek de monsters die ze had klaargelegd. 'Ja, ze maken een sneetje in de zaaddoos en verzamelen wat daaruit komt druppelen,' zei hij. 'Net zoals ze dat doen bij rubberbomen. Hoezo? Denk je dat de moordenaar een verslaafde is?'
'Nee, ik spui alleen maar interessante feitjes,' zei ze opgewekt. 'Ik vond spreekbeurten op school altijd het leukste onderdeel.'
'Ik de pauze,' zei Delko met een grijns. 'Dan kon je tenminste met meisjes praten zonder meteen in de problemen te komen. Nou ja, niet al te veel problemen, in ieder geval.'

'In ieder geval,' antwoordde Calleigh ondeugend, 'zijn er verschillende manieren om latex te vormen. Wij hoeven ons verder niet druk te maken om schuimrubber, draad of kleefstoffen, wat nog drie mogelijkheden openlaat. De eerste is dopen, wat vanzelf spreekt: daarbij wordt een mal van porselein of glas in een coagulant met calciumnitraat gedoopt en vervolgens in een bad met geprevulkaniseerde latex gehangen, waarna die gedroogd en gevulkaniseerd wordt. Op die manier worden handschoenen, ballonnen en condooms gemaakt.'
'Denk je dat ze die mallen per ongeluk wel eens verwisselen?'
'Laten we hopen van niet. Als ik een handschoen aantrek word ik liever niet geconfronteerd met iets met ribbels en een opvangreservoir in de topjes... De tweede methode is gieten. Dat kan op twee manieren. In het klein houdt dat in dat er van de latex gietmallen gevormd worden waarmee vervolgens voorwerpen gemaakt kunnen worden van materialen die bij lage temperaturen hard kunnen worden, zoals gips. Dat kan voor allerlei doeleinden handig zijn: de massaproductie van speelgoed, in de archeologie en zelfs voor theatergrime.'
'En in het groot?'
'Daarbij worden hele vellen latex uitgeperst die gebruikt worden voor industriële doeleinden, bijvoorbeeld als afdekking voor beton, of voor het maken van kleding.'
'En wat is de derde methode?'
'Vloeibare latex. Die vulkaniseert vanzelf bij kamertemperatuur en het belangrijkste oplosmiddel daarvoor is ons vertrouwde H_2O. De gebruikelijke samenstelling daarvan is rond de 34% natuurlijk rubbersap, 65% water en 0,3% ammonia. De ammonia wordt toegevoegd om de pH-waarde hoog te houden en om bederf te voorkomen. Na vijf tot tien minuten is het handdroog, na een uur helemaal en een uur of vier later is het gevulkaniseerd. Het hecht zich permanent aan alles wat poreus genoeg is om het op te nemen.'
'Oké. En de kleur?'
'Latex is van nature doorschijnend, maar je kunt het in elke gewenste kleur verven. Kijk zelf maar.' Ze gebaarde naar de vergelijkingsmicroscoop en het objectglaasje dat ze er net ingeschoven had.

Delko wierp een blik door de lens. 'Donkerblauw. En glimmend,' zei hij. 'Net als het monster dat je er net ingeschoven hebt. Dat lijkt me een match.'
'Lijkt me ook,' zei ze. 'Het is een commerciële kleur die Supatex metallic blauw heet. Heel herkenbaar. Ik ga kijken of ik een lijst met distributeurs kan vinden en dan ga ik daar achteraan. Waar ben jij mee bezig?'
'H wil wat meer achtergrondinformatie over een groep die zich de Dierenbevrijdingsalliantie noemt. Ze schijnen een Russische connectie te hebben.'
'Dat krijg je ervan als je meertalig bent.'
Delko grijnsde. 'Tja, je weet wat ze zeggen: *zi detka, eto mnye do huya.*'
Calleigh trok haar wenkbrauwen op. 'Ik mag dan niet weten wat dat betekent,' zei ze. 'Maar op de een of andere manier heb ik ook het gevoel dat ik dat niet wíl weten...'

De baliemedewerkster van de afdeling Hyperbare Geneeskunde van het South Miami Hospital was een kleine, oudere, zwarte vrouw met een wolk zilverkleurig haar op haar hoofd, die wel wat weg had van paardenbloempluis. Horatio stelde zich voor, vertelde haar wie hij wilde spreken en volgde haar door een gang naar een deur waarop een grote sticker geplakt zat die elk vorm van open vuur ten strengste verbood; de scherpe geur van medische desinfectans prikkelde zijn reukzin.
Binnen stond een knalgele metalen buis ter grootte van een Cadillac, met aan een van de zijkanten een rechthoekig controlepaneel. Via een rond luik aan het uiteinde, waarop een metalen wiel met dikke spaken zat, kon je waarschijnlijk naar binnen en een raampje van gebogen plexiglas dat naast het controlepaneel zat bood een blik op het binnenste. Dit werd momenteel bijna geheel aan het zicht onttrokken door een televisie op een verrijdbare standaard; het beeldscherm, waarop zich een namiddags soapdrama ontrolde, stond naar binnen gericht. Horatio liep erheen en rolde de tv opzij. De inzittende van de drukkamer, een zwaargebouwde man met een sjofel zwart baardje keek hem met verbaasde irritatie aan. Horatio

onderdrukte de aandrang om op het raam te kloppen en naar zijn rijbewijs en autopapieren te vragen.
'Dag, meneer Kazimir,' zei Horatio. Hij liet hem zijn insigne zien. 'Ik ben inspecteur Horatio Caine. Ik zou u graag een paar vragen stellen.'
De man schokschouderde. Hij had een witte pyjama aan en lag boven op de lakens van een ziekenhuisbed waarvan het hoofdeind omhoog gezet was. Hij antwoordde met een hoge piepstem – een gevolg van de verhoogde druk in de kamer – en een zwaar Russisch accent, wat Horatio het gevoel gaf dat hij met een personage uit een tekenfilm praatte.
'Waarom ook niet?' piepte de man. 'Ik heb toch niet veel beters te doen.'
'Begrijp ik goed dat u een duikongeluk hebt gehad?'
'Geen ongeluk. Dom gedrag. Te veel dingen tegelijkertijd.'
'Sorry, maar dat begrijp ik niet. Wat voor dingen?'
Kazimir krabde aan de onderkant van zijn kin. 'Duikt u zelf?'
'Ik niet, nee.'
'Je moet met veel rekening houden bij het duiken. Veel tabellen, veel grafieken: diepte, tijd onder water, tempo van opstijgen, je gasmengsel. Dat gedeelte lukt nog wel. Maar je moet ook over jezelf nadenken: hoe je je voelt. Hoe moe je bent, hoeveel slaap je gehad hebt. Daar ben ik slecht in.'
'Wat is er precies gebeurd?'
'Ik was aan het duiken bij de Tenneco Towers. Kent u dat? Drie olieplatforms die vanuit de Golf van Mexico hierheen gesleept zijn en in 1985 zijn afgezonken. Prachtige plek, alle steunbalken zijn begroeid met oranje kelkkoraal. Als die 's avonds opengaan lijken het net brandende bloemen. Honderden soorten vissen, barracuda's, amberjack, stierhaaien. De diepste toren ligt op 58 meter diepte, een technische duik. Ik heb dat wel vaker gedaan, maar deze keer voelde ik me niet zo goed. Ik dacht dat het een griepje was, of dat ik iets verkeerds gegeten had, maar daardoor had ik mijn kop er gewoon niet bij.'
'Met caissonziekte als gevolg.' Duikersziekte, zoals het ook wel genoemd wordt, wordt veroorzaakt door stikstofbelletjes die te snel

uit de lichaamsweefsels ontsnappen. Hoe dieper je duikt, hoe verder de druk oploopt. En hoe verder de druk oploopt, hoe meer stikstof zich in de bloedbaan, spieren en organen opslaat. Horatio had het Delko wel eens horen vergelijken met koolzuur in een fles frisdrank: zolang de fles dicht zit is de CO_2 niet zichtbaar en opgelost in het mengsel, pas als je de dop losdraait komt er druk vrij en borrelt het gas naar het oppervlak. 'Als een duiker te snel omhoog komt,' had Delko hem verteld, 'is het alsof de fles eerst geschud is: je hele lichaam probeert te bruisen. Dat klinkt misschien alsof het zal kietelen, maar zo voelt het niet.'

Kazimir schudde zijn hoofd en kromp toen in elkaar. 'Mijn eigen schuld. Nou ja, en van die klotetabellen van de marine. Maar als duiker had ik kunnen weten dat ik daar niet op had moeten vertrouwen.'

'O? Hebt u het gevoel dat u dit deels aan de marine te wijten hebt?'

Kazimir wreef met zijn duim en wijsvinger over zijn slapen. 'Ik word gek van die *nee da dyeloni* koppijn,' gromde hij. 'Weet je wat het ergste is van die duikersziekte? Je hersens worden er *oblom* van. Ik ken een duiker bij wie het enige symptoom was dat hij compleet *pidaras* werd. Hij werd ontslagen, zijn vrouw ging bij hem weg, mensen dachten dat hij gek geworden was. Toen hebben ze hem in net zo'n kamer als deze gestopt en daarna klonk hij weer een stuk normaler.'

'Ik hoop dat u geen neurologische symptomen vertoont.'

'Ik? Nee, ik was al *pidaras* voor ik hierin gestopt werd.' Kazimir grinnikte, een vreemd en metalig geluid. 'Maar je weet maar nooit. Mijn geheugen haalt rare dingen met me uit sinds ik hier ben.'

De man lachte breed, maar Horatio herkende het meteen als smoes.

'Dan zal ik dat niet te zwaar belasten,' zei hij. 'Hoe lang bent u hier al?'

'In het ziekenhuis? Bijna een week. Ik hoef maar een paar uur per dag in dit ding te liggen, maar ik mag minstens twee maanden niet meer duiken. Of vliegen.'

Horatio knikte. Kazimir kon dus met geen mogelijkheid verantwoordelijk zijn voor de aanvallen, maar dat betekende nog niet dat hij er niet bij betrokken kon zijn.

'En hoe zit het met uw activiteiten voor de Dierenbevrijdingsalliantie? Zullen die er nog onder lijden?'
Kazimirs grijns werd nog breder. 'Aha, eindelijk komt de aap uit de mouw. Weet u, meneer de inspecteur, dit ongeval is de nekslag voor me. Ik kan niet meer. Ik denk dat ik hier maar blijf, veilig in mijn metalen schulp. Ik word gewoon een heremietkreeft. Het is afgelopen met mijn woede op alle slechte mensen op aarde.' Behalve de spottende ondertoon werden de woorden van hun laatste restje ernst ontdaan door de hoge piepstem waarmee ze werden uitgesproken. Horatio kon slechts met de grootste moeite zijn lachen inhouden en herinnerde zichzelf streng aan de reden van zijn bezoek aan deze man.
'Dat kan ik maar moeilijk geloven, meneer Kazimir. U hebt een lange en kleurrijke geschiedenis op het gebied van de dierenrechten. Sterker nog, sommige mensen zouden de indruk kunnen hebben dat u meer om dieren geeft dan om mensen.'
'Is dat bedoeld als een belediging? Dieren blijven altijd trouw aan hun ware aard. Mensen? Hou op. Als ik moet kiezen, geef ik de voorkeur aan iets wilds boven iets uit de "beschaving".'
'Wilde dieren gebruiken geen explosieven om hun mening duidelijk te maken, meneer Kazimir.' Horatio had even het gevoel dat hij stond te discussiëren met een militante Mickey Mouse.
'Ik ben niet geïnteresseerd in het duidelijk maken van mijn mening, meneer de inspecteur. Waar ik op uit ben, is verandering. Echte verandering. En die bereik je niet door te zwaaien met petities of borden met leuk bedachte kreten.'
'Ik ken wel een paar burgerrechtenactivisten die daar anders over denken, maar dat doet nu niet ter zake. Het belangrijkste wat je je moet realiseren, Anatoli, is dat ík het niet met je eens ben.'
Kazimir haalde zijn schouders op en wendde zijn blik af. Horatio sloeg met zijn vlakke hand op het raampje en de klap was hard genoeg om Kazimirs blik door de schrikreflex weer zijn kant op te trekken. Horatio boog zich naar het raam toe, ving zijn blik en hield die vast.
'Ik ga niet met je in debat over ethiek, Anatoli. Ik hou niet van bommen en nog minder van de mensen die ze gebruiken. Nog één

vergissing zoals die met de vissersboten en je krijgt mij achter je aan.'
De blik die Kazimir hem toewierp was eerder niet-begrijpend dan geïntimideerd. 'Dat met die boten is zo lang geleden. Wat is de echte reden van dit bezoek?'
'Ik kwam een cadeautje brengen,' zei Horatio. Hij trok een vel papier uit zijn binnenzak, vouwde het open en drukte het plat tegen het raam. 'Het is een gerechtelijk bevel om ons inzage te geven in de ledenlijst van de DBA. Want jij mag dan een diepe minachting koesteren voor procedures en regeltjes maar voor ons, beschaafde types, kunnen die een uiterst effectief gereedschap vormen...'

De vrouw met wie Wolfe moest gaan praten woonde niet in Miami zelf maar aan de kust, in een stadje dat Verdant Springs heette. Geen van de Hummers van het bureau was beschikbaar, dus koos hij uit de aanwezige dienstauto's een middenklasse sedan. Op de snelweg worstelde hij zich tegen een schijnbaar oneindige stroom in van zich traag voortbewegende campers, trucks met vierwielaandrijving en aanhangers met bootjes. De airco van de auto werkte niet; hij pompte wel warme, vochtige lucht naar binnen, maar dat was dan ook het enige. Met open raampjes rijden was maar een klein beetje beter.
Toen hij aankwam was hij warm en bezweet, en was er minstens twee keer een kamikaze-insect tegen zijn voorhoofd te pletter gevlogen. Het koele, vochtige blauw van de Atlantische Oceaan was de hele weg pesterig dichtbij geweest en op het laatst had hij er niet langer tegen gekund en was hij bij een benzinestation gestopt om een fles ijsthee van het formaat emmer te kopen en die meteen half leeg te drinken.
De vrouw heette Eileen Bartstow en woonde aan de rand van de stad. Haar huis bleek een groot formaat caravan met een houten hekje eromheen en een betonnen trapje naar de voordeur; ze had een klein, keurig onderhouden tuintje. De caravan zelf was zonnig geel en roomwit geverfd en had gordijntjes van rozenstof voor het raam. Hij belde aan en hoorde binnen de eerste maten van *Raindrops Keep Falling on My Head* klinken.

De deur ging open. De vrouw die voor hem stond was ergens in de dertig en droeg haar blonde haar opgestoken in een knotje. Ze had een lichtroze zonnejurkje aan, slippers aan haar voeten en een achterdochtige blik in haar ogen. 'Ja?'
'Mevrouw Bartstow? Technisch rechercheur Wolfe van het forensisch laboratorium van Miami-Dade,' zei hij.
'Het is juffrouw. Kunt u zich identificeren, alstublieft.'
Hij trok zijn insigne tevoorschijn en liet hem zien. Ze bestudeerde hem aandachtig en knikte toen. 'Komt u maar binnen.'
Ze liep de kleine woonkeuken in, die direct achter de voordeur lag, en trok een houten stoel voor hem bij. 'Wilt u koffie?' vroeg ze.
'Nee, dat hoeft niet.' Hij ging zitten, sloeg het dossier open dat hij had meegenomen en pakte een pen.
Ze schonk zichzelf een kop koffie in bij het koffiezetapparaat, nam melk en suiker en ging toen tegenover hem zitten. De keuken was klein en netjes en afgetimmerd met het soort namaakhouten lambrisering dat in de jaren zeventig zo populair was. De tafel was van formica met een roodhouten patroon dat bij de keukenkastjes paste.
'Ik heb begrepen dat u me wilt spreken over het monster,' zei ze.
Wolfe knikte. 'Het monster, ja,' zei hij ernstig.
'Ik ben in ieder geval blij dat er nog iemand iets mee doet. Dat beest kan intussen wel iemand vermoord hebben.'
'Mijn excuses voor de traagheid van het bureau,' zei Wolfe. 'Gewone agenten zijn niet altijd getraind voor de meer... esoterische zaken.'
'En u wel?'
'Ik heb een natuurwetenschappelijke achtergrond.'
Dit leek haar gerust te stellen. 'Nou, oké, ik neem aan dat u waarschijnlijk nog eens wilt horen wat er precies gebeurd is? Zo werkt dat toch? Alles nog eens opnieuw bekijken?'
'Dat lijkt me een goed begin, ja.'
Ze nam een grote slok van haar koffie. 'Oké. Het gebeurde drie maanden geleden. Ik was met vrienden aan het barbecuen op het strand bij Poker Cove.'
Wolfe raadpleegde zijn dossier. 'Glen Fairgrove, Jake Landry, Elke

Cummins en Fern Kwan. Klopt dat?'
'Ja. Het was erg warm die dag, dus we besloten te gaan zwemmen. We hadden onze badpakken meegenomen, voor het geval dat. Fern en Glen gingen het water in en Elke en Jake bleven op het strand. Fern en Glen waren aan het dollen, elkaar aan het natspatten en zo, dus ik besloot een eindje verderop te gaan zwemmen, in mijn eentje. Ik kan heel aardig zwemmen.'
'Dat geloof ik graag.'
'Ik was een meter of vijftig van het strand toen het gebeurde. Op dat punt wordt het water flink diep; de bodem gaat er opeens vrij steil omlaag.' Ze wachtte even en kreeg opeens een gekwelde uitdrukking op haar gezicht.
'En toen?' moedigde Wolfe haar aan.
'Iets greep me beet,' zei ze. 'Een hand, nee, een klauw. Aan mijn enkel. Het had me stevig te pakken en trok me onder water.'
'Hebt u dat... ding goed kunnen bekijken?'
'Ja. Iedereen zegt dat ik me moet vergissen, dat je niet goed kunt zien onder water, dus ik wil graag dat u even ergens naar kijkt. Momentje, ik ben zo terug.' Ze stond op van tafel en liep de kamer uit, om even later terug te komen met iets in haar hand. Ze gooide het voor Wolfe neer op tafel. 'Hier,' zei ze uitdagend. 'Ziet dat eruit alsof er iets mis mee is?'
Het was een zwembrilletje. Wolfe pakte het op, onderwierp het aan een kritische inspectie, zag dat de glazen niet getint of bekrast waren en dat de rubber randen nog goed leken af te sluiten.
'Nee, dat lijkt me niet,' zei hij.
'Dat had ik op toen dat ding me naar beneden sleurde; het bleef gewoon goed zitten. Het was een prachtige, zonnige dag en het water was zo helder als... nou ja, als mijn zicht.'
'En wat zag u?'
Zijn blik ontmoette de hare en opeens zag Wolfe de woede die daarin lag, niet alleen op haar aanvaller, maar op al de mensen met wie ze vanaf dat moment te maken had gehad, al degenen die dachten dat ze overdreef of zich dingen verbeeldde of zelfs ronduit loog.
'Ik zag een monster,' zei ze zonder er verder omheen te draaien. 'Hij had een glimmende, donkerblauwe huid, als een soort vis, en een

grote, stekelige vin op zijn kop; vinnen aan zijn armen, benen en voeten en hij had lange, kromme klauwen aan zijn handen. Zijn kop was… nou ja, hij had grote, uitpuilende ogen en een mond vol vlijmscherpe tanden. Hij had een bultige rug, een beetje zoals een walvis.'
Wolfe woog zijn woorden zorgvuldig voor hij reageerde. 'Hebben uw vrienden hem ook gezien?'
'Nee, ik was te ver van ze vandaan. Als ik niet net diep ingeademd had en niet de tegenwoordigheid van geest had gehad mijn adem in te houden, zou ik waarschijnlijk verdronken zijn… of nog erger.'
Haar stem klonk vast, maar ze had haar handen zo strak om haar kop koffie geklemd dat de knokkels wit werden.
'Wat gebeurde er daarna?'
'Hij stak zijn poot omhoog en gaf me een haal met zijn klauw; hij zwom lager dan ik, trok me naar beneden. Hij scheurde mijn badpak open en gaf me vier lange halen over mijn buik.'
'Waren dat diepe wonden? Ik zie hier niets staan over een ziekenhuisbehandeling…'
'Zo erg was het niet. Ze hoefden niet gehecht te worden en nu kun je ze al niet meer zien. Maar op dat moment bloedde het flink.'
'Oké. En toen?'
'Ik gaf hem een trap. Tegen zijn kop. Zo hard als ik kon. Hij liet me los en ik zwom naar boven. Ik weet niet hoe diep we zaten, het kan niet heel diep geweest zijn want het was nog licht genoeg, maar het leek eeuwen te duren voor ik weer boven was. Alsof hij me kilometers ver had meegesleurd en ik mijn laatste adem ingeademd had…'
Ze viel stil, schudde toen kort haar hoofd en wierp hem een korte, verlegen lach toe. 'Sorry, dat klinkt wel erg melodramatisch. Ik blijf de beelden maar afspelen in mijn hoofd en elke herhaling maakt het weer wat erger en tegelijkertijd minder werkelijk. Als een nachtmerrie die je blijft achtervolgen.'
'U hoeft zich niet te verontschuldigen. Neem gerust de tijd. Wilt u even pauzeren?'
'Nee, nee, het gaat wel.' Ze nam nog een grote slok koffie en leek daardoor haar evenwicht te hervinden. 'Toen ik aan het oppervlak kwam, hapte ik naar adem en gebruikte die lucht daarna meteen om te schreeuwen. Het enige wat ik kon bedenken was dat ik de

anderen moest laten weten wat er aan de hand was. Niet zozeer omdat ik dacht dat ze zouden kunnen helpen; ik wilde ze alleen waarschuwen, zodat ze zich uit de voeten konden maken. Alsof het om een grizzlybeer ging of zoiets... Is dat niet raar?'

'Ik vind het heel nobel,' zei Wolfe.

'Misschien. Maar goed, mijn tweede gedachte was dat ik nooit zou kunnen ontsnappen. Je kunt toch niet harder zwemmen dan een haai. Dus ondanks het feit dat ik doodsbang was, heb ik toen diep ingeademd en ben ik weer ondergedoken.'

Wolfe knipperde met zijn ogen. 'Hoe reageerde hij daarop?'

'Ik geloof dat ik hem ermee overviel. Ik was met een soort achterwaartse beweging weer ondergedoken en heb me daarna omgedraaid om hem aan te kijken. Hij hing daar nog zo'n beetje rond en hield me in de gaten, zoals vissen dat doen. Hij bewoog zelfs zijn kop heen en weer, alsof hij me eerst met één oog en dan met het andere wilde bekijken. Ik... dat klinkt misschien heel belachelijk, maar ik stak mijn vuisten op, zoals je dat voor een gevecht doet. Ik weet niet wat ik daarmee hoopte te bereiken.'

'U liet u leiden door primitieve dierlijke instincten,' zei Wolfe. 'Vecht of vlucht. Ik denk dat het de juiste beslissing was. Zoals u al zei, harder dan een haai kun je toch niet zwemmen, maar misschien kun je hem er wel van overtuigen dat je een veel te lastig hapje zou vormen.'

'Ik denk alleen niet dat het zo werkte. Fern en Glen hadden mijn schreeuw gehoord en kwamen als gekken aanzwemmen. Ik had denk ik net genoeg tijd gerekt, zodat het monster hen aan zag komen. Hij keek me nog even aan en draaide zich toen om en zwom weg. Tegen de tijd dat mijn vrienden er waren, was hij verdwenen.'

Wolfe keek in zijn dossier, bladerde er wat in en trok een paar blaadjes uit het midden. 'Ik zie dat mevrouw Kwan wel een verklaring heeft afgelegd, maar de heer Fairgrove dat geweigerd heeft.'

'Fern geloofde me, Glen niet,' zei ze kil. 'Tenminste, niet genoeg om zijn reputatie ervoor op het spel te zetten. Hij dacht dat hij voor een of andere idioot versleten zou worden als hij zijn naam onder iets officieels zou zetten.'

'Eh, tja, mevrouw Bartstow, ik vind het heel vervelend om erover te moeten beginnen, maar er is iets wat we nog niet besproken hebben.'

Ze zuchtte geërgerd. 'Ik weet het, ik weet het.' Ze keek hem indringend aan. 'Zeg het maar.'

'Eh, u zei, dat hij... anatomisch correct was?'

Ze fronste haar wenkbrauwen, alsof dat niet was wat ze verwacht had te horen. 'Dat klopt. Ik kon hem goed bekijken toen we tegenover elkaar zwommen en hij was zonder twijfel opgewonden.'

'Is dat waarom u aangifte hebt gedaan van aanranding?'

'Ja. Ik weet niet wat hem zo opwond, het openscheuren van mijn badpak, het naar beneden trekken, misschien zelfs het bloed in het water, maar toen ik zag hoe hij eraan toe was wist ik meteen waar hij op uit was.'

Wolfe schraapte zijn keel. 'En was hij... normaal?'

'Menselijk, bedoelt u? In vorm en afmetingen wel, maar het had dezelfde glimmende blauwe kleur als de rest van zijn lichaam; geen haar en als hij testikels had, zaten ze verstopt.'

Wolfe knikte. Hij keek Eileen Bartstow een paar tellen aan om niet alleen haar woorden te wegen, maar ook een indruk te krijgen van haar als persoon. Ze leek een tikje ouderwets, een beetje gereserveerd, maar niet excentriek of gestoord. Ze leek helemaal geen type dat snakte naar aandacht of die zelfs prettig zou vinden. Haar gedrag leek heel normaal.

Als straatagent had Wolfe wel vaker te maken gehad met gevallen van aanranding. Hij had veel verschillende reacties gezien bij de slachtoffers: woede en shock, paniek en ongeloof, schuldgevoelens en schaamte. Wat hij vooral had waargenomen was vaak een vreemd soort mengeling van emoties, een soort boze gêne: dat was de emotie die hij ook bij Eileen Bartstow voelde. Hij voelde eveneens een vermoeide berusting: ze verwachtte eigenlijk niet dat hij haar zou geloven.

Maar dat deed hij wel.

'Mevrouw Bartstow, twijfelaars aan alternatieve wetenschappen zeggen graag "buitengewone beweringen vereisen buitengewone bewijzen". Ik heb dat altijd een wat misleidende uitspraak gevonden want of een bewering al dan niet “buitengewoon” is, is geheel subjectief terwijl bewijs altijd objectief is. Onafhankelijk van wat er beweerd wordt: bewijs is bewijs.’ Ze keek hem achterdochtig aan, waarop hij snel vervolgde: ‘Maar goed, wat ik probeer te zeggen is dat ik geloof dat u de waarheid spreekt. Alleen wat ik geloof of niet geloof doet er niet toe, het enige wat ertoe doet is het bewijs. Hoe buitengewoon uw verhaal ook mag klinken, als dit inderdaad is wat er gebeurd is, zal het bewijs u daarin steunen. En ik ook.’

‘Alleen heb ik geen bewijzen.’

‘Misschien wel. Heeft u dat badpak nog, dat hij opengehaald heeft?’

Ze dacht even na. ‘Dat denk ik wel. Ik wilde het weggooien, maar... een momentje.’ Ze stond op en liep de keuken weer uit.

Toen ze terugkwam, had Wolfe al een grote bewijsenvelop op tafel klaargelegd en had hij handschoenen aangetrokken. Hij nam het badpak van haar over, hield het omhoog en bekeek het kort. Het leek niet zozeer gescheurd, als wel aan flarden gesneden met een paar heel scherpe, parallelle mesjes. Hij liet het in de envelop glijden en plakte die dicht.

‘Ik zal wat onderzoekjes doen,’ zei hij.

Nu was zij degene die hem aandachtig opnam. ‘Ik weet hoe dit allemaal klinkt,’ zei ze. ‘En als het alleen maar iets was wat ik gezien had, zou ik het waarschijnlijk niet eens aan mijn vrienden verteld hebben; laat staan dat ik aangifte gedaan zou hebben. Maar dit beest viel me aan en als het mij aanviel, zal het ook anderen aanvallen. Als iemand zou sterven omdat ik het niet durfde te melden uit angst om voor gek te staan, dan zou ik niet meer met mezelf kunnen leven.’

‘U heeft juist gehandeld,’ zei Wolfe. ‘Iedereen is bang om voor gek te staan, maar u heeft helemaal gelijk: als je mond opendoen betekent dat je misschien een leven kunt redden, moet je dat risico gewoon nemen.’

10

'Goed mensen,' zei Horatio. Hij stond aan het hoofd van de vergadertafel waar zijn team omheen zat. 'Wat hebben we tot nu toe? Eric?'
'De Dierenbevrijdingsalliantie is in 1990 opgericht door Anatoli Kazimir, een Sovjetemigrant die begin jaren tachtig uit Rusland weg wist te komen. Hij heeft een tijdje bij Greenpeace gezeten, maar zijn opvattingen waren te radicaal en hij is uit zichzelf vertrokken voor ze hem eruit konden zetten. Het gerucht gaat dat hij daarna bij wijze van wraak informatie heeft doorgespeeld aan de Fransen.'
'Bedoel je in de tijd dat de *Rainbow Warrior* tot zinken gebracht werd?' vroeg Calleigh. 'Dat lijkt me niet iets waar een milieuactivist zich mee ingelaten zou hebben, hoe extreem zijn opvattingen ook waren.'
'Kazimir is van de harde lijn,' zei Delko. 'Er is niet veel over hem bekend, maar hij schijnt bij de KGB te hebben gezeten én een opleiding tot gevechtsduiker te hebben gehad. Volgens de mensen die ik gesproken heb, houdt hij niet alleen van dieren maar háát hij mensen.'
'Dat klopt wel met de indruk die ik van hem kreeg,' zei Horatio. 'Zijn er aanwijzingen dat hij zich in het verleden aan seksueel misbruik schuldig gemaakt heeft?'
'In dit land niet,' zei Delko. 'Misschien vroeger in Rusland, maar dat valt niet te achterhalen.'
'En de organisatie zelf?' zei Horatio.
'Die is niet groot. Alles bij elkaar rond de tien, twaalf leden: een paar Russen, een paar Amerikanen, de rest Europeanen. Allemaal persoonlijk uitgekozen door Kazimir. Als je bij de club wilt komen, moet je daarvoor uitgenodigd worden én een indrukwekkend cv hebben, en dan heb ik het niet over een graad in de milieukunde. De meesten van hen hebben wel iets van een militaire achtergrond.'

Horatio knikte bedachtzaam. 'Mag ik die map even zien?' Delko gaf hem een dossiermap waar hij snel doorheen bladerde. 'Dus de heer Kazimir heeft zijn eigen huurlegertje gevormd om het beter op te kunnen nemen tegen de kwade machten binnen de mensheid... en ook al kan Anatoli zelf onze zeemeerman niet zijn, de kans is groot dat het een van zijn rekruten is. Goed werk, Eric. En Calleigh, wat heb jij?'
Calleigh schraapte haar keel. 'Het latexmonster dat we onder de vingernagels van het eerste slachtoffer vandaan hebben gehaald, is van een specifiek type: Supatex metallic blauw. Dat wordt hoofdzakelijk in de kledingindustrie gebruikt.'
'Voor jacks en laarzen?' vroeg Wolfe. 'Dat is nogal een uitgebreid terrein.'
'Dat niet zozeer,' zei Calleigh. 'Deze kleur en dit type latex wordt vooral verkocht op een heel kleine nichemarkt. Er is maar één verkooppunt in heel Miami en daar ben ik van plan later vandaag maar eens heen te gaan.'
Delko zat al te grijnzen, maar Wolfe vatte het nog niet. 'Wat voor nichemarkt?' vroeg hij.
'Fetisjkleding,' zei Calleigh. 'Dat van die laarzen klopte wel, maar er zijn niet zoveel mensen die lieshoge veterlaarzen met hakken van vijftien centimeter dragen. Of latex bodysuits, corsetten of strings, nu we het er toch over hebben.'
'Dat ligt aan je kennissenkring,' zei Delko.
'Of aan wat je bereid bent te bekennen,' antwoordde Calleigh. 'Hoe dan ook, het ziet ernaar uit dat onze moordenaar een zwak voor latex heeft, dus ik wilde die scene maar eens gaan verkennen.'
'Is er een scene dan?' vroeg Wolfe.
'Meer een óbscene,' zei Delko. 'Vergeet die club op Lincoln Road niet te bezoeken.'
'O?' zei Horatio. 'Wil je iets met ons delen, Eric?'
Delko hield zijn handen afwerend omhoog. 'O, nee,' zei hij. 'De enige keer dat ik zoiets aantrek is als ik het water inga. Heb je enig idee hoe héét latex is?'
'Nee, Eric, dat heb ik niet,' zei Calleigh poeslief. 'Hoe heet is dat eigenlijk?'

Delko lachte. 'Het enige wat ik erover zal zeggen, is dat je hier in Miami de vochtigheid alleen al niet zou overleven. En de enige reden dat ik die club ken is dat er elke vrijdagavond genoeg mensen in PVC voor de deur staan om een complete condoomfabriek te kunnen bevoorraden.'
'Nee, ik ga rechtstreeks naar de bron,' zei Calleigh. 'Die zaak heet de Sintight Boutique en ze schijnen ook kleding op maat te maken.'
'Mooi zo,' zei Horatio. 'En Wolfe? Ik heb begrepen dat jij een ritje langs de kust gemaakt hebt?'
Wolf ging verzitten en steunde met zijn ellebogen op tafel. 'Dat klopt. Ik heb met een vrouw gesproken over een seksueel misdrijf dat drie maanden geleden heeft plaatsgevonden. Indertijd nam niemand het serieus vanwege de details van de zaak, maar volgens mij zou het onze zeemeerman wel eens kunnen zijn.'
'En wat zijn die details dan?' vroeg Horatio.
Wolfe aarzelde. 'Ze beweert te zijn aangevallen door een monster.' Hij gaf hun een kort verslag van zijn gesprek met Ellen Bartstow. Tegen de tijd dat hij uitgesproken was, lag er een vreemde uitdrukking op Delko's en Calleighs gezicht en zat Horatio te fronsen.
'Ja, hoor eens, ik weet ook wel dat het merkwaardig klinkt allemaal,' zei Wolfe. 'Maar het zou onze man kunnen zijn in een of ander kostuum. Latex wordt tenslotte ook gebruikt voor maskers en make-up.'
'Dat is zeker mogelijk,' zei Horatio. 'Maar dat is niet het probleem. Zei je dat die aanval zich afspeelde in de buurt van Verdant Springs?'
'Dat klopt.'
'En het monster had lange klauwen, een bultrug en een stekelvin op zijn hoofd?'
'Eh, ja,' zei Wolfe niet begrijpend. 'Hoe weet jij dat?'
'"Doctor Creepoid's Friday Night Fright-fest",' zei Calleigh teleurgesteld.
'Klopt. Daar heb ik hem ook gezien,' zei Delko. 'Man, wat liet die altijd een stel lelijkerds opdraven.'
'Waar hebben jullie het over?' zei Wolfe.
'Waar zij het over hebben,' zei Horatio zuinig, 'is de plaatselijke

beroemdheid van Verdant Springs. In de jaren vijftig is daar een B-film opgenomen die *Creature from the Deep* heette.'
'Binnenkort vieren ze daar het vijftigjarig jubileum,' zei Delko. 'Er komt een compleet festival met T-shirts, openluchtvertoningen van de film, de hele mikmak. En het monster dat jij beschreef is het evenbeeld van de ster van die film.'
'Dat jij die niet kent, verbaast me,' zei Calleigh. 'Hoorden wetenschap en sciencefiction in jouw jeugd niet onlosmakelijk bij elkaar?'
Wolfe fronste zijn voorhoofd. 'Ik mocht van mijn ouders nooit naar horrorfilms kijken. Na dat gedoe met die robot... nou ja, laat maar.'
'Heeft die vrouw er ook niks over gezegd?' vroeg Calleigh.
'Nee. Ik neem aan dat ze dacht dat het dan wel erg als een reclamestunt zou klinken.'
'Daar heeft het inderdaad wel veel van weg,' zei Horatio. 'Maar dat wil niet zeggen dat het niets te betekenen heeft. Jij bent degene die met haar gepraat heeft, Wolfe. Wat was jouw beroepsmatige indruk van haar verhaal?'
Horatio's ogen waren op Wolfe gericht en de jonge CSI'er merkte opeens dat dit voor alle ogen in de kamer gold. Hij wachtte even, slikte en zei toen: 'Ze vertelde de waarheid. Dat is het gevoel dat ze me gaf.'
'Oké dan,' zei Horatio. 'Verdiep je er maar verder in. Als onze zeemeerman drie maanden geleden voor het eerst is opgedoken in Verdant Springs zou het kunnen dat er een verband bestaat met de cinematografische versie.'
'Ik heb verder ook nog wat concreet bewijsmateriaal,' zei Wolfe. Hij vertelde hen over het badpak.
'Dat is makkelijk na te maken,' zei Delko.
'Maar toch,' zei Horatio. 'Laten we het met de andere klauwsporen vergelijken die we hebben en zien wat dat oplevert.'
Horatio leunde tegen de rand van de tafel, in de richting van zijn team. 'Goed. Wat we tot nu toe hebben is een moordenaar met een onderwaterfascinatie, een voorkeur voor latex en een wrok tegen de krijgsmacht. Wolfe, jij verdiept je verder in de zaak Verdant Springs. Calleigh zoekt door naar de bron van de latex en Delko, wij gaan

ons verdiepen in de ledenlijst van de DBA. We gaan al die leden stuk voor stuk grondig doorlichten.'

Horatio strekte zijn rug en zette zijn handen in zijn zij. 'Denk eraan: die vent is intelligent, heeft zich goed voorbereid en is sadistisch. Hij zal niet ophouden voor iemand hem tot stoppen dwingt. En dat, dames en heren, is precies wat wij zullen doen.'

De naam van de vrouw was Ingrid Ernst. Ze was ergens in de dertig, had een donker stekeltjeskapsel, een pezige bouw en een mager gezicht. Ze zat tegenover Horatio aan de verhoortafel en straalde een kille, starre haat uit die in tegenspraak was met haar bereidheid tot een gesprek. Horatio vermoedde dat ze graag de confrontatie zocht en hij deed erg zijn best haar dat genoegen te ontzeggen.

'Mevrouw Ernst,' zei hij en hij legde zoveel mogelijk rust en vriendelijkheid in zijn woorden als hij kon. 'Heel erg bedankt voor uw bereidheid om met ons te komen praten.'

'Beter dan geboeid hierheen gesleurd te worden,' zei ze ijzig. Haar Duitse accent, hoe minimaal ook, gaf haar woorden een extra scherp randje. Ze zat met haar armen over elkaar, waarbij haar handen haar onderarmen omklemden alsof ze wenste dat het pistolen waren.

'Dat doen we alleen met misdadigers,' zei hij. 'Ik heb niet de indruk dat u daaronder valt. Burgerlijke ongehoorzaamheid valt echt niet onder dezelfde noemer als stelen en moorden. Toch?'

'Natuurlijk niet,' snauwde ze. 'Maar mijn activiteiten zijn politiek van aard, wat betekent dat ik eraan gewend ben door de zittende macht gepest te worden...'

'Ik was dat in ieder geval niet van plan,' onderbrak hij haar vriendelijk. 'Het gaat ons trouwens ook niet om de Alliantie zelf.'

'Hoe bedoelt u? Waar hebt u het over?' wilde ze weten.

'Ik heb het over iemand die in bepaalde zaken iets te ver gaat, mevrouw Ernst. Iemand met een enorme woede tegen het menselijk ras. Iemand die zich onder water beter thuis voelt dan op het land, zo erg zelfs dat het een obsessie geworden is. Kent u zo iemand, mevrouw Ernst?'

Haar houding veranderde op slag. Ze lachte en leunde toen achterover. 'Ik ben Duits. Ik weet alles van obsessies. U zult wat preciezer moeten zijn.'
'Heel goed. Ik doel op een ongezonde obsessie die zich uit in geweldsdaden, om precies te zijn: moord en verkrachting.'
De cynische grijns op haar gezicht werd achterdochtiger. 'Moord en verkrachting? U moet wel heel wanhopig zijn om een vrouw over dat soort dingen te willen verhoren.'
'Vrouwen doen net zo goed mee aan de onsmakelijke praktijken,' zei Horatio. 'Maar uw geslacht doet voor mij minder ter zake dan uw achtergrond. Ik begreep dat u erin geslaagd bent uit de dierenrechtenorganisatie PETA gezet te worden. Dan moet u het wel bont gemaakt hebben.'
'Verf gooien naar leden van de jetset die bont dragen is iets voor naïeve kinderen,' zei ze. 'Dat heeft lang zoveel effect niet als een dode koe in je woonkamer.'
'Vooral niet in juli als de bewoners veertien dagen weg zijn,' zei Horatio. 'Maar nogmaals, daarvoor bent u niet hier. Ik begrijp dat u woede koestert jegens een bepaald segment van de samenleving... maar ik geloof niet dat die woede zich uitstrekt tot onschuldige jonge vrouwen.'
Horatio had een map voor zich op tafel liggen. Die sloeg hij nu open. Hij haalde er twee foto's uit en schoof die naar de andere kant van de tafel. Ze keek ernaar zonder een spier te vertrekken, maar Horatio zag dat haar ogen iets groter werden en haar adem heel even stokte.
'Degene die ik zoek is verantwoordelijk voor de dood van deze twee vrouwen,' zei Horatio. 'Hij heeft een erotische fascinatie voor de onderwaterwereld, koestert haat jegens de krijgsmacht, in het bijzonder het zoogdierenproject van de marine, en heeft een seksuele voorkeur voor latex. Ik heb goede reden te geloven dat hij deel uitmaakt van uw groepering. Als u me iets kunt vertellen, beloof ik dat dit strikt vertrouwelijk behandeld zal worden.'
'Denkt u dat iemand van de Alliantie hiervoor verantwoordelijk is?'
'Ik weet hoe sterk uw overtuigingen zijn, mevrouw Ernst, en ik denk dat alle leden van uw groepering dezelfde toewijding tot die

zaak koesteren. Maar jullie zijn ook maar gewoon mensen... en u moet zich toch, meer dan wie ook, goed bewust zijn van de wreedheid waartoe mensen in staat zijn.'

Even was ze stil en overdacht ze zijn woorden voor ze antwoordde. 'Dat zal best, maar van de andere kant weet je nooit hoe iemand vanbinnen is. Als een van mijn kameraden zoiets duisters in zich heeft, weet hij dat goed te verstoppen. Maar misschien ben ik niet de meest voor de hand liggende persoon om dat aan te vragen.'

'Waarom niet?'

'Vanwege mijn seksuele voorkeur voor vrouwen en die is bekend. Ik bewaar een zekere afstand tot de mannen in de groep en de meeste vrouwen bewaren een zekere afstand tot mij. En om uw volgende vraag vast te beantwoorden: ik heb momenteel geen liefdesrelatie met iemand van de groep.'

'O? En in het verleden?'

'Er zijn er wel één of twee geweest.'

'Is een daarvan dan wellicht dr. Nicole Zjenko?'

'Dat lijkt me niet relevant.'

'Misschien niet. Ik ben alleen op zoek naar gesprekspartners die dr. Zjenko goed kennen.'

'Aha! Dat zal geen lange lijst zijn. Zjenko is erg op zichzelf, altijd al geweest. Volgens mij is ze niet zozeer uit politieke overwegingen uit de groep gestapt, maar omdat niemand van ons onder water kon ademen.'

'Wat een merkwaardige bewering,' zei Horatio. 'Kunt u dat nader toelichten?'

'De meeste mensen zouden zich in zee niet zo erg meer op hun gemak voelen als daar de helft van hun ledematen opgeslokt was, maar Zjenko lag alweer in het water toen het verband er nog niet eens af was. Hebt u die hypermoderne nieuwe benen van haar gezien? Ze kan er geen stap mee lopen, maar dat kan haar niet schelen. Zo lang ze maar kan zwemmen, is ze gelukkig.'

'Aha. Dus dr. Zjenko had geen problemen met jullie methodes?'

'Zij wilde verandering, net als wij allemaal. En wat die methodes betreft...' Ze haalde haar schouders op. 'Ze is Russisch en ze is een

wetenschapper. "Minder theorie, meer praktijk" zei ze altijd.'
'De pragmatische benadering,' zei Horatio. 'Daar ben ik zelf ook niet onbekend mee.'
'Als het werkelijk uw bedoeling is om degene op te pakken die dít gedaan heeft,' zei ze, wijzend op de foto's, 'dan zijn we geen vijanden. Ik ben bij de Alliantie gegaan om een eind te maken aan leed en ellende; ik ben niet blind voor de pijn van anderen.' Ze keek hem spottend aan. 'Zelfs niet voor hen op twee benen.'
'Wilt u dan alstublieft uw ogen goed voor me openhouden?' zei Horatio. 'Ik vraag niet van u dat u de leden van uw groep bespioneert, alleen dat u waakzaam bent. Ik wil niet dat er nog meer doden vallen, mevrouw Ernst.'
'Wat dat betreft staan we aan dezelfde kant, meneer Caine.'

Het badpak dat op de verlichte tafel lag vertoonde drie parallelle scheuren dwars over de taille. Wolfe mat de afstand tussen twee van de scheuren en realiseerde zich toen dat hij zo geen accurate informatie kreeg; de stof was niet in de juiste mate opgerekt. Hij zocht in de voorraad etalagepoppen van het lab tot hij een vrouwelijke romp van ongeveer de juiste afmetingen te pakken had en trok die het badpak aan.
De afstand tussen de scheuren vertoonde een lichte variatie, maar als de klauwen aan vingers vastzaten was dat ook niet verwonderlijk. Vervolgens bestudeerde hij de stof door een microscoop, waarbij hem opviel dat de scheuren leken te zijn gemaakt met iets wat bijzonder scherp moest zijn geweest.
De tussenruimte tussen de sneden kwam overeen met de verwondingen op het lichaam van Janice Stonecutter.

Horatio bekeek de man tegenover hem aan de verhoortafel nauwlettend voor hij het woord nam. 'Meneer Torrence. Nu zitten we alweer tegenover elkaar.'
Malcolm Torrence keek hem met onverholen minachting aan. 'De enige reden dat ik hier ben,' zei hij, 'is omdat Anatoli het me gevraagd heeft.'
'Luistert u naar bevelen?' zei Horatio. 'Merkwaardig. Uit uw dossier

begreep ik dat u vroeger bij de marine helemaal niet zo bereidwillig was.'

'Ik heb geen problemen met het uitvoeren van bevelen. Het hangt er alleen van af wie ze geeft.'

'Aha. En hoe reageert u op vragen?'

'Vraag maar raak.'

'Laten we dan maar beginnen met waar u de afgelopen dagen geweest bent...'

Torrence's alibi was heel wat minder waterdicht dan dat van Kazimir – hij beweerde op de tijdstippen dat Cavanaugh en de Stonecutters vermoord waren alleen te zijn geweest – al bood hij wel aan de filmkaartjes te overleggen om te bewijzen waar hij geweest was.

'Ik ga graag in mijn eentje naar de middagvoorstelling,' zei hij. 'Het liefst naar twee films achter elkaar.'

'Lijkt mij zonde van een mooie dag,' zei Horatio.

Torrence snoof. 'Ik ga juist 's middags om de zon te ontvluchten. Veel te fel en veel te warm. Geef mij maar een lekker donkere bioscoop met airco.'

'Hm. Ik wil die kaartjes graag zien, meneer Torrence. Handig hoor, dat u die bewaard hebt.'

Horatio glimlachte. Torrence lachte niet terug.

Delko las zijn aantekeningen nog eens goed door voor hij het woord nam. 'Meneer Fjodor Djerzinski... spreek ik dat goed uit?'

'*Da*,' zei de man. Hij lachte Delko vriendelijk toe, terwijl hij plaatsnam en zijn ellebogen op tafel liet rusten. 'Ik ben graag bereid te helpen.'

'We stellen het zeer op prijs dat u wilde komen. Hoe lang bent u al lid van de DBA?'

De man wreef over zijn kin, terwijl hij over die vraag nadacht. Hij was achter in de veertig en had een knokig, vogelverschrikkerachtig uiterlijk. Hij had diepliggende ogen, een geprononceerde neus en zwart haar dat in een punt naar het midden van zijn voorhoofd liep.

'Ik werk ongeveer sinds 1999 fulltime voor ze,' zei hij. Zijn Engels was vlekkeloos met maar een heel licht Russisch accent.

'In welke hoedanigheid?'

'Public relations.'
'Dat lijkt me niet makkelijk.'
Fjodor haalde zijn schouders op. 'Een uitdaging, dat is zeker. Maar ik geloof in wat ze doen, dus ik doe het graag.'
'Zelfs als ze de wet overtreden?'
'Soms moeten wetten wel overtreden worden. Het was tenslotte vroeger ook legaal om slaven te houden.'
Delko wist dat hij zich niet moest laten verleiden tot een politiek debat, maar hij kon niet zwijgen. 'Vindt u dat slavernij en dierenrechten met elkaar te vergelijken zijn?'
'Nee, niet echt. We hebben slaven nooit afgemaakt om ze op te eten.'
Delko kon met moeite een antwoord binnenhouden. 'En dus laat u persberichten uitgaan en geeft u interviews en dat soort zaken?'
Fjodor knikte. 'Het is mijn taak om waar we voor staan aan de wereld te presenteren,' zei hij. 'Voor ik daar aan de slag ging, kon het Anatoli weinig schelen wat mensen van zijn organisatie dachten. Ik heb mijn best gedaan dat te veranderen.'
'Met succes?'
Fjodor lachte. 'Onze website wordt een paar duizend keer per maand bezocht. De mensen zijn al dat praten zat, ze willen actie.'
'Daar zou ik maar mee uitkijken,' zei Delko. 'Als er niet meer gepraat wordt, bent u werkeloos.'
'O, ik red me wel,' zei Fjodor op een toon die slechts licht geamuseerd leek.
Dat geloof ik graag, dacht Delko. Wat hem betreft waren pr-jongens net zuigvissen; ze vonden altijd wel een andere grote vis waar ze zich aan vast konden zuigen. 'Ik wil graag weten waar u op de volgende dagen geweest bent...'

Toen de gesprekken afgelopen waren, kwamen Horatio en Delko bij elkaar in de koffiekamer om hun bevindingen te bespreken. Delko schrokte een bagel naar binnen, terwijl Horatio zichzelf een kop koffie inschonk. 'En? Wat vond je ervan?' vroeg Horatio.
Delko kauwde en slikte voor hij antwoord gaf. 'Eens zien. De meeste leden die ik gesproken heb, hadden een stevig alibi. Ik moet

nog wat dingen natrekken, maar de enige die niet zoveel te bieden had was Djerzinski. Hij zegt dat hij al die tijd in zijn eentje gekampeerd heeft.'
Horatio ging tegenover Delko zitten en blies in de kop koffie om hem te laten afkoelen. 'Ja, zoiets had ik ook bij ene Malcolm Torrence. Hij zegt dat hij naar de film was, maar we weten allebei hoe simpel het is om een kaartje te kopen en weer weg te glippen.'
'Precies. Je moet er alleen voor zorgen dat het een film is die je al kent, zodat je daar later niet op gepakt kan worden. Ik neem aan dat het geen films over onderwatermonsters op rooftocht waren?'
'Nee, gewoon een stel comedy's en actiefilms.' Horatio nam een slok koffie en trok toen een gepijnigd gezicht.
'Gaat het wel, H?'
Horatio masseerde zijn slaap met zijn wijsvinger. 'Jawel, maar ik krijg altijd koppijn van het praten met fanatiekelingen.'
'Dat kan ik me voorstellen. Het lijken zulke redelijke, intelligente mensen tot ze opeens die blik in hun ogen krijgen.' Delko schudde zijn hoofd. 'Daarna zijn ze niet meer aanspreekbaar. Nou ja, je kunt het wel proberen, maar...'
'Dan wordt het minder een gesprek, en meer een redevoering,' zei Horatio. 'Objectiviteit is niet de sterkste kant van die gasten.'
'Natuurlijk ben ik voor dierenrechten,' zei Delko. 'Ik ben ook fel tegen wildklemmen of sleepnetten of het doodknuppelen van zeehondjes, maar ik zou nooit een bom gebruiken om mijn mening wereldkundig te maken.'
'Nou ja, de Alliantie heeft nog niemand gedood,' hield Horatio hem voor. 'Voor zover wij weten, tenminste. De vraag is wie van hun leden wellicht besloten heeft die laatste, fatale grens te overschrijden.'
'Precies. En het zal niet zijn laatste keer geweest zijn.'
'Nee, Eric,' zei Horatio zacht. Hij nam een flinke slok koffie. 'Dat weten we in ieder geval wel al. Wat we nog niet weten is waar, wanneer... of wie.'

11

Wolfe besefte dat als hij dóór het stadje Verdant Springs naar Eileen Bartstow gereden zou zijn, in plaats van erlangs, hij heel anders op haar verhaal gereageerd zou hebben. De gigantische, opblaasbare vissenman die boven het bedrijf van de plaatselijke autodealer bungelde had ontegenzeggelijk iets bekends.

En dat was niet de enige plaats waar het Zeemonster zijn opwachting maakte. Zijn uitpuilende ogen staarden je ook aan vanaf posters op de muur en vlaggen aan lantaarnpalen en van achter een etalageruit gaapte een hele rij pluche monstertjes Wolfe aan.

'Krijg nou... vinnen,' mompelde hij.

Hij parkeerde zijn auto, stapte uit en las wat er op een van de posters stond. Het was reclame voor het *Creature from the Deep*-festival, dat volgende week gehouden werd. Niet alleen werd de film dan dagelijks in de plaatselijke bioscoop vertoond, maar er zouden ook speciale 3D-voorstellingen komen, waarna er gelegenheid zou zijn voor het stellen van vragen aan acteurs uit de film die het festival zouden bezoeken. De bioscoop werd genoemd als het centrale informatiepunt voor het festival; Wolfe noteerde het adres en stapte weer in de auto.

Verdant Springs was niet groot: het had hooguit een paar duizend inwoners, een hoofdstraat met wat restaurantjes en bars, een middelgrote supermarkt, een paar boekwinkeltjes en één motel. Wolfe begreep waarom het stadje munt probeerde te slaan uit haar korte moment van glorie; alles wat ook maar een paar bezoekers zou trekken die geld wilde besteden aan eten, drank of vermaak was welkom, misschien zelfs hard nodig. Hij wou alleen dat hij niet de uitverkorene geweest was om zich bij dit alles voor schut te zetten.

De bioscoop was niet moeilijk te vinden. Het was een ouderwets bakstenen gebouw met een grote, Broadway-achtige luifel waarop in grote letters aangekondigd stond: BINNENKORT IN DIT THEATER:

CREATURE FROM THE DEEP FESTIVAL, met daaronder de data. Direct achter de deur stond een manshoge, gedetailleerde kartonnen versie van het monster dat potentiële bezoekers dreigend aankeek.
Hij stapte uit de auto en liep naar het loket. Daar zat niemand, maar achter het glas van de voordeur was een vrouw in een rood-wit gestreepte bloes zichtbaar die het rode tapijt van de lobby aan het stofzuigen was. Wolfe klopte tegen het glas tot ze opkeek en hield vervolgens zijn insigne tegen het glas.
Ze zette de stofzuiger uit, kwam naar de ingang en haalde de deur van het slot.
'Ik zou graag de organisator van het festival even willen spreken,' zei Wolfe.
De vrouw, een jonge Latina met een beugel, wierp hem een metalige lach toe en zei: 'Dat is goed. Dat is meneer Delfino. Ik zal even gaan zeggen dat u er bent.' Ze liep haastig weg en liet Wolfe alleen met als enig gezelschap het kartonnen monster.
Hij bekeek het nieuwsgierig. Het had een grote, kikvorsachtige bek die wijdopen stond zodat de rijen puntige tanden zichtbaar waren. Verder had hij uitpuilende zwarte ogen; op varenbladeren lijkende kieuwen die uit zijn nek staken; een stekelvin als een soort hanenkam op zijn hoofd; en zijn onderarmen, kuiten en rug waren eveneens met vinnen getooid. Hij had zwemvliezen tussen zijn vingers en tenen en lange klauwen aan zijn handen en voeten. Zijn borst en buik waren bedekt met elkaar overlappende schubben.
'Indrukwekkend, hè?' zei een stem achter hem. Toen Wolfe zich omdraaide, zag hij een kalende, dikke man met een bruine ribbroek en een blauw vest op zich afkomen. Toen hij Wolfe naderde stak de man zijn hand uit, die Wolfe schudde.
'Leroy Delfino,' zei de man. Hij had een breed, lachend gezicht, met een mond die bijna even groot was als die van het monster. 'En dat is natuurlijk het Zeemonster, oftewel Gilly, zoals wij hem graag noemen.'
'Ryan Wolfe, van het forensisch lab van Miami-Dade,' zei Wolfe. 'Ik vroeg me af of u misschien even tijd voor me hebt om over... nou ja, eigenlijk over Gilly te praten.'
Delfino lachte. 'Ik heb het eigenlijk nogal druk met de voorberei-

dingen voor het festival, maar daar kan ik altijd wel een gaatje voor vinden. Loopt u maar even mee naar mijn kantoor.'

Hij ging Wolfe voor door de lobby, een met rood tapijt beklede trap op naar een kamertje naast de projectiekamer. Daarin was net genoeg plaats voor een bureautje, twee stoelen, een waterkoeler en een dossierkast. Aan de muur hingen oude, fraai ingelijste filmposters die een bloederig en huiveringwekkend scala aan geweld beloofden van beroemde monsters, van Godzilla tot de Wolfman.

Delfino schoof met geoefend gemak in de stoel achter het bureau en vulde een mok in de vorm van de kop van het Zeemonster met water uit de koeler en vroeg Wolfe of hij ook wat wilde drinken. Wolfe sloeg het aanbod af en nam op de andere stoel plaats.

'Zo, en vanwaar uw belangstelling voor onze beroemde amfibie?' vroeg Delfino, die de mok in zijn worstvingers geklemd hield.

'Niet zozeer voor hem, maar voor de mensen met wie hij omgaat,' zei Wolfe. 'Eileen Bartstow, bijvoorbeeld.'

Hij was erg benieuwd naar Delfino's reactie. De man knipperde met zijn ogen en zuchtte vervolgens. 'Sodeju. Dat is... niet zo best.'

'Hoezo niet?' vroeg Wolfe neutraal.

'Luister, mevrouw Bartstow heeft niets met het festival te maken,' zei Delfino met nadruk. 'Ik heb het verhaal gehoord en ik vind het walgelijk.'

'Echt waar? Het leek me dat u wel in uw nopjes zou zijn met deze kans op gratis reclame.'

Delfino schudde zijn hoofd. 'Dat zal zij ook wel gedacht hebben. Of misschien dacht de vent die de aanval in scène gezet heeft dat wel. Ik heb geen idee. Het enige wat ik weet is dat het een stom plan was.'

'En wiens plan was het dan?'

'Ik zou het niet weten. Echt niet. Ik bedoel, het is toch ook niet logisch? Graancirkels maken nadat iemand beweerd heeft een UFO te hebben waargenomen of nepvoetafdrukken maken in het gebied waar Bigfoot rond zou wandelen, daar kan ik me nog wat bij voorstellen. Maar in dit geval gaat het om een film. Niemand heeft ooit beweerd dat het Zeemonster echt bestaat.'

'Eileen Bartstow wel.'

'Haar versie is niet eens correct. Ze zegt dat hij genitaliën had! Dat is... nou ja, dat klopt gewoon niet.'
Wolfe hoorde daarin het soort verontwaardiging doorklinken van een toegewijde fan die heeft moeten aanzien hoe de conceptuele integriteit van een hooggewaardeerd icoon is verkracht. 'Tja, misschien probeert iemand een millenniumversie van de grond te krijgen.'
'Weet u dat die gedachte ook bij mij opgekomen is?' zei Delfino. Hij sloeg een slok water achterover, zich blijkbaar niet bewust van de ironie van het omhulsel waar dat in zat. 'Om de zoveel jaar duiken er geruchten op over een remake en dit is inderdaad het soort stunt waar een studio toe in staat zou kunnen zijn. Maar al mijn showbizzcontacten zweren dat niemand met zoiets bezig is, en trouwens... waar is de pers dan? Het heeft de plaatselijke krant niet eens gehaald, hoe ongelofelijk dat ook klinkt. Ieders reactie was, nou ja, nogal gegeneerd, denk ik. Het is één ding om bekend te staan vanwege een prullige sciencefictionfilm, maar het is heel wat anders om te geloven dat je in die film wóónt.'
Wolfe moest toegeven dat daar wat in zat. De reden voor een publiciteitsstunt was publiciteit en niemand leek veel aandacht te hebben geschonken aan wat Eileen Bartstow was overkomen.
'Kunt u nog een andere reden bedenken waarom ze met dit verhaal is gekomen?' vroeg Wolfe.
'Ze is niet gek, als u dat bedoelt. In een klein stadje als dit kent iedereen elkaar en Eileen is net zo normaal als iedereen hier.'
'Wat zou het haar kunnen opleveren om zoiets te beweren?'
Delfino haalde zijn schouders op. 'Ze heeft geen bedrijf, dus ze leeft niet van het toerisme. Voor zover ik weet heeft ze niet geprobeerd haar verhaal aan iemand te verkopen, maar ze kan natuurlijk iets geregeld hebben waar wij niets vanaf weten. Als dat zo is, heeft ze het wel héél stil gehouden.'
Wolfe fronste zijn wenkbrauwen. Eileen Bartstow leek hem niet het type dat de publiciteit zocht. En dat had ze ook niet gedaan. 'Als zij niet degene is die het in scène heeft gezet, wie zou het dan wel gedaan kunnen hebben?'
Delfino glimlachte met spottend medelijden en wees met zijn duim naar zijn borst. 'Ik moet zeggen dat ik dan uw belangrijkste ver-

dachte ben. Ik organiseer het jaarlijkse festival, ik bezit allerlei souvenirs, ik kan zelfs de hele film opdreunen "Lieve hemel! Het is een soort vismens!" Maar als ik schuldig was, zou ik het heel anders aangepakt hebben. Ik zou er een internethype omheen gecreëerd hebben, interviews gegeven hebben, CNN hierheen geprobeerd hebben te halen, noem maar op. En míjn Gilly zou geen gigantische stijve penis gehad hebben.'
'Of vrouwen hebben aangevallen met messcherpe klauwen?'
Delfino keek verontrust. 'Hij heeft haar echt geprobeerd te verwonden, hè?'
'Volgens haar wel. Eerlijk gezegd heeft het alle schijn van een mislukte stunt. Iets wat op een bepaalde manier begon, maar heel anders dan bedoeld eindigde. Is dat wat er gebeurd is?'
Delfino keek hem aan. 'Hoor eens, ik zweer u dat ik geen idee heb wat er die avond in Poker Cove gebeurd is. Ik weet niet eens of er écht iets gebeurd is of niet. Het enige wat ik wel weet is dat ik er niks mee te maken heb.'
'Laten we zeggen dat ik u geloof,' zei Wolfe. 'En u lijkt niet te denken dat mevrouw Bartstow reden heeft om te liegen; als u onschuldig bent, wie blijft er dan nog over?'
Delfino dacht even na. 'Tja, normaal gesproken zou ik zeggen dat het alle schijn heeft van een studenten- of jongensgrap, maar ik weet het niet. Wat heeft zo'n grap voor zin als je hem niet opeist? En om alles zich onder water te laten afspelen, lijkt ook een tikje overdreven. Gilly is tenslotte een amfibie. Het zou een stuk makkelijker geweest zijn om het op het strand te doen.'
Tenzij het niet in scène gezet is, dacht Wolfe. Tenzij Eileen Bartstow toevallig op het verkeerde moment op de verkeerde plaats was... en onze zeemeerman besloot misbruik te maken van de situatie.
'Wie hebben er hier behalve u nog meer belangstelling voor eh... Gilly?' vroeg Wolfe.
'Nou, veel van de winkeleigenaars hebben belang bij hem: souvenirwinkels verkopen T-shirts, sleutelhangers... dat soort dingen. De plaatselijke snackbar verkoopt zelfs een Gillyburger, maar niemand is er echt zo mee bezig als ik. Daarvoor moet je in Miami zijn, bij de fanclub.'

'Dan zal ik daar maar eens heen gaan.'
Delfino gaf hem de naam van de voorzitter en contactinformatie. Wolfe bedankte hem voor zijn hulp en stond op.
'Eén momentje nog,' zei Delfino en hij deed een la open waarin hij begon te rommelen. 'Ah, hier heb ik hem.' Hij haalde een plastic poppetje tevoorschijn van het Zeemonster, een centimeter of twintig hoog en van doorschijnend groen plastic. Hij gaf het aan Wolfe. 'Neemt u dit maar mee.'
'Ik mag geen geschenken aannemen,' zei Wolfe.
'Zo moet u het ook niet zien,' zei Delfino met een grijns. 'Meer als een visuele referentie aan uw verdachte.'
Wolfe liep naar beneden, stapte in zijn auto en hing het poppetje aan zijn achteruitkijkspiegel. 'Oké, junior,' zei hij tegen de kop met de uitpuilende ogen. 'Laten we maar eens op zoek gaan naar je grote broer.'

Wolfe vond hem een uur later in Miami-Noord, in de afdeling SCIENCEFICTION KLASSIEKERS van een in film en dvd gespecialiseerde zaak. Tien minuten later zat Wolfe met een koptelefoon op en een glas ijswater bij de hand in een café en liet hij de dvd in de lade van zijn laptop glijden. Het geroezemoes van de gesprekken om hem heen vervaagde al snel toen de dreigende, dreunende orkestmuziek aanzwol als het geluid van de vloed.
Creature From the Deep was in zwart-wit gefilmd, wat op de een of andere manier juist iets toevoegde in plaats van dat het een tekort was: een gevoel van dreiging, van naderend onheil, of misschien alleen maar de historische plechtstatigheid van iets uit een ander tijdperk. Zoals zoveel monsterfilms was de plot eenvoudig: de mens had het ecologische evenwicht van de leefomgeving van het Zeemonster verstoord en als gevolg daarvan was het uit de wateren waar het leefde omhooggekomen om zich te wreken. Wolfe worstelde zich door het trage begin heen, de uiteenzettingen van de 'wetenschappers' die de premisse van de film voor de kijkers aannemelijk moesten maken, de presentatie van het standaard liefdeselement en de vereiste humor.
Maar zodra de film afdaalde in het domein van het Zeemonster

werd alles anders.
De film was vooral opgenomen in Verdant Springs vanwege de bronnen waarnaar het stadje was genoemd; die maakten het water kristalhelder waardoor de omgeving, zelfs zonder kleur, op het scherm tot leven kwam. Het zwart-wit maakte het nog buitenaardser, alsof de vissen en het bijna lichtgevende koraal werden betoverd door de maan van een verre planeet.

Horatio bestudeerde zijn spiegelbeeld terwijl hij wachtte. Een groene murene kwam aan de andere kant van het glas aanzwemmen en staarde hem aan. Zijn bek vol vlijmscherpe tandjes ging open om water langs zijn kieuwen te pompen.
'Ha, vriend,' zei Horatio. 'Hoe is het daar? Onlangs nog psychopaten tegengekomen?'
Hij kreeg geen antwoord. Horatio hoopte meer succes te hebben met zijn contactpersoon.
Afspreken bij het zeeaquarium van Miami was niet Horatio's idee geweest, maar Emilio Augustino had altijd al een merkwaardig gevoel voor humor gehad. Horatio vermoedde dat dit een direct gevolg was van het feit dat hij voor de internationale inlichtingendiensten werkte; Emilio beweerde dat hij een Cubaan was, maar hij sprak vloeiend Russisch, Duits, Pools en Tsjechisch. Er gingen veel geruchten over hem: dat hij een ex-KGB-er was, een mol voor de CIA, dat hij een uit de gratie geraakte vertrouweling van Castro zelf was. Of dat nou waar was of niet, hij had toegang tot informatie uit Cubaanse bronnen waar Horatio zelf niet aan kon komen... en hij was Horatio nog een wederdienst schuldig.
Hij kwam prompt een paar minuten te laat: een lange man met zwart haar in een felgele broek en een wijd, witlinnen overhemd; hij droeg een zwarte, dichtgeritste aktetas onder de arm. Met een verblindende lach liep hij op Horatio toe en schudde hem de hand.
'Meneer Caine, het is me weer een genoegen.'
'Fijn dat je kon komen, Emilio,' zei Horatio. 'Ik hoop dat het niet te veel moeite was?'
Emilio haalde zijn schouders op. 'Moeite? Dat lijkt te veel op werk en zoals je weet probeer ik dat zorgvuldig te mijden. Nee, door een

hoogst merkwaardige reeks toevallige omstandigheden kwam de informatie waar jij om vroeg me gewoon in de schoot vallen. Ik zat op dat moment net koffie te drinken en had me bijna gemeen gebrand.' Hij schudde het hoofd en keek treurig. 'Maar ja, jij bent dan ook de geluksvogel van ons tweeën. Dat krijg je natuurlijk, als je hele carrière steunt op het ongeluk van anderen.' Het was niet duidelijk of hij daarmee op Horatio of op zichzelf doelde maar Emilio was in ambiguïteit gehuld, zoals anderen in een cape.
'Dan betuig ik je mijn diepste medeleven,' zei Horatio met een glimlach. 'Ik hoop dat dit drama waaraan je maar net ontsnapt bent de kwaliteit van de informatie niet heeft aangetast.'
'Dat denk ik niet. Mijn bron, die weliswaar nogal ongrijpbaar is, is altijd uiterst betrouwbaar.' Hij ritste de zwarte tas open en trok er een stapeltje papier uit. 'Ik zal uiteraard niet informeren naar de reden waarom je dit wilde weten.'
'En ik zal uiteraard niet vragen waar je het vandaan hebt,' zei Horatio en hij pakte de papieren aan. 'Ik zou je graag willen bedanken voor je hulp, maar...'
'... Maar aangezien ik niets van enig belang gedaan heb, zou je dankbaarheid van geen enkele betekenis zijn.'
'Het is bijna alsof we hier helemaal niet geweest zijn,' zei Horatio. 'Sterker nog, ik voel mijn herinnering aan deze non-gebeurtenis al tijdens dit gesprek vervagen.'
'Misschien moeten we dan nu maar afscheid nemen, anders zijn we straks zoveel vergeten dat we hier als twee vreemden alleen nog maar ongemakkelijk tegen elkaar staan te zwijgen.'
'Dat zou gênant zijn. Vooral in aanwezigheid van al die vissen.'
'Precies, de vissen. Goedemiddag, meneer Caine.'
'Tot ziens, Emilio.'
De man draaide zich om en liep weg. Horatio ging op een bankje zitten en begon de papieren te lezen. 'Kijk eens aan,' zei hij na een paar minuten tegen zichzelf. 'Dat ziet er interessant uit.'

De film verraste Wolfe meer dan eens.
Het Zeemonster zelf was inderdaad een gedenkwaardig monster, moest hij toegeven. Het zag er volslagen buitenaards uit en tegelij-

kertijd helemaal op zijn plaats in zijn omgeving, zoals dat wel vaker gold voor de bewoners van de diepzee. De film speelde zich grotendeels onder water af en zowel de fotografie als de choreografie waren zo fraai dat je af en toe eerder het gevoel had naar een documentaire te kijken dan naar een speelfilm.
En hij was echt eng.
Niet op de duveltje-uit-een-doosje manier die tegenwoordig in de meeste horrorfilms gebruikt werd maar door een traag, geleidelijk opgebouwd voorgevoel dat er zich net buiten beeld iets gruwelijks bevond: de lange klauwvingers van het Zeemonster die traag uit een kolkende wolk zwarte inktvisseninkt tevoorschijn reikten; zijn geschubde gelaat met de piranhabek, bijna onzichtbaar achter een waterval.
Het meest angstaanjagend waren misschien nog wel de naaktscènes van de hoofdrolspeelster. Ze was zorgvuldig van beneden af gefilmd terwijl ze in een maanverlichte baai zwom, waardoor alleen haar silhouet zichtbaar was. Op dat moment verscheen het Zeemonster. Hij zwom met haar mee, imiteerde al haar bewegingen in een spookachtig waterballet dat ontegenzeglijk even opwindend was als dreigend. De scène eindigde zonder dat hij haar daadwerkelijk had aangeraakt, maar zijn verlangen dat te doen was overduidelijk.
Tot dat moment was het monster alleen in het water te zien geweest. In de daaropvolgende scène kwam hij aan het oppervlak en strompelde hij – duidelijk gedreven door begeerte – aan land, om daar meteen neer te vallen terwijl hij naar zijn borst greep en naar adem hapte. De kieuwen in zijn nek sperden zich open. Traag kolkte er water uit, waarna ze zich weer sloten, terwijl hij daar bewegingloos bleef liggen.
Er gingen een paar tellen voorbij. Opeens openden de kieuwen zich weer, maar dit keer stroomde er geen water uit, alleen lucht, met een sissend geluid. Ze sloten zich weer en gingen open, vonden een ritme. Het monster krabbelde op, paste zich aan zijn nieuwe omgeving aan en strompelde vervolgens op onwennige benen verder, op zoek naar zijn nieuwe liefde.
'Vergeet het maar, vriend,' mompelde Wolfe. 'Ze zwemt in een heel

andere genenpool dan jij, om maar eens iets te noemen...'
Toen hij besefte wie de eerste mensen waren die het monster op zijn weg zou vinden, kreunde Wolfe bijna hardop. Waarom noemen ze het eigenlijk een vrijerslaantje, dacht hij. Het was altijd de eerste plaats waar de slechteriken naartoe gaan. Ze konden het beter een moordenaarslaantje noemen.
Het jonge stel dat hun auto onder de bomen geparkeerd had, was zich niet bewust van het naderend onheil en wisselde snedige opmerkingen uit het preseksuele revolutietijdperk uit. De camera filmde de scène vanuit het standpunt van het naderende monster.
Wolfe sperde zijn ogen open. Zijn vinger schoot naar voren en drukte een toets in, waardoor het beeld stilstond.
Vanaf het moment dat hij erachter was gekomen dat hij achter een monster uit een film aan zat, had hij een gespannen knoop in zijn maag. Die knoop verdween nu en werd vervangen door de verwachtingsvolle kriebels die hij altijd kreeg als er een doorbraak in een zaak zat aan te komen ...

Het dossier dat Emilio Augustino voor Horatio opgespoord had, was een vertaalde versie van het sovjetlegerdossier van dr. Nicole Zjenko.
Ze was direct na de val van de muur naar Amerika geëmigreerd; daarvoor was ze een in de mariene biologie gepromoveerde gevechtsduiker geweest. Volgens het dossier had ze verder ervaring met explosieven, inlichtingenwerk en wapenprogramma's waarbij dieren werden ingezet.
Dus, aangenomen dat het sovjetprogramma vergelijkbaar was met dat van de marine, wist ze veel meer over dolfijnsoldaten dan ze beweerde. En haar inlichtingenachtergrond riep nog meer vragen op. Hoe meer Horatio te weten kwam over Nicole Zjenko, des te minder hij haar ware agenda begreep. Was ze een dolfijnenonderzoekster met een militair verleden, een ontstemde ex-dierenrechtenactiviste, of een sovjetsaboteur die de marine probeerde te ondermijnen?
Hij staarde naar de glazen wand van het enorme aquarium voor hem. Het bevatte drie miljoen liter water waarin het wemelde van

de tropische waterdieren: cobia's, zaagbaarzen, karetschildpadden. Groengetinte marmeren zuilen op de bodem wekten de indruk alsof de vissen door de overblijfselen van een verzonken stad uit de oudheid zwommen.
Horatio vroeg zich af, zoals hij dat wel vaker deed tijdens een onderzoek, of de moordenaar op deze zelfde plaats naar ditzelfde beeld had zitten kijken. En terwijl hij zich dat afvroeg, probeerde hij zich voor te stellen wat er op dat moment door zijn hoofd zou zijn gegaan.
Zijn hoofd. Of het hare.

Tegen de tijd dat de aftiteling van de film over het scherm rolde, wist Wolfe heel wat meer dan ervoor. Het eerste en belangrijkste daarvan was dat Eileen Bartstow niet gelogen had… maar dat ze ook niet helemaal de waarheid had gesproken.
Hij besloot haar te gaan vragen waarom.
Ze deed de deur al open voor de bel klaar was met de eerste vier maten van *Raindrops*; ze droeg een versleten blauwe kamerjas en sloffen.
'Meneer Wolfe' zei ze aarzelend. 'Ik ging net… komt u binnen.'
Dat deed hij, maar deze keer ging hij niet op de stoel zitten die ze hem aanbood. 'Dit hoeft niet lang te duren,' zei hij. 'Ik wilde u alleen even laten weten dat ik me verder verdiept heb in uw zaak.'
'En?' vroeg ze met enige berusting in haar stem.
'Er zijn een paar dingen die u niet vermeld heeft in uw verhaal.'
Ze staarde hem een paar tellen aan en toen verscheen er een boze, veelbetekenende blik in haar ogen. 'O, ik snap het al. De grap wordt alleen nog maar leuker, als je hem goed voorbereidt. Om daarna met een uitgestreken gezicht de clou te komen brengen.'
'Wat?'
'Oké, laat mij maar dan,' zei ze. 'Gaat u me vertellen dat het een beetje lastig bleek om een huiszoekingsbevel te krijgen voor het kluisje van Davy Jones? Of misschien hebt u geprobeerd vingerafdrukken af te nemen bij de verdachte, maar kon u geen watervaste inkt krijgen? Gaat uw gang, ik ken ze allemaal al.'
Hij fronste zijn voorhoofd. Toen haalde hij zijn insigne tevoorschijn

en hield haar dat voor. Ze keek er achterdochtig naar, maar kwam niet van haar plaats.
'Hier,' drong Wolfe aan. 'Alstublieft.'
Ze zuchtte en nam het insigne van hem aan.
'Bekijk het maar goed,' zei Wolfe. 'Denkt u dat het niet echt is? Een speelgoeddingetje?'
Ze onderwierp het aan een onderzoek, woog het in haar hand. 'Nee,' zei ze met tegenzin. 'Ik denk het niet.'
'Je voordoen als politieagent is een zware overtreding,' zei Wolfe. 'Ik ben een echte diender en ik neem mijn werk serieus. Ik ben hier niet om een of andere grap uit te halen. Om eerlijk te zijn ben ik hier om uit te vinden of u mij niet voor de gek hebt zitten houden.'
Ze gaf hem zijn insigne terug en zei: 'Liegen tegen de politie is ook een zware overtreding. Geloof me, dat heb ik al vaak genoeg te horen gekregen. Oké, dus we menen het allebei serieus.'
'Waarom hebt u dan niet tegen me gezegd dat uw aanvaller een verbluffende gelijkenis vertoonde met het filmmonster waarmee dit stadje bekend geworden is?'
Ze kneep haar ogen tot spleetjes. 'Bedoelt u het monster dat iedereen kent? Het monster waarvan de kop in elke etalage en op elke straathoek te bewonderen is?'
'Dat monster bedoel ik, ja.'
'Weet u, datzelfde heb ik me over u afgevraagd,' zei ze. 'Eerst dacht ik dat u eindelijk iemand was die me serieus nam, maar toen ik er nog eens over nagedacht had, besefte ik dat u me waarschijnlijk alleen maar naar de mond gepraat had. Alsof u bang was dat ik over de rooie zou gaan als u zou opperen dat mijn aanvaller niet echt bestond. Dat, of u moet uw hele leven wel onder de grond hebben doorgebracht, als u niet herkende wie ik had zitten beschrijven.'
Wolfe voelde een blos over zijn gezicht trekken. 'Dat er wat gaten zitten in mijn kennis van culturele zaken, betekent nog niet dat ik een holbewoner ben,' zei hij.
Ze keek hem onderzoekend aan en lachte toen. 'U meent het echt,' zei ze. 'Kende u hem echt niet?'
'Toen ik u de vorige keer sprak nog niet,' zei hij. 'Dat komt door

mijn overbezorgde ouders en door *Reader's Digest.*'
'Pardon?'
'Laat maar.' Hij grinnikte en schudde zijn hoofd. 'Het enige wat ik er nog over kwijt wil is dat ik na ons gesprek op onderzoek ben gegaan en dat ik mijn culturele database heb bijgewerkt tot minimaal halverwege de twintigste eeuw.'
Ze lachte. 'Vooruit dan maar. Betekent dit dat u me toen wél serieus nam, en nu niet meer?'
'Nee,' zei Wolfe. 'Het betekent dat ik u steeds serieus genomen heb en dat ik, als ik straks in Miami terugkom, niet meer de enige zal zijn.'

Horatio bleef nog een tijdje door het zeeaquarium ronddwalen. Hij lette niet echt op zijn omgeving; hij had even tijd nodig om te verwerken wat hij zojuist te weten was gekomen en als hij terug op het lab kwam, zouden er weer andere dingen zijn aandacht opeisen. Hier kon hij zichzelf verliezen in de koele schemer van de overdekte collectie, te midden van anonieme groepen toeristen en schoolkinderen. Op het laatst was hij toch buiten terechtgekomen, op een van de bruggen die naar de kinderspeelplaats leidden. Hij boog zich over de leuning en keek naar beneden, in het algenrijke water van de betonnen gracht. Die was in 1955 gebouwd en vormde een van de eerste attracties van het aquarium: het Haaienkanaal. Snoeken en verpleegsterhaaien, sommige wel meer dan honderd kilo zwaar, zwommen lui rondjes door hun cirkelvormige habitat. Horatio wist dat ze rond voedertijd een stuk meer energie toonden. Dan gooiden de verzorgers van het aquarium brokken rauw vlees in het water, waarmee ze het soort waanzin ontketenden waarvan de meeste mensen in het wild nooit getuige zouden zijn. Je moest naar Discovery Channel kijken tijdens de Week van de Haai om dat soort taferelen te zien te krijgen, of bij de dvd-winkel op zoek gaan naar *Jaws.* Of, bedacht Horatio, terwijl hij naar de kleuters keek die gillend rondrenden en op de klimrekken speelden, terwijl de monsterlijke roofdieren op een paar meter afstand door het water gleden, je kon besluiten een eigen productie op touw te zetten...

12

South Beach, zo ontdekte Calleigh, leek wel een speelplaats voor volwassenen met ADHD; hoe kleurig en glimmend het speelgoed ook was, steeds moest er weer iets nieuws bij om te voorkomen dat iemand zich zou gaan vervelen. De nachtclubs en restaurants, vooral die aan Ocean Drive en Collins Avenue, leken continu aan verandering onderhevig; er werd verbouwd, het interieur werd vernieuwd of er werd van eigenaar gewisseld. Iedereen concurreerde met iedereen om de nieuwste, de hipste, de meest trendy club van Miami te hebben.

Toch waren er, ondanks de voortdurende wisselingen, algemenere kenmerken die minder snel veranderden zoals het feit dat bepaalde bedrijven de neiging hadden op een kluitje bij elkaar te gaan zitten. Bars met een homoseksuele klantenkring zaten vaak dicht bij elkaar; restaurants die gespecialiseerd waren in een bepaalde keuken zaten in elkaars buurt.

Washington Avenue liep parallel aan de langs het strand gelegen Ocean Drive, met twee straten ertussen. Er zaten veel chique nachtclubs, eethuisjes en hotels, maar het was er niet allemaal glamour wat de klok sloeg; het gedeelte waar Calleigh naar op weg was, toonde een duidelijke voorkeur voor erotische boekwinkels, stripclubs en seksvideotheken.

De Sintight Boutique lag tussen een herenclub en een parkeergarage in. De gevel was van rode baksteen en boven de zware houten deur met een fraaie, koperen klink hing een roze neonreclame. Ze trok de deur open en liep naar binnen.

Het interieur van de winkel was lang en smal met aan het eind een breder gedeelte. Over de hele lengte van de muur rechts van haar stond een glazen vitrine en aan de muur links van haar hingen van de grond tot aan het plafond allerlei soorten koopwaar. Rails met spotjes in verschillende kleuren zorgden voor gerichte verlichting als eilandjes van licht die uit de diepe schaduwen op het plafond

tevoorschijn sprongen.
De man achter de toonbank zat op een hoge houten kruk een boek te lezen. Hij was ergens in de twintig en had een leren broek en een zwart zijden overhemd aan. Zijn haar was kort, bruin en verzorgd en hij had een kleine, Mefistoachtige snor en sik. Aan weerszijden van het sikje, net onder zijn onderlip, staken twee zilveren kegeltjes tevoorschijn, die verchroomde horentjes leken op het hoofd van een klein, harig duiveltje.
Hij keek op toen ze binnenkwam, maar zei niets, nam haar alleen met een neutrale blik op. Ze ving zijn blik op en glimlachte, waarop hij terugglachte en 'hoi' zei. Zijn stem was diep en een tikje geamuseerd, alsof haar binnenkomst de clou van een uitgebreide grap was die hij haar nu zou gaan uitleggen.
'Hallo,' zei ze terug. Even aarzelde ze en voelde zich enigszins uit haar evenwicht gebracht. 'Ik ben Calleigh Duquesne, forensisch rechercheur voor Miami-Dade. Ik heb met de eigenares gesproken, ene mevrouw Keller?'
'Ja, Cynthia heeft me verteld dat u langs zou komen. Ze is er nu niet,' zei de man. 'Ze werd onverwacht door een klant gebeld met een kledingnoodgeval.'
'O. Wanneer verwacht u haar weer terug?'
'Dat maakt niet uit,' zei hij en hij legde het boek weg. 'Cynthia heeft me verteld waarvoor u kwam. Ik kan al uw vragen beantwoorden.' Hij liet zich van de kruk glijden, maar kwam niet dichterbij. 'Als dat wat u betreft ook goed is.'
'Ik hoop het,' zei Calleigh. 'Ik wil een paar dingen weten die niet in de theorieboeken te vinden zijn. Als ik de antwoorden op het internet zoek, stuit ik op het tegenovergestelde probleem: daar is te veel informatie en die richt zich hoofdzakelijk op het verkeerde type detail. Ik heb iemand met ervaring nodig om mijn vragen te kunnen beatwoorden.'
'Ik geloof dat ik wel aan die eis voldoe,' zei hij. 'Ik ben Archer. Mag ik uw insigne even zien?'
'Natuurlijk,' zei ze. Ze haalde het van haar riem en kwam wat dichterbij zodat hij het beter kon zien. Hij bestudeerde het aandachtig zonder het aan te raken, maar op de een of andere manier voelde de

hele verrichting veel persoonlijker dan anders.
Hij keek op en zocht haar ogen weer. De zijne waren donkerbruin, bijna zwart, met lange wimpers. 'Dank u,' zei hij. 'Ik heb nogal wat namaak exemplaren gezien.'
'Ik kan u verzekeren dat de mijne het echte werk is,' zei ze. Het klonk lichtelijk gepikeerd en ze maande zichzelf in stilte kalm te blijven. Het was belangrijk de touwtjes in handen te houden bij een gesprek, anders kreeg je nóóit te horen wat je gesprekspartner liever niet kwijt wilde.
'Dat zag ik wel,' zei hij. 'Hij is een stuk indrukwekkender dan de exemplaren die wij te koop hebben.'
'Verkoopt u insignes?'
'Geen echte, natuurlijk. Puur als accessoire voor rollenspelen.'
'Aha.' Het was niet echt van belang voor het onderzoek, maar ze kon het toch niet nalaten te vragen, 'Komt dat veel voor?'
'Mensen die zich verkleden als politieagent? O, ja. Maar het vrouwenuniform gaat een stuk harder dan het mannenpak.' Hij legde zijn hand plat op de toonbank en sprong vervolgens met de soepele gratie van een turner naar haar kant.
'Pardon,' zei hij en hij stak zijn arm voor haar langs uit naar een kledingrek dat tegen de muur stond. Hij trok een hangertje met een outfit tevoorschijn en hield dat voor haar omhoog. Het kostuum bestond uit een kort zwart rokje, netkousen, een blauw uniformhemd met een insigne op de borstzak, een spiegelzonnebril en een donkerblauwe pet.
'O ja, dat kregen we standaard uitgereikt op de Academie,' zei Calleigh. 'Je moest alleen wel voor je eigen hoge hakken zorgen.'
Hij glimlachte. 'Accessoires vormen altijd het duurste onderdeel. Je bent meer kwijt aan een setje goede handboeien dan aan een heel kostuum.'
'Gelukkig heb ik die al. Bedankt,' zei Calleigh. 'Al heeft u vast een fraaie sortering.' Ze voelde zich meteen belachelijk na die woorden, maar hij leek dat niet op te merken.
'En wat brengt u hierheen?' vroeg hij beleefd.
Ze knipperde met haar ogen. 'Rubber,' zei ze. Ze had al meteen spijt van die formulering, maar ze had het nu eenmaal gezegd en het

woord bleef tussen hen in hangen als een gigantisch, opgeblazen condoom.
'Wat wilt u daarover weten?' vroeg hij met een stem die even neutraal was als wanneer ze hem een vraag over belastingen gesteld had. Tja, natuurlijk vindt hij het heel normaal, dacht ze. Hij werkt hier tenslotte. Hij krijgt dit soort vragen de hele dag van mensen. Hij heeft waarschijnlijk wel eens vreemdere vragen gehad dan wat ik te bieden heb.
'Eigenlijk is het specifieker dan dat. Ik wil meer weten over latex, vanuit het oogpunt van de eindgebruiker.'
Zijn wenkbrauwen gingen nauwelijks merkbaar een eindje omhoog. 'De eindgebruiker?'
'Ik bedoel niet als voorbehoedmiddel,' zei ze. 'Dat is niet het soort latex, of eind... ik bedoel, eindgebruiker is meer een vakterm... wat ik zoek is kinkier. Pff.' Ze viel stil, haalde diep adem en vervolgde: 'Mag ik even opnieuw beginnen?'
Hij lachte weer, waardoor zijn kaarsrechte, witte tanden en puntige hoektanden zichtbaar werden. 'Graag. Ik kan niet wachten op wat er nog meer komt.'
Ze ademde langzaam uit. 'Oké. Ik ben met een onderzoek bezig naar een zaak waarin het bewijsmateriaal in de richting wijst van iemand met een seksuele voorkeur voor latex. Zoals in fetisjkleding; in metallic blauwe Supatex om precies te zijn, een soort latex die u als enige in Miami verkoopt.'
'Aha. Loopt u maar even mee.'
Hij draaide zich om en liep naar het achterste gedeelte van de winkel. Calleigh staarde hem een seconde lang na, dwong haar ogen toen omhoog en volgde hem.
Achter in de winkel was een brede en veel grotere ruimte met rekken vol kleding langs de muren, manshoge spiegels met vergulde sierranden en een aantal etalagepoppen op een verhoogd podium in het midden. Twee vrouwelijke poppen, een in het uniform van een schoolmeisje en de ander in een verpleegstersjurk van glimmend wit PVC, stonden aan weerskanten van een mannenpop met leren beenstukken en een vest van leer. Alle drie staarden ze met lege blikken omlaag naar een lange tafel waarop een vierde figuur lag waar-

van de polsen en enkels vastgebonden waren aan de vier tafelhoeken. Het gezicht van die pop werd aan het oog onttrokken door een gasmasker. Voor de rest was ze gehuld in een latex pak, inclusief capuchon, handschoenen en laarzen. Pas na een tijdje besefte Calleigh dat de pop ook nog gevangen zat onder een dun laagje transparant plastic dat strak om alle rondingen gewikkeld zat.
'Zo te zien bent u haar vergeten uit de verpakking te halen,' zei Calleigh.
'Dat heet een vacuümbed,' zei Archer. 'Met een pomp zuig je er alle lucht uit waardoor degene eronder lekker strak ingepakt zit.'
'En het gasmasker is om stikken te voorkomen.'
'Precies. En als je aan breathcontrol doet, kun je het gebruiken om de hoeveelheid zuurstof te regelen die je speelkameraadje krijgt.'
'Je mag het ouderwets van me vinden, maar ik beschouw lucht niet als een facultatieve bijkomstigheid.'
'Dit is ook niet voor het grote publiek,' zei Archer. 'Veel mensen voelen zich alleen tot het modegedeelte aangetrokken. We verkopen veel latex en PVC. Hij wees naar de muur rechts van hem, waar glimmende, hoofdzakelijk zwarte kleding twee boven elkaar geplaatste lange rekken vulde. 'Rood wordt na zwart het meest verkocht en daarna wit. We hebben een paar stukken in roze, paars en doorschijnend. Naar blauw is niet zoveel vraag.'
'Maar u verkoopt het wel?'
'O, ja. Die tint wordt vooral gebruikt voor maatkleding.'
Hij trok een leren gordijn opzij waarachter een kamertje schuil bleek te gaan. Er lagen verschillende rollen stof op rekken aan de muur, er stond een kniptafel en een naaimachine. 'Het meeste maatwerk doen we hier,' zei hij.
Calleigh liep langs hem heen het kamertje in. Ze boog zich over een van de rollen en bestudeerde die; hij was van een glimmend, bijna iriserend soort blauw en deed denken aan de schubben van een vis.
'Dit lijkt me wat ik zoek,' mompelde ze. 'Mag ik misschien een stukje hebben ter vergelijking?'
'Neem maar mee,' zei Archer. 'Latex is een interessante substantie. Als natuurlijk polymeer is het een van de weinige rubbermengsels die zowel vloeibaar als uitgehard niet toxisch zijn.'

Calleigh knipperde met haar ogen. Had hij dat echt gezegd, vroeg ze zich af, of was ze terechtgekomen in een of andere mooie dagdroom?
'Afgezien van het allergieprobleem natuurlijk,' vervolgde hij. 'Ze hebben nog steeds het verantwoordelijke eiwit niet kunnen identificeren, maar ik heb begrepen dat de hoofdverdachte er een met een moleculair gewicht van 14.600 is.'
Ze kwam overeind, draaide zich om en wierp hem een achterdochtig lachje toe. 'Nou, nou. U bezit wel heel veel kennis voor een medewerker van een sekswinkel, meneer Archer.'
'Gewoon Archer. Of meneer Bronski, als u daar de voorkeur aan geeft.'
'Hm. Het klopt in ieder geval helemaal. Latex is een opmerkelijke substantie. Bent u van alle materialen in de winkel zo goed op de hoogte?'
'Ik weet wel het een en ander. Ik ben nieuwsgierig van aard en heb een goed geheugen. Net als latex, trouwens. Dat heeft ook een goed geheugen; het kan tot zijn oorspronkelijke vorm terugkeren zonder enige vervorming. Alleen tijdens het vulkaniseren krimpt het wel, tussen de drie en vier procent. De latexmoleculen polymeriseren door bruggen te vormen tussen zwavelmoleculen, waarbij ze geleidelijk aan steeds harder worden tot het een van de sterkste rubbers wordt dat er is. En een van de gevoeligste.'
'Hoe bedoelt u dat precies?' vroeg ze, terwijl ze een monsterenvelop uit haar tas haalde.
'Het kan tot duizend procent van zijn lengte in rust uitgerekt worden, maar het beschadigt wel snel. Oliën, ozon, zelfs ultraviolet licht kunnen het aantasten. Dat is een van de redenen dat we het hier zo donker houden.'
Calleigh keek om zich heen en pakte toen een schaar van de tafel om er een hoekje af te knippen. 'En ik maar denken dat het voor de sfeer was.'
Hij haalde zijn schouders op. 'Het publiek dat wij bedienen stelt een beetje theater wel op prijs. Niemand wil fetisjkleding kopen bij het licht van tl-buizen en een bord met UITVERKOOP in grote oranje letters.'

'Ik denk dat ik er daarom ook moeite mee heb,' zei Calleigh, die de envelop met het stukje latex dichtplakte en in haar tas liet glijden. 'Ik bedoel, de mensen die het moeilijkst serieus te nemen zijn, zijn toch de mensen die eisen dat je dat doet.'
Dit keer was zijn lach meer een grijns. 'Dat is waar. En geloof me, niemand probeert wanhopiger serieus genomen te worden dan een honderd kilo zware vrouw die zich in een strakke bodystocking probeert te hijsen.'
'O? Dus u lacht uw klanten achter hun rug uit?'
'Helemaal niet; ik probeer juist een evenwicht te bewaren. Kinky kleding zonder humor is als mensen die dansen zonder muziek. Dat heeft iets absurds en zinloos.'
'Het kijken of het dansen?'
'Ik ben zelf meer een danser dan een toeschouwer... en u?'
'Ik... denk dat ik liever toekijk,' zei ze met een glimlach. 'Observeren is tenslotte mijn werk.' Ze legde een lichte nadruk op dat laatste woord.
Hij pikte de hint welwillend op. 'Van kijken kun je ook het een en ander leren.'
'Net als van het stellen van vragen,' zei ze. 'Bijvoorbeeld: houden jullie een lijst bij van de mensen voor wie jullie kleding op maat maken?'
'Niet echt.'
Ze fronste haar voorhoofd. 'Hoezo "niet echt"?'
'Ondanks het feit dat de fetisjcultuur steeds meer geaccepteerd wordt, is het voor sommigen van onze klanten nog steeds een gevoelig onderwerp. Potentieel chantagemateriaal zelfs. We houden dus geen officiële lijsten bij met namen en adressen van mensen.' Hij legde net zoveel nadruk op 'officiële' als zij op 'werk' gelegd had, maar de uitdrukking op zijn gezicht was strijdlustig. Uitdagend eerder...
'Dus als er geen lijst is, zou een huiszoekingsbevel weinig uithalen,' zei ze. 'Een bevel van de rechter om bijvoorbeeld jullie computerbestanden in beslag te nemen en te doorzoeken.'
'Dat zou pure tijdverspilling zijn, ben ik bang. Als er al vertrouwelijke informatie bestond, zou een intelligent persoon die nooit in de computer of ergens in het pand zelf bewaren.'

'Nee, dat lijkt me eigenlijk ook niet,' zei ze. 'Hij zou het op een veilige, maar toegankelijke plaats bewaren, zoals een e-mailaccount. Helaas zijn ook e-mailaccounts te traceren.'
'Niet als je een beetje handig bent en de juiste voorzorgsmaatregelen installeert.'
'Automatische bestandsverwijdering? Je staat versteld als je hoort wat wij nog van een gewiste harde schijf weten te halen.'
'Ook als de hardware in Singapore staat?'
Ze zuchtte. 'Oké, oké. Ik kan u dus niet dwingen die informatie over te dragen.'
'U kunt niet eens bewijzen dat die informatie bestáát.'
Ze kneep haar ogen tot spleetjes. 'Beweren dat ik iets niet kan bewijzen is een vergissing,' zei ze.
'Sorry,' zei hij. Ze zocht zijn gezicht af naar sporen van spot, maar hij leek het te menen.
'Nou, goed,' zei ze. 'Hoor eens, ik vind het prijzenswaardig dat u de privacy van uw klanten probeert te beschermen, maar ik probeer mensenlevens te beschermen. Het is heel goed mogelijk dat we met uw informatie een moord zouden kunnen voorkomen.'
Nu was het zijn beurt om haar vorsend aan te kijken. Een tijd later knikte hij. 'Weet u, veel mensen hebben een erg negatief beeld van de fetisj-scene; ze denken dat iedereen die zich overgeeft aan extreme seksuele gedragingen niet deugt of niet gezond is. Het is dezelfde houding die vroeger ook heerste ten opzichte van homoseksualiteit. Maar ik zie deze mensen dagelijks. Oké, sommigen zijn wel lichtelijk gestoord, maar de meeste zijn heel gewone mensen. Ze willen hun keuzes aan niemand opdringen, ze willen alleen maar spélen.'
'Ik vel ook geen moreel oordeel...'
Hij stak zijn hand in de lucht om haar tot zwijgen te brengen.
'Weet je wat het belangrijkste element van kinky seks is? Niet een zweep, een ijzeren ketting of een leren mondknevel, maar vertróuwen. We mogen graag spelen met tuigjes en zwepen en verkleedkleren, maar dat gebeurt allemaal alleen maar als de betrokkenen zich veilig genoeg voelen om dat soort risico's te nemen. Je moet iemand vertrouwen om je door hem te laten vastbinden of je pijn te laten

doen of zelfs om je in een bepaalde outfit te durven vertonen. Vertrouwen is iets dat in deze gemeenschap heel serieus genomen wordt... en ik ben een van die mensen die ze elke dag weer moeten kunnen vertrouwen.'
'Ik begrijp het,' zei ze. 'Ik heb dezelfde houding tegenover mijn werk.'
'Het kleinste beetje informatie is al heel riskant. Als u de informatie zou krijgen die u zoekt, zou die niet langer alleen van u zijn. Hij zou deel gaan uitmaken van het onderzoek. En als het eenmaal zo ver is, hebben allerlei andere mensen er ook toegang toe. Mensen die misschien minder welwillend staan tegenover degenen die mij hun vertrouwen hebben geschonken.'
Hij wilde haar helpen. Calleigh voelde het, las het in zijn ogen, in zijn open houding, maar ze wist ook dat hij het alleen zou doen als ze hem de een of andere garantie kon bieden.
'De informatie die ik zoek is heel specifiek,' zei ze behoedzaam. 'Het gaat vrijwel zeker om een mannelijke klant die een op maat gemaakt kostuum heeft gekocht van metallic blauwe Supatex. Zoveel klanten van u zullen toch niet aan dat profiel beantwoorden?'
'Vertrouwen draait om meer dan alleen vragen en ontvangen,' zei hij zachtjes. 'Het is een uiterst persoonlijke uitwisseling. Ik weet wat u nodig hebt... maar wat hebt u mij te bieden?'
Ze keek hem strak aan. 'Wat hebt u nodig?'
Hij lachte, maar het was een bedachtzaam lachje, niet hitsig. 'Goede vraag. Ik denk dat ik vooral behoefte aan geruststelling heb, maar ik zal me er nog op moeten beraden in welke vorm die gegoten dient te worden.'
Ze zuchtte. 'Oké. Ik zal u mijn e-mailadres geven. Als u een besluit genomen hebt, mag u contact met me opnemen.' Ze haalde een kaartje tevoorschijn en hield hem dat voor, maar het gleed uit haar vingers en kwam terecht op de in plastic gehulde etalagepop in het rode latexpak. Calleigh bukte zich om het op te rapen, maar terwijl ze dat deed, zag ze dat de borst van de pop op en neer ging.
Ze schoot overeind en besefte toen pas dat twee ogen haar kalm aankeken van achter het gasmasker. 'Dat... dat is een mens,' zei ze.

'Ja,' zei Archer. 'De meeste mensen ondergaan het vacuümbed het liefst naakt, maar zij kickt op rubber; hoe meer lagen, des te beter.'
'Is dat... is dat een service van de zaak?'
Hij grinnikte. 'Niet echt. Latex is nogal prijzig en daarom bood zij aan om een aantal uren als levende etalagepop in de winkel te gaan liggen. In ruil daarvoor mag ze het pak houden. Eerlijk gezegd pakt die regeling voor haar heel wat gunstiger uit dan voor ons: zij kan op die manier haar fantasieën werkelijkheid laten worden én ze krijgt kwaliteitswaar gratis.'
'Is het dan niet handiger om een pop te gebruiken?'
Hij haalde zijn schouders op. 'Ze is een van ons... samen sterk, zoiets.'
'Gemeenschapszin.'
'Ja,' zei hij alleen maar.
Ze gaf hem het kaartje en hij nam het aan. 'Ik laat binnenkort van me horen, dat beloof ik,' zei hij.
'Oké.' Ze had het gevoel dat als Archer Bronski iets beloofde, hij zijn belofte zou houden. En dat hij datzelfde terugverwachtte.

Dr. Nicole Zjenko gaat zwemmen.
In deze omgeving voelt ze pas echt dat ze leeft, voelt ze zich thuis. Ze heeft een groot deel van haar leven onder water doorgebracht en door de verwantschap die ze met de bewoners van die wereld voelt, lijken haar relaties met mensen maar onhandig en vaag. Ze is toch al nooit zoals sommigen dat zeggen 'een mensenmens' geweest. Ze heeft haar best gedaan niet uit de toon te vallen, vriendschappen aan te gaan en romances te beleven – met beide seksen – maar ze heeft altijd moeite gehad aansluiting te vinden. Het lijkt wel alsof de lucht te ijl is om de bedoeling van haar woorden te kunnen overdragen, alsof de ruimte tussen haar en de rest van de mensheid een vacuüm is, een doodse leegte die niet overbrugd kan worden. Ze heeft het wel geprobeerd, maar elke brug die ze bouwt gaat uiteindelijk altijd weer in vlammen op door het vuur van haar woede.
Maar onder water zijn er geen vlammen, alleen koel blauw en wazig groen, alleen stille uitgestrektheid. Zelfs de roofdieren hier zijn gestroomlijnd en sierlijk, eerder kunstwerken dan biologische schepsels.

Dit is haar natuurlijke omgeving, dit is haar thuis.
Ze is immers zelf ook een roofdier.
Ze heeft haar vaardigheden opgedaan bij een Spetsialnoye Nazranie, *een eenheid met een speciale missie, die was toegevoegd aan een sovjet-marinedivisie die zich bezighield met het trainen van dolfijnen en witte dolfijnen die als wapen moesten fungeren. Ze is getraind in alle aspecten van het gevechtsduiken, van onderwaterexplosieven tot het bedienen van kleine, korteafstandsonderzeeërs die tot doel hebben duikers naar hun doelwit te brengen. Indien nodig heeft ze maar een paar seconden nodig om uit het water op te duiken, de keel van een wachtpost door te snijden en weer onder te duiken, met minder geluid dan een steentje dat over het wateroppervlak gekeild wordt.*
Althans, dat kón ze, voor ze haar benen kwijtraakte.
Nu is haar overgang van het water naar het droge een traag en onhandig proces. Ze kan zich zonder technologie niet in deze wereld bewegen, noch zichzelf hoog genoeg tillen zodat de mensen niet steeds op haar neerkijken. Nu is ze aan één stuk door kwaad; zelfs de diepten van de Atlantische Oceaan zijn niet genoeg om het vuur in haar binnenste te doven.
Vreemd genoeg is ze niet kwaad op de tijgerhaai die haar rechterbeen boven de knie afrukte en daarna terugkwam voor het andere. Die deed alleen maar waar hij voor gemaakt was, waar miljoenen jaren van evolutie hem voor hadden toegerust. Door haar benen te verslinden was ze opgenomen in een ingewikkelde levensketen; het was een overgangsrite geweest, waar ze zich diep vereerd door had gevoeld. Ze had geen verlies geleden waardoor ze gehandicapt geraakt was: ze had een kans gekregen, een mogelijkheid tot transformatie. De kans om meer te worden dan alleen maar een mens.
En die had ze gegrepen.
De enkels van haar protheses konden in een gebogen positie van zeventig graden vastgezet worden, waardoor haar bewegingsvrijheid onder water groter was dan eerst. Haar nieuwe benen konden niet bloeden, ze kon geen kramp krijgen, ze was immuun voor blaren, voetschimmel en zelfs voor botbreuk. Koolstofvezelcomposiet was sterker en lichter dan bot, en het gebogen ontwerp kon vijfennegentig procent van de energie die ze erin stak opslaan en gebruiken.

Dat was de tweede fase van haar transformatie geweest. Die had er onvermijdelijk toe geleid dat ze verdere veranderingen was gaan overwegen. Veranderingen in haar waarden, in haar carrière, in hoe ze zichzelf zag. Haar fysieke vorm was veranderd en haar leven paste niet meer bij haar. Haar nieuwe vorm vroeg om andere prioriteiten, nieuwe behoeftes... of misschien waren die toch niet zo nieuw als ze dacht. Misschien waren ze even oud als de drang die door het achterhoofd van een haai speelde, even oud als de behoefte aan jagen en doden en eten. Of misschien waren het helemaal geen primitieve driften, maar meer iets dat was geëvolueerd: een gevoel van verantwoordelijkheid, van plicht. De morele plicht van een nieuwe levensvorm die hoger ontwikkeld was dan de kibbelende, zelfzuchtige apen waar hij van afstamde. Een levensvorm die begreep dat de oceaan het levensbloed van de planeet vormde... en dat bloed aangetrokken werd door bloed. Dat bloed om bloed vroeg.

Ze laat zich over de rand van de boot het water in glijden. Het latex pak dat ze aan heeft, is een heel bijzonder ontwerp; in de bult op haar rug zit een rebreather ingebouwd waardoor ze langere tijd onder water kan blijven en ook het mondstuk en de luchtslangen – alle externe technologie – zijn ingebouwd. Alles zit verborgen onder een laag glimmende blauwe latex, die nu haar tweede huid vormt. Haar benen zijn niet haar enige protheses: het met oog voor detail gemaakte masker, de vinnen die uit haar ledematen steken, de handschoenen met de vlijmscherpe mesjes in de vingertoppen, allemaal maken ze nu deel van haar uit. En de kunstmatige fallus die grotesk uit haar kruis naar voren priemt is meer dan een symbool: het is een wapen dat haar op haar beurt straf laat uitdelen, door degenen die de zee verkrachten nu zelf te verkrachten...

'Nee...' mompelde Horatio. 'Alleen de vrouwen werden verkracht. En waarom dan dat uitgebreide decor met die auto?'

'Sorry, dat ik me ermee bemoei, H,' zei Wolfe, die in de deuropening van Horatio's kantoor stond. 'Maar ik denk dat ik daar het antwoord op weet.'

Horatio duwde zijn stoel van zijn bureau af en stond op. 'Sorry, ik zat een mogelijk scenario door te denken. Wat zei je over die auto?'

'Kijk hier maar eens naar.' Wolfe overhandige Horatio een uitge-

printe foto. 'Dit is een vergroting van een stilstaand beeld uit de film *Creature From the Deep*.'
Op de zwart-witfoto waren twee tieners te zien op de voorbank van een auto, in de schaduw van een paar bomen. Hoewel het kennelijk 's nachts gefilmd was, herkende Horatio de auto meteen: een Chrysler 300C uit 1957, hetzelfde merk en model als waarin het lichaam van Janice Stonecutter gevonden was.
'Heel goed, Wolfe,' zei Horatio met een glimlach. 'Ik begrijp dat je reisje langs de kust de moeite waard is geweest.'
'Eileen Bartstow heeft haar verhaal niet verzonnen. Ze is aangevallen door iemand in een exacte replica van het kostuum uit de film, die zo realistisch was dat ze het idee had door een echt monster te zijn aangevallen.'
'Inderdaad,' mompelde Horatio, terwijl hij de foto bekeek. 'Dus het scenario dat onze zeemeerman probeert na te spelen is cinematografisch en niet historisch. Heb je nog andere overeenkomsten gevonden?'
'Nou, de baai waar Bartstow is aangevallen, is een van de plaatsen waar scènes uit de film zijn opgenomen, maar dat is nog niet alles. Herinner je je de neponderzeeër nog waar die ketting aan vastzat? In de film komt een scène voor waarin het Zeemonster een marineonderzeeër aanvalt, waarna die zinkt.'
'Wat betekent dat we dat ding aan een nauwkeuriger onderzoek zullen moeten onderwerpen. Daar zal ik Delko op zetten.' Horatio greep naar zijn mobiel.
'Eh, H?'
'Ja?'
'Mag ik dat doen?'
Horatio keek hem aan, klapte de telefoon dicht en grijnsde. 'Ga je gang. Maar blijf niet te lang nagenieten van je succes...'

De e-mail lag op Calleigh te wachten toen ze naar het lab terugkeerde:

Beste mevrouw Duquesne,
Ik heb uitgebreid over uw verzoek nagedacht. Ik realiseerde me dat mijn grootste zorg niet uitgaat naar het doorgeven van vertrouwelijke informatie; u bent onmiskenbaar intelligent genoeg om uw bronnen geheim te houden als de situatie daarom vraagt.
Ik maak me meer zorgen om uw houding. Ik hoop dat u dat niet als een belediging op zult vatten. U bent mij tijdens ons gesprek met het grootst mogelijke respect en uiterst beleefd tegemoet getreden. Zolang dat zich tot louter hypotheses beperkt lijkt u bereid zich onbevooroordeeld op te stellen, zoals dat een wetenschapster en onderzoekster betaamt. Maar alternatieve vormen van seksualiteit vormen een onderwerp waarover je niet zonder hartstocht kunt praten; hartstocht is zelfs de essentie ervan.
Uw reactie op R's aanwezigheid in het bed was behalve eerlijk ook ontmoedigend. Het is verwarrend om met een ongewone seksuele situatie geconfronteerd te worden, vooral wanneer die onverwacht is. Toch weet u, als zoeker naar kennis, natuurlijk ook dat één enkel geval moeilijk een representatieve steekproef genoemd kan worden en ik zou het erg vervelend vinden als u uw toekomstige meningen voortaan op dat ene voorbeeld zou baseren.
Daarom zou ik u graag willen uitnodigen uw ervaringskennis uit te breiden door een cultureel evenement bij te wonen, louter als toeschouwer, niet als deelnemer. De nachtclub Szexx organiseert wekelijks een fetisjnacht; alle experimenteel aangelegde mensen zijn welkom, maar de meeste bezoekers zijn vooral in rubber en latex geïnteresseerd.
Normaal gesproken zijn toeschouwers niet welkom. Het is een feest van gelijkgestemden, geen aquarium, maar ik denk dat het belang van het vergroten van het begrip van een overheidsambtenaar zwaarder weegt dan de bezorgdheid over mogelijk voyeurisme. Passende kleding is vereist, maar die hoeft niet onthullend of kostbaar te zijn. Er zullen ook medisch fetisjisten aanwezig zijn, dus een eenvoudige labjas over uw dagelijkse kleren kan volstaan.
Ik hoop dat u op deze uitnodiging zult ingaan in dezelfde geest waarin die u wordt verstrekt. Als u dat doet, zal dat niet alleen aantonen dat u mijn gemeenschap zonder vooroordelen en achterdocht

tegemoet kunt treden, u zult er ook kennis opdoen waarvan ik zeker weet dat die voor u van onschatbare waarde zal blijken. Deze informatie kunt u, dat beloof ik u, meteen verwachten zodra u mij laat weten dat u komt.
Met vriendelijke groet, Archer Bronski

Calleigh las de mail twee keer over. Toen drukte ze met een zucht op 'beantwoorden'.
'Wat ik niet allemaal doe voor mijn werk,' mompelde ze.
Ze vroeg zich af waar ze een stethoscoop zou kunnen lenen.

13

De stapel roestig, halfvergaan metaal op de vloer van de CSI-garage vertoonde weinig gelijkenis met een onderzeeër. Horatio stapte er langzaam omheen met zijn handen in zijn zij, terwijl hij zich probeerde voor te stellen hoe dat alles er op de bodem van de zee bij moest hebben gelegen.

Delko, die een overall aangetrokken had, knielde naast de wrakstukken neer en nam maten die hij in zijn PDA noteerde.

'Ongelofelijk, dat ik dit niet gezien heb,' mompelde Delko.

'Je hoeft je echt niet schuldig te voelen, Eric,' zei Horatio. 'Het ziet er uit als doodgewoon afval, afval dat daar duidelijk al heel lang heeft gelegen.'

'Niet zo lang als je zou denken,' zei Delko chagrijnig. 'Ik heb gekeken hoe dicht de aanwas van zeepokken en zeewier is en ik denk dat het niet meer dan een paar maanden op de bodem gelegen heeft. De corrosie van het oppervlak heeft me om de tuin geleid, maar ik denk dat het al zo verroest was toen het gedumpt werd.'

'Het heeft weinig zin kwaliteitsmateriaal te gebruiken als je project toch bedoeld is voor de zeebodem.'

'De klinknagels zijn nieuw, maar voor de rest komt alles waarschijnlijk van de schroothoop.'

'Misschien dezelfde plaats waar hij ook die vaten vandaan had om de auto op te laten drijven.'

Delko knikte. 'Zou kunnen.'

'Ik zal je verder met rust laten, dan kun je aan de slag.'

Horatio was het liefst gebleven en had zijn handen graag zelf vuil gemaakt, maar hij wist dat Eric zichzelf op het moment wel kon schieten en elke hulp van zijn baas nu als een motie van wantrouwen zou opvatten. Als hij hem nu alleen liet, zou hij zich met dubbele overgave op zijn taak storten en dat zou, daar twijfelde Horatio niet aan, zeker iets opleveren.

Ik zou hem erop kunnen wijzen dat hij degene was die Janice

Stonecutters laatste boodschap ontdekt heeft, dacht Horatio, maar een beetje gekrenkte trots kan helemaal geen kwaad. Hij hield die gedachte dus voor zich.
Horatio nam de lift naar de volgende verdieping, waar hij even binnenwipte bij Wolfe en Calleigh in het computerlab.
'Hoe ver zijn we, mensen?'
'Ik ben aan het controleren welke duikers met vergunning een militaire achtergrond hebben,' zei Wolfe.
'Ligt dat niet meer in Erics straatje?' vroeg Horatio voorzichtig.
'Die is nog wel even bezig,' zei Wolfe met een grijns. 'Ik heb dit maar even van hem overgenomen.'
Calleigh zuchtte. 'Aangezien ik niet over het benodigde testosteron beschik, blijft er voor mij helaas niks anders over dan gewoon mijn werk te doen.'
Horatio glimlachte en knikte kort. 'Een beetje competitie kan geen kwaad. En waar ben jij dan wel mee bezig?'
Ze zweeg even en kleurde een beetje. 'Ik zit te wachten op antwoord van een... bron. Met, je weet wel... informatie.'
'Oké. Ik neem aan dat dit te maken heeft met de herkomst van die latex?'
'Ja, mijn contactpersoon was wat terughoudend, maar ik denk dat ik hem wel heb kunnen overhalen om zijn medewerking te verlenen.'
'Dat klinkt goed. Zou je, terwijl je zit te wachten, iets voor me willen doen?'
'Tuurlijk, H.'
'Kun je kijken of je dat cyrillische symbool dat op Janice Stonecutter is aangetroffen ergens mee in verband kunt brengen; militaire zaken of duiksport? Ze vond het tenslotte belangrijk genoeg om het in haar huid te kerven; het was haar allerlaatste handeling, dat mogen we niet vergeten.'
Ze knikte. 'Natuurlijk. Ik ga meteen aan de slag.'
'Mooi. Ik zit op mijn kamer... naar een film te kijken.'
Wolfe en Calleigh keken elkaar aan.
'Ik zie namelijk niet in,' zei Horatio, 'waarom alle pleziertjes voor de heer Wolfe gereserveerd zouden moeten blijven.'

'Man, man, man, wat zijn er veel scubaduikers in Florida,' zei Wolfe. Hij onderdrukte een geeuw. 'Sorry, hoor.'
'Hm,' zei Calleigh afwezig, terwijl ze naar haar scherm staarde. 'Zeg Ryan, ken jij toevallig een nachtclub met de naam Szexx?'
'Klinkt wel bekend. Zit die niet aan Lincoln? Ik ben er nooit geweest, maar ik kom er wel eens langs. Hoezo?'
'O, niks. Iemand had het erover. Misschien moet ik daar maar eens een kijkje gaan nemen.'
'Al wat gevonden op het cyrillische front?' Wolfe kwam achter zijn computer vandaan en rekte zich uit.
'Veel Russische websites, waarvan de meeste porno of Viagra willen slijten of me willen voorstellen aan alleenstaande vrouwen uit Wladiwostok. Tot nu toe nog niets wat relevant lijkt. En bij jou?'
'Zoals ik al zei zijn er een hoop scubaduikers in Florida, evenals militairen en ex-militairen; volgens mij geniet elke nog levende veteraan sinds Korea hier van zijn pensioen.' Wolfe schudde zijn hoofd. 'We kunnen onmogelijk iedereen op deze lijst controleren; we moeten het in zien te perken.'
'Heb je er al ledenlijsten van milieugroepen naast gelegd?'
'Die ledenlijsten zijn niet openbaar. Dan zouden we een gerechtelijk bevel nodig hebben en ik denk niet dat er een rechter is die ons bij elke ecologische groepering in de staat zal laten binnenvallen, alleen maar omdat wij denken dat een van hun leden misschien wel een psychopaat zou kunnen zijn.'
'Nee,' zei ze, 'maar we kunnen misschien wel ergens anders toegang toe krijgen. Iets minder achtenswaardigs dat een veel kleiner terrein bestrijkt.'
'Wat dan?'
Ze sloeg in snel tempo een paar toetsen aan. 'In veel nachtclubs zijn thema-avonden populair. Ze vragen een dj om een bepaalde muzieksoort te draaien, of ze doen een sponsorevenement of iets met sponsorproducten. Het draait allemaal om doelgroepen voor specifieke markten en zoiets kun je niet organiseren zonder te adverteren.'
Wolfe leunde over haar schouder en bekeek het scherm. 'Dus?'
'Dus hebben die clubs adressenlijsten om hun clientèle op de hoogte te brengen van toekomstige activiteiten. Als onze man een

latexliefhebber is, is hij niet alleen een seriemoordenaar, maar past hij ook nog in een ander hokje.'
Wolfe knikte. 'Klinkt logisch. Het is vast een stuk simpeler om een huiszoekingsbevel te krijgen voor zo'n pervers clubje dan voor de milieubescherming.'
Calleigh keek hem fronsend aan. 'Zullen we afspreken dat we het een thema-avond noemen?'
'Hè? Heb ik iets politiek incorrects gezegd dan?'
'Waarschijnlijk wel.'
'Hoe moet ik ze dan noemen? Rubberseksuelen? Mensen die zich graag in een levensgroot condoom hijsen?'
'Hoor eens, het zijn ook maar gewoon mensen. Een voorkeur voor latex zegt al net zo weinig over iemands misdadige neigingen als "Wayne" als tweede naam hebben.'
'Oké, oké, sorry. Soms flap ik er wel eens wat uit zonder eerst na te denken.'
'Geeft niet, maar hou het in gedachten.'
'Doe ik. Wacht eens even…'
'Toch interessant, vind je ook niet? Die Wayne-kwestie?'
'Dat is de website van Szexx. De club waar je me naar vroeg.'
'John Wayne Gacy, Elmer Wayne Henley; er is een vent die op het internet een hele lijst bij elkaar gezocht heeft…'
'De club waarvan je zei dat je er maar eens moest gaan kijken.'
'Naar verluidt is dat omdat ze allemaal een overdreven macho vader hadden die hen naar John Wayne vernoemde en hen als kind mishandelde, maar dat is alleen maar een theorie…'
'Hm. "Stuiter en knijp: een fetisjavond voor liefhebbers van latex, uniformen en leer". Interessant.'
Calleigh draaide zich langzaam om naar Wolfe en keek hem aan. Haar glimlach bevroor. 'Ryan,' begon ze poeslief, 'weet jij hoeveel vuurwapens ik bezit?'
'Eh… nee.'
'Zou je een gokje willen wagen?'
'Eh… heel veel?'
'Correct. Zou je willen weten hoeveel ik er nodig heb om jou het leven heel, heel lastig te maken?'

Hij slikte. 'Hoeveel?'
'Niet een,' zei ze. Ze draaide zich weer om.
'Oké,' zei hij. 'Dus... dus jij denkt dat we wel een bevel kunnen krijgen voor de inbeslagname van het adressenbestand van Szexx?'
'Dat hangt ervan af,' zei ze. 'Ik hoop dat het niet nodig zal zijn.'
'Zit je nog steeds te wachten op je tipgever van het latexfront?'
'Ja. Als hij niet snel met iets op de proppen komt, zal ik het agressiever moeten gaan aanpakken.'
'In dat geval heb ik medelijden met je bron.'

Delko bestudeerde zorgvuldig alle kanten van elk stukje roestig, gecorrodeerd metaal. Hij verwijderde een van de klinknagels en bekeek die; hij nam maten, fotografeerde werktuigsporen op de plaats waar het metaal was doorgezaagd en nam monsters voor een metaalanalyse.
Niets.
De klinknagels waren heel gewone exemplaren. Het plaatmetaal was goedkope tin waarop heel gerieflijk geen serienummers stonden. Hij zou wat de werktuigsporen betreft misschien kunnen bewijzen dat ze van één bepaald stuk gereedschap afkomstig waren, maar dan moest hij dat gereedschap wel eerst hebben.
Hij keerde terug naar het stuk dat hij meteen al meegenomen had van de vindplaats, de nepperiscoop. Hij deed het hele proces nog eens over, met hetzelfde resultaat: het was een doodgewone loden pijp.
Het probleem was dat alles al een tijd onder water had gelegen. Geen jaren, zoals hij eerst dacht, maar lang genoeg om alle mogelijke vingerafdrukken of andere sporen op het aan het water blootgestelde oppervlak door de zee te laten wegspoelen.
Opeens bedacht hij iets. Hij boog zich voorover en bekeek een van de naden waar twee stukken plaatmetaal aan elkaar geklonken zaten. Dat gold natuurlijk wel voor de aan het water blootgestelde oppervlaktes, maar hoe zou het zitten met de stukjes ertussen?
Voorzichtig zaagde hij alle nagels door tot hij twee stukjes plaat van elkaar kon trekken. Inderdaad was er een smal strookje metaal waar de stukken elkaar overlapten en dat onaangetast leek door het zoute water.

Hij demonteerde het hele geval en bestudeerde toen elke millimeter. Hij vond niet de vingerafdruk waar hij op gehoopt had, maar wel iets anders. Iets wat hij herkende.

Geachte mevrouw Duquesne,
Hierbij de informatie waar u om vroeg. Ik vrees dat u er minder aan zult hebben dan u gehoopt had, maar ik verzeker u dat dit echt het enige is wat ik voor u heb. Sommige van onze klanten zijn nog terughoudender dan ikzelf en als deze persoon verdacht wordt van een misdrijf heeft hij des te meer reden om zijn identiteit te verhullen.
De enige naam die hij verstrekt heeft, is 'DeVone'. Hij heeft zelf zijn maten genomen, wat niet ongebruikelijk is, en die aan ons gemaild. Hij is hier maar een keer zelf geweest, toen hij de bestelling kwam ophalen. Hij heeft contant betaald.
Ik moet bekennen dat ik aan de materiaalkeuze meteen herkende naar wie u op zoek moest zijn. Vanwege zijn geheimzinnige gedrag had ik al aangenomen dat hij zich in een kwetsbare positie bevond, mogelijk vanwege publieke belangstelling, en dat privacy daarom belangrijk voor hem was. Ik kan u slechts een heel oppervlakkige beschrijving geven: hij had de hele tijd dat hij hier was een zonnebril op en een pet. Hij was ongeveer een meter tachtig en had kort bruin haar. Aan zijn maten te zien zou ik zeggen dat hij slank gebouwd is, maar zijn kleren waren te wijd om dat uit de eerste hand te kunnen bevestigen. Hij droeg een baard waarvan ik vrijwel zeker weet dat die vals was. Hij liep een beetje vreemd, alsof allebei zijn knieën stijf waren.
Helaas heeft hij zijn maten en het ontwerp van het latex kostuum meegenomen; ik heb het echter zo goed mogelijk uit het hoofd nagetekend. Als u hier nog verder over wenst te praten, hoop ik u vanavond in Szexx te zien.
Met vriendelijke groet, Archer Bronski

'Hallo?' riep Delko en hij klopte op de omlijsting van de hordeur. 'Is daar iemand?'
'Alleen ik,' klonk een bekende hese stem. Dit keer liep Bonnie Pers-

hall niet in haar ondergoed toen ze in de deuropening verscheen. Ze was op blote voeten en had een kort, strak rokje aan met een haltertopje waar een flink decolleté in te bewonderen viel. Bij nader inzien besefte Delko dat ze aan centimeters stof waarschijnlijk nog minder aan het lijf had dan de vorige keer.
'O? Waar is Brutus dan?' Brutus was Bonnies pitbull en Delko was de vorige keer binnen de kortste keren de beste maatjes met hem geworden.
'In de achtertuin. Hij geeft zijn persoonlijke impressie van een runderlap in coma. Ik denk dat een luiaard met narcolepsie nog meer energie heeft dan hij. Kom binnen.'
Hij deed de deur open en stapte naar binnen. 'Ik denk dat ik iets van hem heb.'
'O ja? Hij heeft al zijn inentingen al gehad, dus je zal er niet aan doodgaan.' Ze pakte een paar schoenen met naaldhakken en trok er een aan. Daarna leunde ze met haar hand tegen zijn borst om haar evenwicht te bewaren terwijl ze de tweede aantrok.
'Zo te zien ben je van plan weg te gaan, dus ik zal het kort houden,' zei Delko. 'Wat ik heb, is dit.' Hij stak een klein, plastic envelopje omhoog. 'Een van Brutus' haren.'
Ze fronste haar voorhoofd. 'Ik snap het niet. Heb je die in de auto gevonden?'
'Nee, in een ander bewijsstuk. Het zat tussen twee lagen plaatmetaal. Heb ik daar niet heel wat van in je tuin zien liggen?'
'Ja, die berg tegen het huis. Brutus mag er graag onder slapen vanwege de schaduw.'
'Mag ik daar even een kijkje nemen?'
'Ga je gang.'
Hij trof Brutus slapend in de schaduw aan, onder een klein afdakje dat gevormd werd door een plaat metaal die tegen de muur geleund stond. 'Ha, vriend,' zei Delko en hij knielde bij het beest neer. De hond knipperde met zijn ogen, besloot dat het te veel moeite was om op te staan en stelde zich tevreden met een lik over Delko's hand.
Pitbulls zijn een kortharig ras, maar Delko zag toch heel wat plukjes haar aan de uitstekende randen van het metaal zitten. 'Jij loopt

hier nogal eens tegenaan, hè?' mompelde Delko. 'Waar rook is, is vuur. En waar frictie is, is overdracht.' Hij haalde nog een monsterenvelop tevoorschijn en haalde wat haren weg ter vergelijking.
Toen hij het huis weer in liep, stond Bonnie net op het gevoel oorbellen in te doen. 'En?' vroeg ze. 'Heeft hij een sluitend alibi of moet ik op zoek naar een goede dierenadvocaat?'
'Ik denk dat hij wel vrijuit gaat,' zei Delko. 'Kan het kloppen dat je een maand of drie geleden, of misschien nog iets langer, wat van dat plaatmetaal van de hand gedaan hebt?'
'Ja, dat klopt. Aan een of andere vent die zei dat hij er een schuurtje mee wilde bouwen of zoiets. Het is allemaal troep van mijn ex, dus ik was blij dat ik weer wat kwijt was. Hij heeft een stuk of vijf, zes platen meegenomen, misschien nog iets meer. Hoezo?'
'Heb je een naam of een nummer van hem?'
'Nee. Ik hield een rommelverkoop. Hij was een van de mensen die langskwamen.'
'Weet je nog hoe hij eruitzag?'
'Niet echt. Het is al een tijd geleden en ik wist natuurlijk niet dat het ertoe deed. O, wacht eens...'
'Wat? Herinner je je nog wat?'
'Nee, ik begrijp opeens waar het over gaat. Het is natuurlijk dezelfde kerel. Daarom wist hij van mijn auto. Hij heeft hem in de voortuin zien staan en is er daarna voor teruggekomen.'
Delko aarzelde en zei toen: 'Daar lijkt het wel op, ja.'
'Shit,' zei ze. 'Wat heb je me ook alweer over hem verteld? "Wees uiterst voorzichtig", zei je. Een beetje te laat, lijkt me.'
'Ja, sorry,' zei hij, 'maar het lijkt er nog steeds op dat hij meer belangstelling heeft voor je oud ijzer dan voor jou.'
'Ik heb het helemaal gehad,' zei ze. 'Ik ga die rothond verkopen en ik schaf een alligator aan. Weet jij waar ik daarvoor moet zijn?'
'Nou,' zei Delko, 'als ik jou was, zou ik me maar bij landdieren houden.'

Szexx lag in de kelder van het gebouw onder een met dik, rood tapijt beklede trap achter een dicht traliehek. Voor het hek stond een uitsmijter: hij was minstens twee meter lang en verdeelde zijn tijd zo te zien tussen gewichtheffen en het oefenen op een dreigende blik. Hij had een glimmende zwarte broek van pvc aan met een vetersluiting in het kruis en zwarte soldatenlaarzen; inktzwarte getatoeëerde vlammen kronkelden en slingerden zich over de uitpuilende spieren van zijn borst, armen en benen. Zijn gezicht was plat en breed en zijn haar zo kort dat het niet meer was dan een donkere schaduw over zijn schedel.

De rij mensen die stond te wachten om binnengelaten te worden strekte zich over de hele trap tot buiten toe uit; sommigen waren uiterst onthullend gekleed, maar verrassend veel mensen hadden lange jassen aan of waren gekleed alsof ze naar de sportschool gingen: in trainingsbroek, wijd shirt en met een sporttas.

Calleigh zelf had Archer Bronski's advies opgevolgd en droeg een witte labjas over haar gewone, dagelijkse kleren. Ze liep de rij langs, lachte de uitsmijter vriendelijk toe en probeerde hem zo onopvallend mogelijk haar insigne te laten zien. Hij wierp er een chagrijnige blik op, net als op haar, maar wuifde haar toch door.

Ze ontdekte al snel dat de mensen in de wijde kleding die kleren niet lang aanhielden: wat ze eronder droegen, of in hun sporttas bij zich hadden, was meestal nog provocerender dan wat er in de rij te zien was geweest. Mannen en vrouwen liepen topless rond, of hadden hun tepels met stroken elektriciteitstape bedekt; sommigen droegen een string van latex of leer of een uitgebreidere outfit met op strategische plaatsen uitgeknipte gaten. Ook waren er veel uniformen; ze zag agenten, mariniers, brandweermannen, verpleegsters, en genoeg katholieke schoolmeisjes om een non een hartaanval te bezorgen.

De dansvloer lag aan de linkerkant in een verzonken gedeelte, met een trap die naar een verdieping eronder leidde. Daar hing een eenvoudig, met de hand geschreven bordje boven het trappenhuis met de tekst KERKER. Zwetende lijven bewogen op en neer en heen en weer op de sound van Nine Inch Nails die uit de schouderhoge boxen dreunde. Ze baadden in het rode, blauwe, groene en roze licht van lampen die aan het plafond ronddraaiden en aan- en uitflitsten.

Achter de dansvloer was een grote centrale ruimte met een poolta-

fel in een van de hoeken en een bar achterin. Daar trof ze Archer Bronski, die ongeveer hetzelfde gekleed was als de vorige keer dat ze hem had gezien, alleen had hij nu nog een leren vestje aan over zijn zwartzijden overhemd. Hij hief glimlachend zijn glas ter begroeting.
'Blij je te zien,' zei hij.
'Daar zou ik niet al te trots op zijn,' zei Calleigh. 'Ik ben nog steeds aan het werk en de kans is groot dat mijn verdachte nu hier is of hier in ieder geval geweest is.'
'Natuurlijk. Het spijt me dat de informatie die ik had niet zoveel voorstelde.'
'Mineraalwater, graag,' zei ze tegen de barkeerper om zich daarna weer naar Archer om te draaien. 'O, ik had er meer aan dan je misschien zou denken. De tekening die erbij zat, kwam overeen met de beschrijving van een ooggetuige, dus dat vormt in ieder geval een bevestiging. Dankzij de maten weten we nu hoe groot hij is en wat zijn bouw is, en het detail over zijn manier van lopen is misschien nog wel het bruikbaarst. Weet je nog waar hij het over gehad heeft?'
'Ik heb mijn hersens al gepijnigd om daarachter te komen. Ik had tenslotte gezegd dat ik een goed geheugen heb, maar hij heeft niet zoveel gezegd. Het enige wat misschien interessant is, is dat hij vroeg naar het effect van zout water op latex. Ik heb hem verteld dat het daar wel tegen kan, maar dat hij het pak het beste wel altijd even kon afspoelen omdat er anders bij het drogen zoutkristallen op zouden kunnen achterblijven. Ik heb ook een onderhoudsmiddel op siliconenbasis aangeraden.'
'We hebben inderdaad sporen van silicone aangetroffen op het stukje latex dat we in ons bezit hebben, dus dat klopt.' Ze nam een slokje van haar water. 'Weet je, ik heb ook nagedacht.' Ze haalde diep adem en blies die weer uit. 'Jij bent, alles in aanmerking genomen, heel... behulpzaam geweest. Je bezwaren tegen het geven van vertrouwelijke informatie waren gebaseerd op morele gronden en daar heb ik respect voor. Maar je moet begrijpen dat ik, als ik met een onderzoek bezig ben, al mijn aandacht daarop richt.'
'Je houdt de touwtjes graag in handen.'
'Dat ook. Maar ik maak ook deel uit van een team, en ik weet hoe

waardevol het is om van de ervaring en inzichten van anderen gebruik te kunnen maken. Het CSI-lab maakt vaak gebruik van experts van buitenaf en we onderhouden met hen een uiterst professionele relatie. Ik zou er niet over peinzen om een ander lab te dreigen met een dagvaarding als ze niet snel genoeg met uitslagen zouden komen.'

'Maar je aarzelde niet om dat te doen bij iemand die in een fetisjkledingzaak werkt?'

'Daar wil ik me dan ook voor verontschuldigen. Ik had je als een informatiebron moeten beschouwen in plaats van als een onwillige getuige.'

'Dank je wel.' Hij nam een slok van zijn bier. 'Levert die promotie me nog wat op of was hij alleen maar bedoeld om je geweten te sussen?'

'Natuurlijk. Kijk, een informant is iemand met wie ik informatie uitwissel, in plaats van die alleen maar op te eisen.'

Hij lachte zachtjes. 'Oké. En wat ben je van plan met me uit te wisselen?'

'Ik zat er bijvoorbeeld over te denken om je te vertellen waaróm de informatie die ik zoek zo belangrijk is...'

Calleigh had hem al verteld dat ze onderzoek deed naar een moordzaak; nu vertelde ze hem ook over de *Creature From the Deep*-invalshoek. 'We denken dat de moordenaar een obsessie met het monster heeft en zelfs enkele van zijn aanvallen in het echt probeert na te doen. Het kostuum dat hij bij jullie in de winkel heeft laten maken was alleen maar de basis voor zijn outfit; hij heeft er blijkbaar zelf daarna nog dingen aan toegevoegd.'

'Wat... bizar,' zei Archer met een frons. 'Zelfs voor de kringen waarin ik me begeef.'

'Daarom vertel ik dit ook,' zei Calleigh. 'Jij kent die mensen, jij hoort en ziet dingen die mij niet bereiken. Ik hoopte dat als ik jou wat meer over de zaak vertelde het misschien een herinnering wakker zou roepen aan iets of iemand.'

'Dus je wilt dat ik je verklikker word?' Zijn toon was eerder geamuseerd dan beledigd.

'Kom op, zeg. We zitten niet tussen de criminelen in de onderwe-

reld en jij bent geen zenuwachtig om je heen kijkende verrader. We proberen allebei hetzelfde: deze gemeenschap beschermen tegen een vijand. Of zouden de mensen hier een seriemoordenaar met open armen op hun feesten ontvangen?'
'Sommigen wel, daar zou je nog raar van opkijken... maar je hebt gelijk. Rollenspel is één ding, maar verkrachting en moord is andere koek.' Hij nam nog een slok bier en zette het glas toen neer. 'Ik wou dat je het onderwateraspect eerder genoemd had. Blijf hier nog even zitten, dan loop ik even rond om met een paar mensen te praten. Misschien vind ik wel iemand die meer weet.'
'Dat is goed. Eh... ik ben alleen niet zo op de hoogte van het protocol hier.'
Hij trok zijn wenkbrauwen op.
'Ik bedoel, ik zou niet graag iemand beledigen, maar ik wil ook liever niet ingaan op uitnodigingen.'
Archer glimlachte. 'Daar zou ik me maar geen zorgen over maken. De meeste mensen die hier komen spelen, worden vergezeld door hun eigen partner.' Hij aarzelde. 'Maar als iemand je vraagt om mee naar beneden te gaan... kun je dat misschien beter afslaan.'
Hij verdween in de massa. Calleigh keek om zich heen en deed haar best geen zenuwachtige indruk te maken. De barkeeper, een jonge vrouw met veel piercings in beide wenkbrauwen, boog zich voorover en las de naam die op Calleighs labjas geborduurd stond. 'Zo, R. Wolfe, nog een drankje?'
'Nee, bedankt,' zei Calleigh. 'Nog even niet.'

'Dat is een indrukwekkende lijst,' zei Horatio en hij bladerde door het dikke pak papier dat Wolfe op zijn bureau had neergelegd.
'Ik weet het, ik weet het,' zei Wolfe berouwvol, terwijl hij zijn nek masseerde. 'Ik heb me beperkt tot mannen tussen de twintig en de vijftig met een militaire achtergrond, maar dat zijn er nog veel te veel. Ik heb nog een andere factor nodig om het in te kunnen perken.'
'Heb je niks aan de film?' vroeg Horatio.
'Daar heb ik wel over gedacht, maar ik kan geen enkele manier bedenken om de filters te definiëren. Ik bedoel, je weet niet wie hem gezien heeft en wie niet. We weten niet eens of de dader hem

op tv gezien heeft of in de bioscoop. Hij zal hem wel op dvd hebben, maar hij kan hem via internet wel van duizenden verkoopkanalen betrokken hebben.'
'Ik dacht aan een directer verband. Had je het niet over een plaatselijke fanclub?'
'Ja. Ik heb morgenochtend een afspraak met de voorzitter daarvan.'
'Mooi. Je zou ook nog kunnen gaan praten met mensen die meegewerkt hebben aan de film zelf. Ik heb begrepen dat een van de acteurs die in de onderwaterscènes meespeelde uit Miami zelf komt en nog steeds af en toe in de openbaarheid treedt.'
Wolfe fronste zijn wenkbrauwen. 'Daar had ik nog niet aan gedacht. Ik ging er geloof ik van uit dat iedereen intussen wel dood zou zijn of naar Hollywood verhuisd.'
'Bedoel je dat dit twee verschillende dingen zijn?'
Wolfe grinnikte. 'Welterusten, Horatio.'
'Insgelijks, Wolfe.'

'Calleigh Duquesne, ik wil je graag voorstellen aan Samantha Voire,' zei Archer. 'Volgens mij heeft ze interessante informatie voor je.'
Samantha Voire was een aantrekkelijke, roodharige dame, die minstens dertig centimeter boven Calleigh uittorende, vooral dankzij de enorme hakken onder haar laarzen. Haar outfit leek erg op die van de vrouw op het vacuümbed, behalve dat die van Voire zwart was in plaats van rood en geen capuchon had. Ook zaten er gaten in op interessante plaatsen; Calleigh merkte dat ze moeite moest doen haar ogen op het gezicht van de vrouw gericht te houden en ze niet af te laten dwalen naar beneden.
'Bent u nou een agent of een dokter?' zei Voire. Haar stem klonk nieuwsgierig, niet vijandig.
'Ik ben onderzoeker bij de technische recherche,' zei Calleigh. 'Aangenaam.'
'Aha, een gestoorde professor,' zei Voire met een boosaardige grijns. 'Archer, jij kent echt de beste mensen.'
'Samantha doet aan breathcontrol,' zei Archer. 'Ze heeft een tijdje terug iemand ontmoet die je wellicht...'

'Archer zei dat je op zoek bent naar een boef,' onderbrak Voire hem. 'Ik vertrouw Archer, wat betekent dat ik jou ook vertrouw. Daar zal ik toch geen spijt van krijgen, hè?'
'Nee, hoor,' zei Calleigh.
'Mooi. Ik heb hier een paar maanden geleden een gast ontmoet, die DeVone heette. Archer was er die avond niet, anders zou hij het je zelf wel verteld hebben. Maar goed, zijn outfit viel me meteen op, want die was wel heel extreem. Ik zie wel vaker alles bedekkende latex pakken, maar niet in metallic blauw; en zeker niet met een duikmasker en regulator. Hij had zelfs een flesje zuurstof op zijn rug. En hij bewoog zich de hele tijd voort alsof hij onder water was, in slowmotion. Alsof hij door een onderwaterwrak dreef in plaats van een bar.' Ze schudde haar hoofd. 'Ik vond het toen wel cool, maar nu ik eraan terugdenk krijg ik er de kriebels van.'
'En u hebt met die DeVone gesproken?'
'Niet zoveel, moet ik zeggen. Sommige mensen trekken zich helemaal in zichzelf terug als ze hun fantasie uitleven en hij was er zo een. Hij hield de hele tijd zijn bril op en zijn regulator in zijn mond. Toen ik besefte dat hij me probeerde te versieren, en hij hem er nog steeds niet uithaalde om iets te zeggen, was ik onder de indruk van zijn toewijding. En ik vroeg me af hoe ver hij zou gaan.'
'En hoe ver ging hij?' vroeg Calleigh.
'Zo ver als je kan, tot in het diepe,' zei Voire. 'We gingen naar mijn huis om te spelen en hij bleef doen alsof hij de hele tijd onder water was. Het was een nogal surrealistische ervaring, zelfs voor mij.'
'Ik wil niet indiscreet zijn, maar wat bedoelt u precies met "spelen"?'
Voire lachte. 'Indiscreet, prachtig! Het is je misschien opgevallen dat ik mijn volledige naam heb gegeven toen we aan elkaar werden voorgesteld; dat is omdat ik me niet schaam voor wat ik doe of wie ik ben. Je hoeft je geen zorgen te maken dat je mij in verlegenheid zult brengen, al zal ik jou misschien wel in verlegenheid brengen.'
'Als jij ertegen kan, kan ik er ook tegen,' zei Calleigh.
'Oké. Nou, we begonnen aanvankelijk in bad, wat misschien niet zo verrassend is...'
Calleigh luisterde aandachtig naar Voire's relaas van de ontmoeting. DeVone had zijn hoofdbedekking geen moment afgedaan, had

geen telefoonnummer achtergelaten, had zelfs geen woord gesproken. Calleigh knikte van tijd tot tijd, maar ze wachtte met het stellen van vragen tot de vrouw helemaal uitgesproken was.
'Samantha, heb je er bezwaar tegen als ik bij je thuis kom kijken naar alles waar hij misschien mee in contact is geweest?'
'Dat lijkt me niet. Het is alleen wel al een paar maanden geleden en ik hou mijn speeltjes goed schoon.'
Calleigh knikte. 'Dat geloof ik graag, maar dit klinkt precies als de man die we zoeken en als er ook maar een kleine kans is dat we ergens een monster van zijn DNA kunnen vinden, moet ik die benutten.'
Voire gaf Calleigh haar adres en sprak voor de volgende dag met haar af. 'O, en dan is er nog één ding dat je misschien zal interesseren,' zei Voire. 'Hij had een tatoeage, net boven zijn schaamhaar.'
'Wacht eens even. Ik dacht dat zijn pak zijn hele lichaam bedekte?'
'Bij zijn kruis zat een gat. Ik denk niet dat het de bedoeling was dat ik de tatoeage te zien kreeg, maar het gat scheurde een beetje uit toen we bezig waren.'
'Hoe zag die tatoeage eruit?'
'Als je een papiertje voor me hebt, teken ik hem wel even.'
Calleigh haalde een notitieblok en een pen uit haar zak; in een paar tellen had Voire de afbeelding op papier staan.
'Dat is zeker interessant,' mompelde Calleigh. Ze bedankte Voire en keek haar na toen ze in de menigte verdween. 'Ik snap niet hoe ze op die dingen kan lopen,' zei ze en draaide zich weer om naar Archer. 'Jij ook nog eens heel erg bedankt. Deze informatie is van onschatbare waarde voor ons.'
'Dat hoop ik van harte. Ook al heeft hij Samantha niets aangedaan, toch zijn de leden van deze gemeenschap uiterst kwetsbaar voor dit soort risico's; ik hoop echt dat je hem te pakken krijgt.'
'Ik ook...' Ze aarzelde even en zei toen: 'Luister, er is nog iets. Ik weet dat je me alle informatie over DeVone hebt gegeven die je hebt, maar als hij dit soort evenementen bijwoont, is er een kans dat hij zijn naam op een mailinglist heeft laten zetten. Ik heb een bevel tot inbeslagname van al dat soort lijsten die deze club bezit, ervan uitgaand dat ze niet net zo slim zijn geweest als jij.'

Hij keek haar kalm aan en knikte toen langzaam. 'Ik begrijp het.'
'Het spijt me. Ik beloof je dat ik mijn best zal doen de informatie op de lijst zo veel mogelijk binnenskamers te houden. Ik... ik heb een medewerker meegenomen die buiten in een auto zit te wachten. Als je het prettiger vindt, kan ik hem de inbeslagname laten uitvoeren.'
Hij vernauwde zijn ogen tot spleetjes en glimlachte toen. 'Aha. Omdat je met mij gezien bent? Je wilt niet verraden dat ik je informant ben. Wat attent.'
Ze bloosde. 'Ik dacht dat je een zekere mate van... anonimiteit wel op prijs zou stellen.'
Hij pakte zijn glas bier op, nam een laatste slok en zette het weer bedachtzaam neer. 'Ga je gang maar, hoor, ik heb niets te verbergen. In plaats van ontkennen, aanvaard ik de consequenties van mijn gedrag volledig. Wat ik niet graag doe, is andere mensen die keuze ontnemen.'
'Dat doe je ook niet...'
'Nee,' zei hij. 'Maar jij wel.'
Hij draaide zich om en liep weg.

14

Horatio bestudeerde de ruwe schets die Samantha Voire had gemaakt. 'Dus dat is wat Janice Stonecutter ons probeerde te vertellen,' zei hij.
'Ze moet het gezien hebben tijdens de verkrachting,' zei Calleigh. 'Voire zei dat het boven zijn kruis getatoeëerd zat.'
'De cyrillische versie van de Z, op een uiterst intieme plaats neergeschreven,' zei Horatio. Hij keek naar de andere voorwerpen op de verlichte tafel en trok zijn wenkbrauwen op. 'Samen met nog een paar zaken die hun portie intieme plaatsen gezien hebben...'
'Samantha Voire noemde het haar speelgoedkistje,' zei Calleigh. Ze pakte iets op wat wel wat weg had van een konijn dat een wortel bereed. 'Dat zo te zien aardig vol zit. Ze zegt dat ze de speeltjes voor inwendig gebruik brandschoon houdt, maar ik hoopte op meer geluk bij de andere.'
'Goed werk. En is dit de adressenlijst van die club?'
'Ja. We moesten er hun computer voor in beslag nemen, maar het is Anderson vanochtend gelukt in te breken in hun systeem en het document te vinden. DeVone staat inderdaad op de lijst, maar alleen met een postbus.'
'Ons mannetje is voorzichtig, maar niet voorzichtig genoeg. Hij is trots op wat hij is en het zit hem niet lekker dat hij dat geheim moet houden.'
'Hoe kom je daarbij, H?'
'Die naam. In de film is het Zeemonster zogenaamd een schepsel dat in het Devoon is ontstaan; het feit dat hij dat als zijn schuilnaam gebruikt, maakt niet alleen duidelijk hoezeer hij zich met het personage identificeert, maar ook dat hij het als een verpersoonlijking ziet van zijn ware ik.' Horatio schudde zijn hoofd. 'Wat ik alleen niet begrijp is waarom hij Samantha Voire heeft laten leven. Ze was kwetsbaar, niemand van de nachtclub kon hem identificeren, en hij had zijn pak aan. Zijn gedrag toont verder aan dat hij

diep in zijn fantasiewereld ondergedompeld was...'
'Misschien niet diep genoeg. Volgens Samantha had ze hem bij haar thuis uitgenodigd omdat haar appartementencomplex over een zwembad beschikt. Toen ze daarheen gingen bleek het vanwege onderhoudswerkzaamheden echter droog te staan. Ze hebben zich toen tevreden gesteld met het bad, maar dat leek hij een grote tegenvaller te vinden.'
'Dat geloof ik graag,' zei Horatio. 'Het bleef dus nog even, als je me de uitdrukking vergeeft, een natte droom.'

De voorzitter van de *Creature From the Deep*-fanclub woonde in Miami-Noord, maar Wolfe kreeg zijn voicemail toen hij belde. Hij sprak een boodschap in en besloot toen Horatio's advies op te volgen en iemand op te zoeken die daadwerkelijk meegespeeld had in de film.
Brett Rosamond was niet moeilijk te vinden; hij had zijn eigen website voor mensen die contact met hem zochten om hem voor een optreden te boeken of om een gesigneerde foto te vragen, en daarop stond ook zijn telefoonnummer. Wolfe toetste dat in en de zakelijke, maar vriendelijke stem aan de andere kant van de lijn beloofde hem over een half uur te zullen ontmoeten in een koffietentje in Miami Beach.
Wolfe vond hem aan een tafeltje op een met rood leer beklede bank waar hij met een milkshake voor zich door het raam zat te staren naar de langsrijdende rolschaatsers. Hij was een forsgebouwde man van in de zeventig met achterovergekamd wit haar en een bouw die Wolfe deed denken aan een zak aardappels die al enige tijd ergens in een hoekje staat. 'Meneer Rosamond?'
Rosamond lachte hem stralend toe met een hagelwit kunstgebit en stak hem een grote, vlezige hand toe. Wolfe schudde die en liet zich in de bank tegenover hem glijden.
'Bedankt, dat u even tijd voor me wilde vrijmaken,' zei hij.
'Ik mag het bevoegd gezag graag een handje helpen,' zei Rosamond. Zijn stem was net zo joviaal en robuust als de rest van hem. 'Al heb ik geen idee wat u zou kunnen hebben aan een oude kikvorsman als ik.'

'Geloof het of niet, maar het gaat om een oude rol van u: die in *The Creature From the Deep*.'
'Gilly?' Rosamond lachte. 'Wilt u dat hij het Politiebal met zijn aanwezigheid komt opluisteren?'
'Nee, meneer. Ik ben bang dat het om iets van meer serieuze aard gaat: wij geloven dat iemand met een obsessie voor het monster betrokken is bij een aantal moorden.'
Rosamonds ogen werden groot. 'Moorden? Dat is toch wel een grapje, hoop ik?'
'Ik wou dat het waar was. Het is mogelijk dat deze figuur geprobeerd heeft met u in contact te komen. Kunt u zich iemand herinneren die zich misschien een beetje vreemd gedroeg?'
Rosamond schudde zijn hoofd. 'De meeste fans van Gilly zijn heel gewone mensen. Meestal hebben ze de film als kind gezien en hebben ze er dierbare herinneringen aan. Ik ben wel een paar idioten tegengekomen in de afgelopen jaren, maar niemand die me bang maakte. Tot nu toe niet, in ieder geval.'
'Anders misschien iemand die té geïnteresseerd overkwam? Misschien iemand die vragen stelde waarvan u het gevoel had dat ze ongepast waren?'
'Tja, dat verruimt het speelveld behoorlijk. Er zijn mensen geweest die vroegen hoe ik met dat pak naar het toilet ging, of ik naar bed geweest ben met een van de andere acteurs, of ik het pak thuis wel eens draag... Ik bedoel, je hebt fans en je hebt fáns. Ik heb ooit gesproken met een gast uit Tennessee die zeventien verschillende zelfbouwmodellen van Gilly op zijn schoorsteenmantel had staan, allemaal in een andere houding en levensecht beschilderd. Toch kan ik niet zeggen dat hij een gevaarlijke indruk maakte.'
'Hebt u zijn naam nog?'
'Nee, dat denk ik niet. Maar als u naar dat soort informatie op zoek bent, ben ik niet de man die u moet hebben; dan moet u met iemand van de fanclub gaan praten. Die hebben hun hoofdkwartier hier in Miami.'
'Dat weet ik,' zei Wolfe. 'Ik zal ook zeker met hen gaan praten. Nog even over dat pak. Hebt u dat nog?'
Rosamond grinnikte. 'Nee, nee, dat was eigendom van de studio. Ik

mocht het toen de film net uit was voor een paar optredens aan, maar daarna is het in de opslag gegaan. Uiteindelijk is het ten bate van een liefdadigheidsveiling weggeschonken.'
'Weet u wie het gekocht heeft?'
'Jawel. Oliver Tresong. Hij is...'
'De voorzitter van de fanclub,' vulde Wolfe aan. 'Wat weet u van hem?'
'Hij duikt. Een van de redenen dat hij belangstelling voor dat pak had was vanwege de werking ervan.'
'Daar ben ik zelf ook wel in geïnteresseerd.'
'Het had ingebouwde zuurstofflessen,' zei Rosamond, die zich vooroverboog. Hij reikte met zijn hand over zijn schouder en klopte zichzelf op de rug. 'Die zaten daar, verborgen onder het rubber. Die gaven Gilly zijn kenmerkende gebochelde uiterlijk. Er zat niet zo gek veel zuurstof in, maar genoeg voor een minuut of vijftien tot twintig. Tussen de opnames door bleef ik aan het oppervlak en ademde ik door mijn neus.'
'Wanneer hebt u de heer Tresong voor het laatst gesproken?'
'Vorige week. Toen heb ik hem aan de lijn gehad vanwege een festival hier in de buurt. We treden daar samen op en hij wilde nog wat dingetjes afspreken.'
'Klonk hij normaal?'
'Nou ja, hij was nogal opgewonden, maar met dat lustrum dat eraan zit te komen en zo...' Rosamond keek bezorgd. 'U denkt toch niet dat hij er wat mee te maken heeft?'
'Ik weet het niet,' zei Wolfe. 'Maar ik denk dat ik hem daar maar eens naar ga vragen.'

Calleigh bekeek de uitstalling van voorwerpen op de verlichte tafel. 'Ik voel me net de rekwisiteur voor een pornofilm,' mompelde ze. Er lagen apparaten bedoeld voor penetratie, flagellatie, masturbatie en pure intimidatie. Eén fallisch instrument had de kolossale lengte van zestig centimeter, terwijl een ander krap dertien centimeter mat. Sommige waren realistisch, andere zo bol en felgekleurd dat ze haar aan kauwspeeltjes voor een hond deden denken.
Andere dierenattributen waren ook vertegenwoordigd: rijzweepjes,

een kat met negen staarten en zelfs vliegenmeppers. Verder lagen er verschillende tuigjes en riemen; stukken leer, hout, rubber en plastic; balknevels; blinddoeken en genoeg touw om een schip mee op te tuigen.
Er was zelfs technologie in de vorm van vibrators en andere voorwerpen, waar ze eerst mee moest experimenteren voor ze erachter was waar ze voor dienden. Een voorwerp zag eruit als een klein model squashracket; het was een vliegenmepper die op batterijen werkte en een stroomstoot toediende aan iedereen die de metalen snaren beroerde.
'Potje tennis?' vroeg Delko toen hij het lab binnenkwam en zijn labjas van de haak griste.
'Love, set en match?' zei Calleigh. 'Love weet ik niet zo zeker, maar dit is wel de hele set. Ik ging net kijken of ik een match kon vinden. Zin om te helpen?'
'Ik zou het niet willen missen.' Delko grijnsde. 'Had je iets speciaals voor me in gedachten?'
'Hm. Begin jij hier maar eens mee.' Ze pakte een lang, beige voorwerp met een kop aan allebei de kanten en zwaaide ermee naar hem.
'Oké,' zei Delko. 'Maar wil je dat nu alsjeblieft weer neerleggen?'
'Oeps, sorry, ik geloof dat ik hem ondersteboven houd.' Ze draaide hem in het rond als een majorettestokje. 'Zo beter?'
Delko lachte. 'Echt niet...'
Ze gingen aan de slag en streken met wattenstaafjes die in steriel water gedoopt waren langs de oppervlakten, op zoek naar vlekken die wellicht nog levensvatbaar DNA bevatten. Die staafjes werden in reageerbuisjes gezet voor verdere verwerking.
'Denk je dat we iets zullen vinden?' vroeg Delko.
'Moeilijk te zeggen.' Ze pakte een gesel die bestond uit een handvat van gevlochten leer en een bundel dikke leren veters.
'En mochten we iets vinden, dan wil dat nog niet zeggen dat dit door de rechtbank als bewijs wordt geaccepteerd. Ik bedoel, ik krijg zo het gevoel dat er zich wel meer dan één persoon aan het ontvangende eind van deze... instrumenten bevonden heeft.'
'Dat hangt ervan af wat het is,' zei Calleigh. 'De eigenares vertelde

me dat DeVone niet zachtzinnig aangepakt wilde worden; hopelijk vergroot dat de kans dat we iets vinden.'

'Ja, maar die gast heeft wel de hele tijd een mansgroot condoom aangehad, toch? Geen contact, dus ook geen contactsporen.'

'Ja, maar in dit geval kan de verpakking wel eens even belangrijk zijn als de inhoud.' Ze legde de gesel weg en pakte een korte zweep. 'Wist je dat het puntje van een zweep wel meer dan tweeduizend kilometer per uur kan halen?'

'Jawel. De knal die je hoort is het topje dat door de geluidsbarrière breekt.'

'Dat werd de afgelopen honderd jaar tenminste verondersteld,' zei Calleigh. 'Maar een professor van de Universiteit van Arizona heeft onlangs bewezen dat het topje zelfs meer dan twee keer de snelheid van het geluid haalde op het moment dat de knal klonk. Het is gebleken dat het niet het uiteinde is dat het geluid maakt, maar de lus die de lengte van de zweep aflegt als daarmee geslagen wordt.'

Delko dacht daar even over na. 'Klinkt logisch. Zoals de buitenkant van een wiel eigenlijk sneller beweegt dan het midden.'

'Precies. Een zweep loopt ook taps toe, wat de snelheid van de lus die erlangs beweegt nog eens met een factor tien vermenigvuldigt; én het uiteinde weegt minder, wat er ook nog toe bijdraagt.' Ze nam de zweep mee naar de microscoop en legde hem daar behoedzaam onder. 'Bij sommige zwepen kan het uiteinde op een snelheid uitkomen die meer dan dertig keer zo hoog ligt als de beginsnelheid...' Ze tuurde in de lens en stelde hem scherp. 'Wat meer dan snel genoeg is om latex te beschadigen. Kijk eens.'

Ze deed een stap opzij en liet Delko in de lens kijken. 'Het lijkt alsof er iets aan een van de veters kleeft,' zei hij. 'Iets in een heel bekende tint blauw.'

'Ik breng het wel naar het sporenlab,' zei Calleigh.

'Meneer Tresong,' zei Wolfe. 'Bedankt dat u even tijd voor me hebt.'

Oliver Tresong was een grote, magere man van in de dertig, met onverzorgd blond haar en een sigaret die aan zijn lip bungelde. 'Eh, geen probleem, hoor,' zei hij. Hij had een slobberige korte broek

aan, een T-shirt met een verbleekte afbeelding van het Zeemonster erop en slippers aan zijn voeten. 'Kom binnen.' Hij deed een stap opzij en gebaarde dat Wolfe binnen kon komen.
Tresongs huis zag eruit als een tempel gewijd aan oude horrorfilms. Aan de muren hingen planken vol kunstharsmodellen van elk denkbaar type monster: vampiers, weerwolven, buitenaardse wezens met uitpuilende ogen, en gigantische radioactieve hagedissen. Een glimmend chromen beeld van de Terminator richtte een groot kaliber geweer op de kop van een zombie die het veel te druk had met het opeten van iemands hersens om dat te merken. Een grote flatscreen televisie besloeg het grootste deel van een van de muren waar tegenover een comfortabele leunstoel opgesteld stond.
En naast de tv stond het Zeemonster.
Het stond in een glazen vitrine die tot het plafond reikte, op een sokkel die een centimeter of dertig hoog was zodat het boven iedere toeschouwer uittorende. Blauwgekleurde spotjes beschenen zijn nat ogende huid. De klauwen met zwemvliezen lagen plat tegen het glas van het voorste glaspaneel alsof hij probeerde te ontsnappen.
Tresong ging in de leunstoel zitten. 'Waar gaat het eigenlijk over?' vroeg hij. Hij klonk alsof hij net wakker was.
'Nou, eigenlijk over hém,' zei Wolfe en hij wees naar de vitrine.
Tresong leek opeens een stuk wakkerder. Hij ging overeind zitten. 'Pardon?'
Wolfe liep naar de vitrine en bestudeerde het monster. 'Hij is nog in prima conditie,' zei hij. 'Ik zou gedacht hebben dat het rubber meer tekenen van slijtage vertoond zou hebben na al die tijd.'
'Ik... ik ben er heel zuinig op,' zei Tresong. 'Wat wilt u precies van me?'
Wolfe draaide zich naar hem om. 'Ik zou u graag een paar vragen willen stellen, als dat mag.'
'Best. Wat wilt u weten?'
'Op de eerste plaats: hoe lang heeft u dit pak al in uw bezit?'
'Ik heb het zes, nee zeven jaar geleden gekocht. Het is nooit uit de vitrine geweest. Ik bedoel, niet zo lang het al van mij is.'
'Nee? Bent u nooit in de verleiding geweest om... u weet wel.'
'Wat?'

'Het aan te trekken?'
Hij schudde zijn hoofd. 'Echt niet. Dat ding is kóstbaar. Stel dat ik er per ongeluk een scheur in maak. Ik bedoel, oud rubber kan behoorlijk broos zijn.'
'Kostbaar, hè? Hoe kostbaar precies?'
Tresong aarzelde voor hij antwoord gaf. 'Dat weet ik niet precies. Als ik het op eBay zou zetten, zou ik er waarschijnlijk wel een paar duizend voor kunnen vangen.'
'Een paar duizend maar? Voor zoiets unieks als dit?'
'Misschien wel negen- of tienduizend, als ik een verzamelaar met interesse zou vinden.'
'Aangezien u de voorzitter van de fanclub bent, neem ik aan dat u wel weet wie u daarvoor zou moeten benaderen.'
Tresong stond met een abrupte beweging op. 'Hoor eens, ik heb het nogal druk op het moment. Kunt u ter zake komen?'
'Oké. Wanneer hebt u voor het laatst gedoken?'
'Geen idee, een paar weken geleden of zo. Ik weet het niet meer precies.'
'Hebt u wel eens bij Poker Cove gezwommen?'
'Zeker. Heel vaak.'
'Misschien ook op de avond van vierentwintig maart van dit jaar?'
'Nee. Nee, zeker niet. Toen zat ik in New Jersey op een conventie van verzamelaars.' Hij keek Wolfe niet aan.
'Kunt u dat bewijzen?'
'Ik heb mijn creditcard toen gebruikt, dus dat moet wel na te gaan zijn, ja.'
'Dan wil ik de afschriften daarvan graag zien. Ik wil ook graag weten waar u op de volgende dagen was...'
Tresong bleek bijna identieke alibi's te hebben voor de dagen dat de Stonecutters en Gabrielle Cavanaugh vermoord waren: hij was toen buiten de stad.
'Nog één ding, meneer Tresong,' zei Wolfe. 'Ik zou het kostuum van het Zeemonster graag van dichterbij bekijken.'
'Wat? O, nee. Geen sprake van,' zei hij. 'Ik heb u al verteld dat dit ding veel geld waard is. Denkt u dat ik het door een stelletje smerissen binnenstebuiten laat keren en er monsters van af laat knip-

pen, en weet ik wat nog meer? Vergeet het maar. Als u aan Gilly wilt komen, zult u eerst een bevel van de rechter moeten hebben.'
'Dat kan geregeld worden,' zei Wolfe. 'Maar misschien is dat niet nodig. Is het goed als ik een paar foto's door het glas neem? Ik zal niets aanraken, dat beloof ik u.'
Daar dacht Tresong even over na. 'Nou ja, oké dan. Maar dat is ook alles. Daarna ben ik uitgepraat.'
Daar zou ik nog maar niet zo zeker van zijn, dacht Wolfe, terwijl hij naar de auto liep om zijn fototoestel te halen. Gilly heeft me misschien wel meer te vertellen dan je denkt…

'En?' vroeg Calleigh.
Delko kwam achter de microscoop vandaan en zuchtte. 'Meerdere epitheelcellen,' zei hij. 'Je had gelijk, de gesel heeft bij het raken van de huid cellen opgepikt. Het probleem is dat we niet weten van hoeveel donors er sprake is, of welke van hen onze man is. Als hij het pak heeft aangehouden, misschien wel geen een.'
'En dus gaan we ze allemaal onderzoeken,' zei Calleigh.
'Valera zal blij met ons zijn…'
'Ik vertel het haar wel,' zei Calleigh.
Op weg naar het DNA-lab kwam Calleigh Horatio tegen en bracht ze hem op de hoogte.
'Het ziet ernaar uit dat het pak dat hij aanhad toen hij bij Samantha Voire was alleen nog maar de basisvariant was; pas bij Eileen Bartstow heeft hij zich helemaal als vismonster uitgedost.'
'Wat goed past binnen het patroon van de zich steeds verder evoluerende methodes,' zei hij, terwijl hij een stukje met haar meeliep. 'Ik ben zelf ook de diepte ingegaan met wat achtergrondonderzoek.'
'O, hoe diep dan wel?'
'Pakweg vierhonderd miljoen jaar, maar twee eeuwen meer of minder zou ook kunnen.'
Ze glimlachte. 'Het Devoon? Ik wist niet dat jij in paleontologie geïnteresseerd was, H.'
'Dat ben ik ook niet. Maar een gewaarschuwd man telt voor twee. Wist jij dat het Devoon ook bekend staat als het Tijdperk van de Vissen?'

'Jawel. Het was het tijdperk waarin de gewervelde dieren voor het eerst vanuit zee aan land kwamen; vanuit een evolutionair standpunt bezien was het een enorm belangrijke tijd. Ik geloof dat het enige andere dierenleven aan land toen uit spinnen en insecten bestond. Of in ieder geval hun verre voorouders.'

'Maar dat gold niet voor de zeeën,' dacht Horatio hardop. 'Die vormden de leefomgeving van allerlei soorten ongewone levensvormen, waaronder ook roofdieren. Kijk hier maar eens naar.' Hij stak zijn hand in zijn borstzak en haalde er een stuk papier uit, dat hij aan haar overhandigde.

Ze vouwde het open, bestudeerde het even en knikte toen. 'Ik zie de overeenkomst.'

'Dit is een placoderm. Die werd beschermd door dikke schubben en had een botachtige richel in zijn bek in plaats van tanden. In feite was het een van de eerste wezens die een kaak ontwikkelden. Natuurlijk is het onmogelijk te achterhalen welke kleur zijn schubben hadden...'

'Maar die zouden heel goed metallic blauw geweest kunnen zijn,' zei ze, zijn gedachte afmakend. 'En dat detail van die kaak zou in verband kunnen staan met de dolfijnenkaak die hij gebruikte.'

'Die gedachte was ook bij mij opgekomen,' zei Horatio. 'Het belangrijkste thema dat steeds weer opduikt in artikelen over het Devoon is overgang. De overgang van kaakloze bodemvoeders naar roofdieren, de overgang van de ene omgeving naar de andere. Ik geloof dat onze zeemeerman het idee heeft dat hij hetzelfde proces doormaakt.'

'En dat is dan de reden dat de details bij elke aanval weer anders waren,' zei Calleigh. Ze knikte, en duwde een los lokje blond haar achter haar oor. 'De vraag is alleen: waar leidt die overgang toe?'

'Ik zou het niet weten. We weten alleen hoe hij begonnen is; een punt waarvan hij steeds verder af raakt.'

'Ja,' zei Calleigh zachtjes. 'Dit is geen mens meer.'

Wolfe pakte zijn foto's van het kostuum van het Zeemonster en prikte die aan de muur. Hij deed een stap naar achteren, liet zijn handen in de zakken van zijn labjas glijden en bekeek zijn werk.

Bij iedere opname had hij een merkteken aangebracht dat de grootte van het gefotografeerde object aangaf. Dankzij de manier waarop het pak was neergezet met de uitgespreide handschoenen tegen het glas kon hij prima de maat nemen van de ruimtes tussen de klauwen.
Die vergeleek hij met de maten die hij van Eileen Bartstows opengehaalde badpak had kunnen nemen.
Ze kwamen overeen.

'Horatio.'
'Emilio.' Horatio trok een stoel bij en ging bij de Cubaan zitten in het kleine cafeetje waar hij met hem had afgesproken.
'Twee keer in één week, vriend? Dat kun je geen toeval meer noemen.'
'Heb je het gevraagde?'
'Als een derde partij ons na zo'n korte tijd alweer samen zou zien, zouden ze daar allerlei conclusies uit kunnen trekken,' zei Emilio onverstoorbaar. 'Conclusies die natuurlijk nergens op gebaseerd zouden zijn, maar misschien toch lastig. Voor ons allebei.'
Horatio zuchtte, zette zijn zonnebril af en kneep in de brug van zijn neus. 'Sorry, maar er staan levens op het spel en de tijd tikt door.'
'Dat ligt in de aard van jouw werk,' antwoordde Emilio. 'Maar niet in het mijne. Ik héb geen werk, Horatio, zoals je volgens mij heel goed weet. En ik heb er geen enkele behoefte aan bij dat van een ander betrokken te worden.'
Hij wachtte even, haalde een sigaar tevoorschijn en nam de tijd om die aan te steken. Toen hij uiteindelijk tevreden was met de manier waarop die smeulde, leunde hij achterover en blies hij een zorgvuldig gevormd, golvend kringetje rook voor hij verder praatte. 'Misschien is mij wel iets ter ore gekomen dat jou zou kunnen interesseren... maar voor ik die kennis met je deel, wil ik weten of je mijn bedenkingen serieus neemt.'
'Emilio,' zei Horatio, 'je weet dat ik je nooit om een gunst zou vragen als het niet heel dringend was. En ik heb er nog nóóit om twee achter elkaar gevraagd.'
'Wat ik weet, is dat jij en ik twee heel verschillende mensen zijn,' zei

Emilio. 'Mannen die elkaar respecteren, dat wel, maar wij vinden heel andere dingen belangrijk. Je zou onze vriendschap onmiddellijk opofferen, als je er een leven mee kon redden.'
Horatio keek hem strak aan, maar zei niets.
'Daar hoef je je niet voor te verontschuldigen,' zei Emilio, 'en dat verwacht ik ook niet van je. Jouw overtuigingen zijn voor mij reden om je hoog te achten.' Hij keek Horatio met een geamuseerde blik aan, maar deze kreeg iets kils toen hij vervolgde: 'Niettemin zijn het niet míjn overtuigingen. Verwar mijn hulp niet met een week hart.'
'Dat zou geen moment bij me opkomen,' zei Horatio.
'Mooi zo. Hoewel ik zo'n orgaan wel schijn te bezitten, is me verzekerd dat het mijne een zwart en verschrompeld geval is, dat eigenlijk voornamelijk uit medelijden mijn bloed nog door mijn aderen stuwt. Dat is nauwelijks de basis voor een betrouwbare relatie. Het is, neem ik aan, ook de reden dat ik op mijn oude dag alleen op de wereld zal zijn.'
Horatio moest ondanks zichzelf glimlachen. 'Dan zal ik geen beroep doen op je goede inborst.'
Emilio glimlachte terug. 'Een verstandige keuze. Je kunt eigenlijk beter een beroep doen op mijn gevoel voor het absurde; dat is veel beter ontwikkeld en in deze chaotische wereld ook veel toepasselijker. Neem nou bijvoorbeeld het detail waarnaar je mij gevraagd hebt onderzoek te doen...'
Horatio boog zich meteen geïnteresseerd naar voren. 'Heb je iets gevonden?'
Emilio nam nog een lange, luie trek van zijn sigaar. 'Dat heb ik zeker. De bijzonderheden staan hierin.' Hij stak zijn hand in zijn borstzak en trok er een dun envelopje uit dat hij aan Horatio overhandigde. 'Het was een uiterst merkwaardig verzoek, maar het ging mijn talenten niet te boven.'
'Dank je,' zei Horatio. 'Tot wederdienst bereid, Emilio. Ik zal dit niet vergeten.'
'Dat denk ik ook niet,' zei Emilio en hij blies nog een kringetje rook.

15

'Bedankt dat u nogmaals met ons wilde komen praten,' zei Horatio. Malcolm Torrence keek hem met een blik vol verachting aan vanaf de andere kant van de tafel. 'Ik ben hier echt niet omdat ik dat zo graag wil,' zei hij. 'Maar u wond er geen doekjes om dat u het de Alliantie flink moeilijk zou kunnen maken, als we niet mee zouden werken.'
'Dan zal ik proberen kort te zijn,' zei Horatio. 'Ik zou graag met u praten over het Zoogdierenprogramma van de marine.'
'Wat is daarmee?'
'Daar hebt u aan deelgenomen, hè?'
'Ja, maar toen was ik al weg bij de marine. Het bedrijf waar ik voor werkte had een contract met het Ministerie van Defensie om te proberen hun dieren te re-acclimatiseren.'
Horatio knikte. 'Re-acclimatiseren? Dat betekent zeker ze klaarstomen voor hun terugkeer in het wild?'
'Dat was de bedoeling. We moesten ze leren om weer voor zichzelf te zorgen nadat ze jarenlang getraind waren om te komen als ze werden gefloten. Toen we ze kregen, wilden ze niet eens levende vis éten, laat staan dat ze die zelf konden vangen.'
'En het was uw taak om te zorgen dat ze hun vrijlating zouden overleven.'
Torrence snoof. 'Dat zeiden ze, maar eigenlijk was het puur een politieke kwestie. De enige reden waarom ze ons ingehuurd hadden was als zoethoudertje voor de dierenrechtenorganisaties.'
'Het bedrijf waarvoor u werkte... was dat het Aquarian Institute?'
'Dat klopt.'
'Onder supervisie van dr. Nicole Zjenko?'
'Ja.'
'U werkt daar intussen niet meer. Hoe komt dat?'
Torrence begon met de vingers van zijn linkerhand op tafel te trommelen. Horatio wist niet of dat van agitatie of verveling was. 'Wilt

u weten hoe dat komt? Zjenko draaide compleet door, zo kwam dat.'
Horatio zakte weer achteruit in zijn stoel. 'Hoe draaide ze dan door?'
'Ze flipte totaal, man. Ze was altijd al een beetje vreemd, maar naarmate we dichter bij het moment van het vrijlaten van de dolfijnen kwamen, werd ze steeds vreemder. Op het laatst ging het echt mis. Ze weigerde ze vrij te laten, zei dat ze bij haar hoorden, niet vrij rond hoorden te zwemmen.'
'Hoe nam de marine dat op?'
Hij lachte kort en bitter. 'Dat was helemaal in hun straatje. Ze wilden namelijk helemaal niet dat ze vrijgelaten werden, en Zjenko gaf hen dus precies wat ze wilden. Ze schreef een rapport dat verdere studie nodig was, omdat de dolfijnen het in hun eentje niet zouden redden.'
'Dat klinkt alsof u het daar niet helemaal mee eens bent, meneer Torrence.'
'Ik ben nog een koel briesje vergeleken bij Orkaan Nicole. We hebben op het laatst allemaal ontslag genomen. Niemand van ons kon nog met Nicole samenwerken. Er viel niet meer met haar te praten. Ze zat altijd in het water en zelfs als ze daar niet was, praatte ze meer met de vissen dan met ons.'
'Wie werkten daar nog meer?'
'Anatoli Kazimir, Fjodor Djerzinski en Ingrid Ernst.'
Horatio trok zijn wenkbrauwen op. 'Allemaal leden van de DBA,' merkte hij op. 'Wel apart dat een organisatie met zulke extreme denkbeelden weigerde samen te werken met iemand als dr. Zjenko.'
Torrence kneep zijn dunne lippen op elkaar. 'De DBA is, in tegenstelling tot wat u lijkt te denken, geen terroristische organisatie. We hebben al genoeg te stellen met de publieke opinie zonder bemoeienis van zo'n psychoot. Weet u waar ik haar een keer op betrapt heb? Dat ze een dolfijn zat te líkken. Ik hou van dieren, maar dat... dat was gewoon gestoord.'
'Hm. Vertelt u me eens, komt dit u bekend voor?'
Horatio duwde een velletje papier naar de andere kant van de tafel. Torrence pakte het op, wierp er een blik op en zei: 'Jazeker. Dat is

een tatoeage. Anatoli, Ingrid, Fjodor en Nicole hebben er allemaal zo een. Het is een of ander Russisch verbintenissymbool. Ik heb nooit helemaal begrepen waar het precies voor staat.'
'Dan zullen we dat maar eens aan iemand moeten gaan vragen die dat wel weet,' zei Horatio welwillend.

Dr. Zjenko weigerde voor een gesprek naar hem toe te komen en dus ging Horatio maar naar haar toe.
Ze was weer bij het bassin. Ze zat naast haar Levostoel op het betegelde randje. Er woei een koel briesje vanuit zee, maar zij was slechts gekleed in hetzelfde zwarte badpak dat ze ook aanhad toen ze elkaar voor het eerst gesproken hadden. De onderwaterverlichting wierp golvende blauwe patronen over haar gezicht toen ze zich over de dolfijn boog die rustig bij haar in de buurt dreef.
'Dr. Zjenko,' zei Horatio, die op ongeveer een meter afstand van haar bleef staan. 'Er zijn wat zaken waar wij het over moeten hebben.'
'Ik heb het heel druk,' snauwde ze. 'Whaleboy heeft een of andere schimmelinfectie.'
'Ik heb tegenstrijdige informatie gekregen van een paar van uw excollega's,' vervolgde Horatio. 'Om precies te zijn, van uw vroegere bondgenoten van de DBA.'
Ze snoof. 'Nou en? Ik ben in het geheel niet geïnteresseerd in wat zij te zeggen hebben. Ik heb u al verteld wat ik over die *mudilos* denk.'
'Wat zij zeggen is dat ze voor u gewerkt hebben. En dat ze, toen u weigerde de marinedolfijnen die u onder uw hoede had vrij te laten, uit protest hun ontslag genomen hebben.'
'Wat?' Ze klauterde in haar stoel zonder de moeite te nemen te doen alsof ze hulp nodig had; aan het gemak waarmee ze zichzelf optrok tot zittende positie zag Horatio hoeveel kracht ze in haar armen had. 'Wat een *niegadzai podonok svolotch! Hooy tebe v zhopu zamesto ukropu*... Zo is het helemaal niet gegaan. Die idioten wilden de dieren vrijlaten voor ze daar aan toe waren, en toen ik daar bezwaar tegen maakte, deden ze het toch. En weet je wat er toen gebeurde? De dolfijnen begonnen huurbootjes te volgen en om vis

te bedelen. Eentje is er aan stukken gehakt door de schroef van een motor. Toen is de marine uitgerukt en heeft op die rotfluitjes van ze geblazen, waarna de dolfijnen keurig in hun hok terugzwommen, als brave soldaatjes. Wat verwachtten die *zalupas* ook? Dat die tuimelaars opeens vergeten zouden zijn wat er de afgelopen twintig jaar was ingeramd? *Paltsem delanniy!*'
Horatio liep naar de rand van het bassin, hurkte neer en keek Whaleboy in het oog. De dolfijn maakte een hoog geluid en dook onder water. 'En de marine heeft ze toen weer bij u teruggebracht?'
'Pas nadat ik Anatoli en zijn makkers de laan uitgestuurd had. Maar vervolgens werden de dolfijnen toch bij me weggehaald en overgeplaatst naar een andere opvang in Californië. De marine dacht dat ik misschien iets te zeer aan de dieren gehecht geraakt was.'
Horatio kwam overeind. 'En was dat ook zo?'
Ze kwam recht op hem af gerold, maar hij deed geen stap achteruit. Ze bleef op een paar centimeter van zijn voeten staan. 'Natuurlijk. Denkt u soms dat ik een harteloos monster ben, dat ik niets zou voelen als wezens waar ik voor gezorgd heb, die ik heb genézen, bij me weggaan? Ik huil om ze; ik huil meer om het verlies van hen dan om dat van mijn eigen ledematen.'
'En moet iemand boeten voor die tranen van u? Met tranen van zichzelf?'
'We moeten allemaal boeten, vroeg of laat.' Ze keek hem woedend aan, maakte een laatdunkend gebaar en rolde weer weg. Horatio liep achter haar aan.
'U begrijpt het niet,' zei ze. 'Ik ben een Russin. Vanaf het moment van mijn geboorte ben ik me ervan bewust te moeten sterven. Verliezen waar je van houdt hoort er gewoon bij. Dat betekent nog niet dat je dan vervolgens van niets of niemand meer houdt; het betekent dat je de vlammen omarmt en het vuur niet vervloekt. Jullie Amerikanen doen altijd alsof je alles voor niets zou moeten krijgen, alsof de wereld één groot verjaardagsfeest is. Jullie nemen maar en zien de prijs niet die jullie daar ooit voor zullen moeten betalen.'
'Sommigen van ons zijn zich bewuster van die prijs dan u zou denken,' zei Horatio.
Ze liet zich langzaam uitrollen. Even bleef ze stil voor ze het woord

weer nam. '*Da*. Misschien wel. U weet hoe het voelt om iets te verliezen waarvan je houdt; dat zie ik in uw ogen. Maar dat betekent nog niet dat we vrienden zijn.'
'Ik vraag niet om uw vriendschap,' zei Horatio en zette zijn handen in zijn zij. 'Ik vraag om uw eerlijkheid. In ruil daarvoor zal ik u wat van de mijne geven... elke keer als ik me even omdraai wijst er weer iets anders in uw richting. U haat de marine, u werkt met dolfijnen. Ondanks uw eerdere bedenkingen wat betreft de mogelijkheid van het trainen van walvissoorten om als wapen te dienen, is dat precies wat u in Rusland gedaan hebt. Tevens blijkt dat u een opleiding hebt gehad in het werken met onderwaterexplosieven en gevechtsduiken. Ondanks dat alles denk ik niet dat u de moordenaar bent, maar ik denk wel dat u erbij betrokken bent. U en nog iemand anders van de DBA. Iemand anders die ook een cyrillische Zj op een uiterst intiem plekje getatoeëerd heeft staan.'
'De tatoeage? Wat heeft die ermee te maken?'
'Misschien kunt u mij dat vertellen?'
Ze draaide zich met stoel en al om en keek hem fronsend aan. 'Die stamt nog uit mijn tijd bij de sovjetmarine. We kregen er allemaal een, in een smoezelige salon in Novobirsk.'
'Dat weet ik. Ik weet ook waarom u hem kreeg en waarom jullie juist die letter hebben gekozen.'
'U moet goede bronnen hebben.'
'Ik weet me ermee te behelpen. En u blijkbaar ook.'
Ze keek hem giftig aan. 'Ik heb alleen maar gedaan wat me opgedragen werd. Als ik het niet gedaan had, had een ander het wel gedaan. Ik kon in ieder geval nog zorgen dat het snel voorbij was.'
'Het moet...' Horatio maakte zijn zin niet af.
'Wat? Gruwelijk geweest zijn? Monsterlijk? Wreed? Klopt allemaal. Wilt u de details weten? Ik heb er explosieven voor gebruikt. Ik heb de hele groep in hetzelfde bassin bij elkaar gedreven en vervolgens een onderwaterbom tot ontploffing gebracht. De hydrostatische druk heeft ze op slag gedood. Allemaal.' Haar ogen werden wazig. 'Toen ik de bom in het water liet vallen, dachten ze dat ik wilde spelen. Een van hen duwde hem over de bodem met zijn snuit toen hij afging.'

'Kon u ze niet gewoon vrijlaten?' vroeg Horatio.
'Nee. Ze waren wapens. Mijn superieuren waren bang dat de Amerikanen, of misschien de Chinezen, er een zouden vangen en die zouden bestuderen. Dat risico konden ze niet nemen. Na de val van de muur was er geen geld meer voor "bijzondere projecten" en dus moesten ze allemaal vernietigd worden.'
'Wat vreselijk,' zei Horatio. 'Dat lijkt me iets heel gruwelijks om te moeten meemaken.'
Ze keek hem nukkig aan en schokschouderde. 'Nou en? Denkt u dat wij de enigen waren die zoiets deden? Jullie Amerikanen zijn gek op huisdieren, katten en honden. Toch hebben ook jullie in Vietnam herdershonden gebruikt om mijnen te zoeken en te speuren naar vallen. Die dieren hebben vele levens gered. En kregen ze na afloop van de oorlog een welverdiende beloning? Welnee, ze werden allemaal afgemaakt, net als mijn dolfijnen. En waarom? Dat was veel goedkóper.' Ze spuugde dat laatste woord uit alsof het vergif was.
'En de tatoeages waren een manier om uw doden te eren.'
'Het was de codeletter van onze eenheid. We hebben gezworen het nooit te zullen vergeten.'
'Janice Stonecutter vergat het ook niet. Degene die haar verkrachtte en vermoordde had diezelfde tatoeage.'
'En u denkt dat het een van ons was. Een van hén.'
'Ja.'
'Oké, u bent te slim voor mij. Ik beken.' Ze wierp haar handen ten hemel, zogenaamd wanhopig. 'Ik heb het allemaal gedaan, met een grote, rubberen *yelda*. Slim van mij, hè? Niemand verdenkt een beenloze vrouw ervan de verkrachter te zijn!'
'Terwijl u grappen zit te maken, kan een andere vrouw stervende zijn,' zei Horatio. 'Wilt u weten hoe Janice Stonecutter gestorven is? Ze heeft een groot deel van de dag onder water vastgebonden gezeten in een auto; ze werd met een fles zuurstof in leven gehouden terwijl hij haar te lijf ging met een stel zelfgemaakte klauwen. Ze werd herhaalde malen verkracht. Toen ze uiteindelijk doodgebloed was, heeft hij haar ingewanden uitgerukt.'
De blik die ze hem toewierp was ijzig. 'Moet ik nu geschokt zijn?

Zelfs met die bronnen van u, heeft u blijkbaar geen idee wat ik gezien en gedaan heb. Ik ben geen engel, Horatio.'
'Nee, maar ook geen monster. En hij wel. Wilt u echt dat die kerel vrij rondzwemt in hetzelfde water als u?'
'Waarom niet? De zee is groot,' zei ze. Ze rolde naar de oude ijskast, trok die open en stak haar hand in het vriesvak. Ze haalde er een fles Stolichnaja wodka uit en een berijpt glaasje. 'Denkt u dat hij de enige moordenaar daar is? Er bestaan meer dan tweehonderdzeventig haaiensoorten. Oké, maar een heel klein deel daarvan valt mensen aan, misschien drie procent. Weet u hoeveel soorten menseneters er zijn?'
'Ik kan rekenen.'
'Rekenen, pff. Ik kan hun namen opnoemen.' Ze liet het glas op de rand van haar stoel balanceren, schroefde de dop van de fles en schonk zich een glas in. 'De witte haai, de Oceanische witpunthaai, de stierhaai. De grote hamerhaai, de kortvinmakreelhaai, de haringhaai, de verpleegsterhaai. De blauwe haai, de zwartpunthaai, de zwartpuntrifhaai en de geelbruine verpleegsterhaai. En dan die met de belachelijke naam: de Wobbegong.' Ze hief haar glas. 'En laten we mijn favoriet vooral niet vergeten, *Galeocerdo cuvier*: de tijgerhaai. Kan tot zes meter lang worden en wel duizend kilo wegen. Hij eet bijna alles: vissen, roggen, zeezoogdieren, zeeschildpadden, vogels, zeeslangen, en zelfs andere haaien. En natuurlijk smakelijke Russische duikers.' Ze sloeg de borrel in één ruk achterover en praatte zonder adempauze door. 'De Hawaïanen noemen hem *Awna Kua*. Zij geloven dat hij de geesten van hun voorouders met zich meedraagt. Wat een geloof! Stel je voor dat je laatste gedachte is: Ik vraag me af of dat oma is die daar in mijn lever hapt. Ook een glaasje?' Ze hield de fles omhoog.
'Nee.'
'Natuurlijk niet. Een agent in Moskou zou zich geen moment bedenken.' Ze schonk zichzelf er nog een in. 'Het was mijn eigen schuld.'
'Wat?'
'Dat ik mijn benen ben kwijtgeraakt.' Ze lachte kort, een hese blaf zonder vreugde. 'Engels is zo'n idiote taal. Ik ben mijn benen hele-

maal niet kwijt; ik weet precies waar ze zijn. Zien?' Ze sloeg de borrel achterover en draaide de rolstoel om met de fles nog in haar hand, waarna ze naar een laptop reed die op een tafel bij het bassin een zacht licht verspreidde. Ze tikte een commando in, vloekte en drukte nog wat meer toetsen in. 'U moet weten dat ik heb geholpen met het oormerken van tijgerhaaien als onderdeel van een onderzoeksprogramma. Tijgerhaaien hebben een heel aparte manier van zwemmen, van de bodem naar het oppervlak en weer terug, als een jojo. Dat wist ik. Verder vallen tijgerhaaien nooit een prooi aan die hen ziet aankomen. Geloof het of niet, maar de beste manier om je te verdedigen is ze in de ogen te kijken. Dat wist ik ook. Aha, daar is hij. Kijk.'

Horatio kwam dichterbij. Op het scherm van de laptop was een troebele, groene achtergrond te zien. 'Wat is dat?' vroeg hij.

'Het werk dat we deden, was het volgen van de bewegingen van tijgerhaaien om hun gedrag te onderzoeken, te kijken hoe ver ze zwommen om aan voedsel te komen. Daar gebruikten we twee methodes voor: we implanteerden ultrasone zendertjes in hun buikholte die piepjes uitzonden die we met een hydrofoon konden opvangen. En dit is de andere methode.' Ze wees naar het scherm. 'Een camera, aangebracht op zijn rugvin. De data komen binnen via een satelliet die de beelden verzendt naar een website op het mirakelse internet.'

Horatio boog zich voorover en tuurde naar het scherm. Nu kon hij een paar schokkerige details onderscheiden, zilverachtige flitsen waarvan hij aannam dat het vissen waren. 'Bedoelt u dat dit...'

'Mijn schuld was,' herhaalde ze. 'Een moment van onoplettendheid. Haaien vallen nooit van boven af aan, wist u dat? Daar is hun lichaam niet op gebouwd. Het enige wat je dus moet doen is omlaag blijven kijken en om je heen om niet als maaltijd te eindigen. Dat is alles...'

'U neemt het uzelf dus kwalijk?'

'Ze wilden hem doden. Naderhand. Hij was een van de dieren die al gemerkt waren, dus hij was makkelijk te vangen. Maar ik heb hen tegengehouden. Ik heb hun gevraagd hem een camera mee te geven, om te zien wat hij verder zou doen. Een onbetaalbare kans

om aan gegevens te komen, zei ik. En dat hebben ze gedaan.'
Horatio wreef over zijn kin. Hij staarde naar het scherm en keek toen naar Zjenko. Haar blik hield het midden tussen fascinatie en verlangen. 'Soms kom ik hier 's avonds laat heen, als ik niet kan slapen,' zei ze zacht. 'Dan kijk ik naar een andere wereld door de ogen van een jager. Ik vroeg me in het begin wel eens af of hij veranderd was, doordat hij een deel van mij had opgegeten. Maar ik besefte al snel hoe dom dat idee was... haaien veranderen niet. Miljoenen jaren van evolutie hebben geen enkel effect gehad, dus waarom zou ik dat wel hebben? Nee, ik ben degene die getransformeerd is, niet hij.'
'Dus u maakt niet langer deel uit van het menselijk ras, is dat het? Geen banden, dus ook geen verplichtingen? Wat maakt dat van u?' vroeg Horatio zacht.
'Geen idee,' zei ze. 'Moe. Alleen. Gefrustreerd. *Mne vse ravno.*'
'Wat betekent dat?'
'Dat betekent: het kan me allemaal niet schelen.' Ze zette de fles wodka aan haar lippen en nam een grote slok.
'Daar geloof ik niets van,' zei Horatio. 'U geeft in elk geval nog wel om dolfijnen.'
'Nou en? Als die moordenaar van u het opeens op hen gemunt heeft, moet u me maar bellen.'
'Weet u, ik ken wel meer mensen die met dieren werken. Soms zijn hun sociale vaardigheden niet zo groot, maar de meesten zijn toch geen misantropen. De reden dat ze er vaak voor kiezen dierenarts te worden of zoöloog of lid van de hondenbrigade is niet dat ze een hekel aan mensen hebben: het is omdat ze de beste kwaliteiten van de mens tot uitdrukking zien komen in een andere levensvorm. Trouw, intelligentie, speelsheid, liefde zelfs... dat zijn de aspecten die ze herkennen, en dat zijn ook de aspecten die mensen aanzetten tot een leven van zorgen voor en communiceren met een andere soort. Ik geloof niet dat u wat dat betreft zo anders bent.'
Ze zette de fles wodka met een klap op tafel. 'Hoor eens, wat moet u nou van me? Ik heb al gezegd dat ik geen idee heb wie die klotemoordenaar van u is. Is het iemand van de Zj-eenheid? Prima! Ga dan maar met Anatoli praten of met Ingrid of Fjodor!'

'Dat zal ik ook zeker doen,' zei Horatio kalm. 'Maar voor ik dat doe, wil ik u eerst nog één vraag stellen.'
'Schiet op, dan,' gromde ze.
'David Stonecutter is vermoord met een uniek wapen, een sovjet onderwaterpistool, een SPP-1. Dat is typisch iets wat een Russische emigrant meegenomen zou kunnen hebben, als militair souvenir of om het later te verkopen.' Horatio keek haar indringend aan. 'Weet u iets van zo'n wapen?'
Ze keek terug zonder met haar ogen te knipperen. '*Da.* We zijn allemaal getraind in het gebruik ervan, maar alleen Anatoli heeft het zijne meegenomen. Hij vond het altijd erg grappig om een schietschijf in het diepe neer te zetten.'
'Dank u wel,' zei Horatio.
'Graag gedaan,' zei ze bits. 'Is het nu afgelopen? Dan kan ik serieus aan het drinken slaan.' Ze greep de fles wodka en wendde haar blik weer naar het scherm. 'Alleen. Samen met mijn broeder.' En ze hief de fles naar het troebele, groene laptopscherm.

'Ik heb de uitslagen waar je op wacht,' zei Maxine Valera. De DNA-laborant had een hele stapel papier in haar hand, een stapel die veel te dik was naar Delko's zin. Wat ze vervolgens zei stond hem nog veel minder aan: 'Twaalf donors. Zeven mannen, vijf vrouwen. Blijkbaar was de eigenares van de "Seks Toys 'R' Us" een voorstander van gelijke kansen voor mannen en vrouwen.'
'Of ze deelde haar spullen graag met anderen,' zei Delko. 'Bedankt, Maxine. Hopelijk vinden we snel iets waarmee we deze uitslagen kunnen vergelijken.'
'Dan weet je me te vinden.'
Delko liep diep in gedachten het lab uit. Het DNA op de seksspeeltjes zou een middel kunnen zijn om DeVone mee te identificeren, maar het was nog geen bewijs van zijn aanwezigheid op de plaatsen delict; het stukje blauwe latex was dat wel, maar alleen als ze het hele pak terug zouden vinden met zijn DNA erop. Wat ze nodig hadden was een bewijsstuk dat DeVone zelf met de moorden in verband bracht.
Het zat hem niet lekker dat ze de Farallon haaienpijl niet terugge-

vonden hadden. Wapens waren Calleighs specialiteit, maar duiken die van hem. Hij had het gevoel dat hij ergens op de een of andere manier iets gemist moest hebben.
Misschien pak ik het wel verkeerd aan, dacht hij. Misschien kan ik beter naar de munitie op zoek gaan, in plaats van naar het wapen. Kooldioxide, doodgewone CO_2. Verkrijgbaar in kleine aluminium busjes, meestal verkocht in dozen van tien voor allerlei doeleinden, waarvan de meest gebruikelijke sodawater en luchtdrukpistolen waren. Delko kende niemand die zijn eigen frisdrank maakte; het was waarschijnlijker dat DeVone ze gehaald had bij een winkel die paintballspullen verkocht.
Daar waren er verschillende van in Miami want al was een gaspistool niet ongevaarlijk, het viel niet onder de noemer 'vuurwapen' en er was geen vergunning nodig om er een te mogen bezitten of verkopen. Dat betekende dat er ook geen officiële database was die hij kon raadplegen, maar misschien kon hij wel een andere informatiebron vinden...

'Zin in een ritje?' vroeg Delko.
Calleigh keek op van de documenten waar ze boven zat te piekeren. 'Best. Ter gelegenheid waarvan?'
Delko hield een vel papier omhoog. 'We gaan de postbus die DeVone als correspondentieadres gebruikte leeghalen.'
Calleigh fronste haar voorhoofd. 'Denk je echt dat we daar iets zullen vinden? Ik bedoel, misschien hebben we geluk en treffen we er een vingerafdruk aan, maar hoogstwaarschijnlijk zit hij alleen maar vol pornografisch reclamedrukwerk.'
'Misschien. Maar ik hoop eigenlijk reclame aan te treffen uit een andere hoek. Onze moordenaar lijkt namelijk iets te hebben met minder alledaagse wapens: de haaienpijl, de dolfijnenkaak, het onderwaterpistool. Hij heeft zich al bij één mailinglist ingeschreven. Als hij ook nog op een andere staat, voor paintballmaterialen bijvoorbeeld of zeldzame geweren, kunnen we hem aan de hand daarvan misschien op het spoor komen.'
'Het is het proberen waard,' zei ze. 'Vooral gezien de moeite die het me gekost heeft die postbus op te sporen.'

'Daar wil ik te zijner tijd graag alles over horen,' zei Delko met een grijns.
'Is goed.' Calleigh trok haar labjas uit en hing hem op. 'Laten we zeggen... ergens rond de volgende eeuwwisseling?'

16

'Het schijnt,' zei Horatio welwillend, 'dat we ons niet meer over de kop hoeven te werken. De heer Wolfe is er in zijn eentje in geslaagd onze hoofdverdachte niet alleen op te sporen, maar ook achter tralies te zetten.'
Frank Tripp knikte, met over elkaar geslagen armen en een peinzende uitdrukking op zijn gezicht. 'Weet je,' zei hij. 'Ik had gedacht dat hij...'
'Groter zou zijn?' opperde Horatio.
'Nee, vochtiger,' zei Frank.
Ze stonden in het lab te staren naar het ding dat Wolfe net binnen had gereden. Vanuit zijn glazen gevangenis staarde het terug.
Wolfe knoopte zijn labjas dicht en grinnikte. 'Het Zeemonster in eigen persoon,' zei hij. 'Je had die gast moeten horen toen ik met mijn gerechtelijk bevel voor de deur stond. Je zou bijna denken dat ik zijn eerstgeborene kwam weghalen.'
'Zijn eerst uitgebroede dan toch,' zei Tripp. 'Ik heb al heel wat lelijke verdachten voorbij zien komen, maar deze heeft een tronie waar zelfs Frankenstein niet erg gecharmeerd van zou zijn.'
'Niet zo oppervlakkig, Frank,' zei Horatio. 'Het gaat toch niet om de buitenkant, maar om wat er vanbinnen zit?'
'Absoluut, H,' zei Wolfe, die een paar handschoenen aantrok. 'En dan vooral om wat, en wie er in dat pak gezeten heeft.'
'Wacht eens,' zei Tripp met een frons. 'Ik dacht dat je had gezegd dat het tweede slachtoffer opengehaald was met zelfgemaakte klauwen. De nagels van dit geval zien er nog niet scherp genoeg uit om een kras in een pakje boter te maken.'
'Dat komt omdat dit niet het moordwapen is,' zei Horatio. 'Het is het originele pak dat in de film is gebruikt, wat het tot een belangrijke icoon in de persoonlijke mythologie van de zeemeerman maakt.'
Wolfe haalde een sleuteltje uit een bewijsenvelop. 'Precies. Het feit

dat de klauwen hiervan precies even groot zijn betekent dat de moordenaar de verhoudingen van de klauwen van het pak heeft aangehouden, wat betekent dat hij ofwel over erg gedetailleerde informatie beschikte of dat hij toegang tot het pak zelf had.'

'Denk je dat de moordenaar er misschien iets op heeft achtergelaten?' vroeg Tripp.

'Dat valt maar op één manier te achterhalen,' zei Wolfe. Hij stak het sleuteltje in het slot in de achterkant van de glazen behuizing en draaide dat om.

De winkel heette Bullseye Accessories en was gespecialiseerd in paintballgeweren en aanverwante artikelen. Ze verkochten er alles op dat gebied, van beschermende pakken tot gezichtsmaskers en het allernieuwste volautomatische paintball-aanvalswapen.

'Man, man, hier hebben ze echt alles,' merkte Delko op toen ze binnenkwamen. Calleigh sloeg haar ogen ten hemel.

'Ja, ja,' zei ze. 'Alles behalve tekenen van intelligentie.'

'Heb je iets tegen paintball? Dat had ik van jou niet verwacht.'

'O nee? Zou je het dan ook vreemd vinden als een klassiek geschoolde chef-kok niet alle subtiele nuances kon waarderen van een kindermenu?'

Delko grinnikte. 'Ik wist niet dat je zo'n snob was.'

Ze zuchtte. 'Sorry, hoor. Ik wil niet uit de hoogte klinken, maar ik neem vuurwapens gewoon heel serieus en zoiets... nép vind ik gewoon stuitend. Als mensen willen schieten, moeten ze naar een schietbaan gaan en leren hoe dat moet, niet als gekken in het rond rennen en maar raak vuren naar elkaar. Dat voelt gewoon verkeerd.'

Een man met een militair kapsel, een roodoranje krulsnor en een fikse bierbuik kwam naar hen toe gekuierd. Hij had een wijde korte broek met camouflageprint aan, een kaki vest vol zakken met klittenbandsluitingen en een T-shirt met de tekst: SCHIET ZE MAAR DOOD, GOD SORTEERT WEL.

'Hulp nodig, mensen?' vroeg hij. 'Ik heb vandaag een Diablo Mongoose in de aanbieding; een elektronische marker, instelbaar op multi-, turbo-, semi- en volautomatisch vuren, met een strakke vormgeving en een lagedrukregelaar. Vet wapen, als je het mi

vraagt. Alleen vandaag geven we er een tank van 300 bar bij voor maar honderd dollar extra.'
'Eigenlijk,' zei Delko, terwijl hij zijn insigne liet zien, 'vroegen we ons af of we u wat vragen mogen stellen over een van uw klanten.'
De man trok zijn wenkbrauwen op. 'Dat hangt ervan af. Mijn klanten verwachten wel van me dat ik hun privacy respecteer.'
'Uw klanten zijn vijftienjarige pubers met Rambo-fantasieën,' begon Calleigh, 'die u bevredigt door ze dure speeltjes te verkopen die er niet bepaald toe bijdragen dat ze een verantwoordelijke houding aanleren ten opzichte van het bezit van vuurwapens...'
'Eh, Calleigh?' zei Delko. 'Mag ik even wat zeggen?'
Hij duwde haar opzij en fluisterde: 'Hoor eens, we hebben geen bevel. Als jij je niet een beetje inhoudt, kunnen we het wel vergeten.'
'Oké, oké,' zei ze geprikkeld. 'Praat jij dan maar met hem. Ik kijk wel even rond.'
Delko keerde met een verontschuldigende glimlach op zijn gezicht terug. 'Het spijt me, mijn partner is een beetje gevoelig op bepaalde punten. Maar ik zou uw hulp erg waarderen, meneer...?'
'Caldicott. Andrew Caldicott.' De man leek eerder verbaasd dan beledigd. 'Jee, die is snel aangebrand, zeg.'
'Soms wel,' zei Delko toegeeflijk. 'Mijn naam is trouwens Eric Delko. We zijn van de technische recherche en doen onderzoek naar een moord.'
Meteen verscheen er een geïnteresseerde lach op het gezicht van Caldicott. 'O? Wat voor moord?'
'Ik kan u de details niet geven, maar ik kan u wel vertellen dat u zich geen zorgen hoeft te maken over uw handel. We weten dat er geen gebruikgemaakt is van dit soort geweren.'
Delko hoorde achter zich een gedempt 'Ha!' dat hij negeerde. 'We hebben een folder van uw winkel in een postbus gevonden die door onze verdachte gehuurd wordt, wat betekent dat hij in uw adressenbestand zit. We vroegen ons af of iemand hier misschien persoonlijk met hem gesproken heeft.'
'Dat zou ik mijn personeel wel kunnen vragen. Om wie gaat het?'
'DeVone.'

'O, die gast.'
'Herinnert u zich hem?'
'Jazeker. Hij kwam hier met een paar vreemde vragen. Hij wilde weten of onze geweren ook onder water werkten. Ik zei dat ik dat nooit geprobeerd had, maar dat ik dacht van niet. De kogel zou ook niet ver komen.'
'Heeft hij iets ingevuld? Een formulier of zo?'
'Nee. Iedereen die bij ons in het bestand gezet wil worden, wordt direct in de computer ingevoerd.'
'Kunt u me vertellen hoe hij eruitzag, wat voor kleding hij droeg? En wat voor stem hij had. Had hij een accent?'
Caldicott stak zijn hand omhoog. 'Ho, ho, rustig aan. Ik heb nog iets veel beters. Ik kan hem laten zien.' Hij wees naar het plafond boven de toonbank. 'Het valt niet op, maar we hebben daar een camera zitten. Ik heb beelden van hem.'
'Echt waar? Hoe lang bewaart u die filmbeelden?'
'Een paar dagen, maar hij was hier gisteren nog. Hij heeft een paar busjes CO_2 gekocht, meen ik me te herinneren.'
Calleigh kwam aanlopen. 'Hoe gaat het?'
'Dit geloof je niet,' zei Delko.
Hij vertelde haar wat er gebeurd was, terwijl Caldicott de beveiligingsbanden ging halen.
'Laten we hopen dat zijn gezicht er duidelijk op staat,' zei Calleigh. 'En dat hij niet in vermomming was, zoals in de fetisjkledingzaak.'
'Iedere dader maakt ooit ergens een fout,' zei Delko. 'Hopelijk is dit het moment waarop onze zeemeerman...'
Caldicott was alweer terug. 'Alstublieft,' zei hij stralend, terwijl hij hun een videoband overhandigde.
'Dank u wel,' zei Calleigh minzaam, terwijl ze de band aannam. 'En sorry als ik daarnet misschien wat bits overkwam.'
'O, dat geeft niet,' zei Caldicott. 'Vrouwen hebben het meestal niet zo op deze sport begrepen. Wapens zijn toch meer iets voor mannen.'
Delko keek naar Calleigh en deed een stapje achteruit.
'Voor mannen, hè?' zei Calleigh koel. 'Ja, ja. Weet u wel hoeveel sterfgevallen er veroorzaakt worden door luchtdrukgeweren? 39

tussen 1990 en 2000, waaronder 32 kinderen. In het jaar 2000 alleen al zijn er meer dan 21.000 gevallen van verwonding door luchtdrukwapens gemeld.'
'Dat waren uitsluitend luchtbuksen. Paintballgeweren zijn totaal ongevaarlijk als je weet hoe je ermee om moet gaan.'
'O, ja? De meeste handwapens schieten een kogel weg met een snelheid van tussen de 250 en 500 meter per seconde. Een .22 kaliber kogel hoeft maar een snelheid van 75 meter per seconde te bereiken om huid te kunnen doorboren. Het doorboren van een oog kan al bij snelheden van maar 40 meter per seconde; de geweren die u verkoopt schieten de kogel weg met snelheden tot 75 meter per seconde.'
'Ja, maar er is nogal een groot verschil tussen een kogel en een met verf gevuld plastic balletje.'
'Dat is waar. Moet je een veiligheidscursus hebben gevolgd voor je hier iets mag kopen?'
'Nou, nee...'
'Dan ga ik ervan uit dat de meeste van uw klanten dat verschil niet kennen.' Calleigh wees naar een groepje jongens van nog geen vijftien die bij de toonbank een futuristisch ogend pistool stonden te bewonderen. 'Wist u dat in Florida het gebruik van een luchtdrukpistool door iedereen jonger dan zestien een overtreding is, tenzij het onder toezicht van een volwassene gebeurt en de ouder van de minderjarige toestemming gegeven heeft?'
'Natuurlijk weet ik dat.'
'Dan ga ik ervan uit dat u uw producten nooit verkoopt aan dat soort jongens zonder toestemming van hun ouders. Ik neem tenminste aan dat u niet graag voor de rechter gesleept zou worden door de boze ouder van een tiener met een ooglapje die een schadevergoeding van een miljoen eist?'
Caldicott slikte. 'Dat denk ik ook niet.'
'Mooi zo. Want als zo'n zaak mij ooit ter ore komt, zal ik met alle plezier als getuige-deskundige optreden. Voor de aanklager. Bedankt voor de video.' Calleigh draaide zich om en beende de winkel uit.
Delko liep grijnzend achter haar aan. 'Dat noem ik nog eens al je

kruit verschieten,' zei hij. Calleigh mompelde iets terug, wat hij niet verstond.
Hij vroeg maar niet of ze het wilde herhalen.

'Meneer Kazimir,' zei Horatio. 'Fijn om te zien dat u zich weer beter voelt.'
Anatoli Kazimir staarde hem door een kier in de deuropening wazig aan. Zijn ogen waren roodomrand, hij was ongeschoren en had alleen maar een boxershort aan.
'Inspecteur Caine,' zei hij. Zijn stem, die niet meer vervormd werd door de drukkamer, was hees en rauw. 'Waaraan heb ik dit genoegen te danken? Hebt u nog meer formulieren voor me?'
'Je slaat de spijker op zijn kop, Anatoli,' zei Horatio. Hij hield een huiszoekingsbevel omhoog. 'Zou je misschien even naar buiten willen komen?'
'Mag ik dan eerst een broek aantrekken? Of is dat te veel gevraagd?'
'Zolang er een agent bij is, heb ik daar geen bezwaar tegen.'
Kazimir deed de deur verder open en liet Horatio en de geüniformeerde agent die hem begeleidde binnen. De agent volgde Kazimir naar de slaapkamer, terwijl Horatio alvast rond begon te kijken.
Kazimirs woning zag er ongeveer zo uit als hij verwacht had: klein, rommelig, niet erg schoon. Lege bakjes van afhaalrestaurants bedekten de eettafel en het aanrechtblad, tijdschriften en oude kranten vormden slordige stapels op stoelen, kleren hingen over het meubilair. De gootsteen leek voornamelijk te worden gebruikt als asbak.
Kazimir verscheen weer in de deuropening van de slaapkamer, nu gekleed in een spijkerbroek en een T-shirt dat zo verbleekt was dat de tekst erop onleesbaar was. 'Als je ergens naar op zoek bent, mag je het ook gewoon vragen,' zei Anatoli.
'Dat zal ik ook zeker doen,' zei Horatio. 'Als we het niet kunnen vinden.'
Kazimir en de agent liepen naar de gang. Even later verscheen Calleigh, enigszins buiten adem. 'Sorry dat ik zo laat ben, H, maar volgens mij hebben we een belangrijke doorbraak.' Ze vertelde hem over de video. 'Delko zit hem nu te bekijken. Ik heb hem nog niet gezien. Ik ben meteen op pad gegaan zodra ik je telefoontje kreeg.'

'Uitstekend werk,' zei Horatio. 'Laten we dan nu maar eens kijken of we een moordwapen aan de lijst van bereikte successen van vandaag kunnen toevoegen.'

Het eerste wat Wolfe deed was het kostuum zelf uit de vitrine halen, stukje voor stukje, want het bleek uit losse onderdelen te bestaan: kop, borstplaat, romp, arm- en beenbedekking en poten met klauwen. Zonder de blauwe spotjes erop was de kleur dofgrijs met een groenige schijn.
Daarna volgde de pop die het pak aan had gehad. Hij zat door zijn voetzolen heen aan de bodem van de vitrine vastgeschroefd; Wolfe verwijderde de schroeven voorzichtig en legde ze opzij, waarna hij de pop zelf eruit haalde.
Hij poederde de buitenkant van de vitrine op zoek naar vingerafdrukken, maar was niet verbaasd toen hij die niet vond; Tresong maakte het glas blijkbaar zeer regelmatig schoon. Hij hoopte meer geluk te hebben met de binnenkant.
Met een argon-ionlaser van 10 watt bekeek hij elke centimeter van het glas in de hoop op die manier latente afdrukken op te sporen. Vlak bij de onderkant had hij beet; daar zaten er een paar die er veelbelovend uitzagen. Hij besloot de hele vitrine van binnenuit op te dampen.
Opdampen met superlijm was een methode die gebruikt werd om latente vingerafdrukken zichtbaar te maken. Hoewel de ontdekking van die methode vaak toegeschreven werd aan een Britse politieagent die in 1979 ontdekt had dat de vingerafdrukken op een kacheltje dat hij net gerepareerd had veel zichtbaarder waren geworden, was hij eigenlijk al twee jaar eerder gedaan door een labmedewerker die voor de Afdeling Identificatie van het Japanse Nationale Politie Instituut werkte. In de Verenigde Staten werd het als onderzoekstechniek geïntroduceerd door het Bureau voor Alcohol, Tabak en Vuurwapens en tegenwoordig is de methode wijdverbreid.
Er zijn verschillende soorten superlijm: methylcyanoacrylaat of ethylcyanoacrylaat worden het meest gebruikt, maar ook butylcyanoacrylaat of isobutylcyanoacrylaat zijn bruikbaar. De techniek is heel simpel: het object dat opgedampt moet worden wordt in een

afgesloten ruimte geplaatst, bijvoorbeeld een vissenkom of een gewone kartonnen doos, samen met een klein verwarmingselement waarop een kommetje met een paar druppels superlijm gezet wordt. Het verwarmingselement wordt ingeschakeld en de doos luchtdicht afgesloten. Vervolgens wordt de lijm tot zijn kookpunt verwarmd, ergens tussen de 49 en 65° C, waardoor cyanoacrylaatdampen vrijkomen.

Het belangrijkste ingrediënt van de meeste vingerafdrukken is zweet. Zodra het vocht verdampt is, blijft alleen een mengsel van het organische over – glucose, ammonia, riboflavine, melkzuur, peptiden, aminozuren en isoagglutinogenen – en van het anorganische – chloor, natrium, kalium en koolstoftrioxide. De geconcentreerde lijmdamp reageert met de chemische sporen en het vocht in de lucht, waardoor zich een kleverige witte stof vormt langs de randen van de vingerafdruk.

Normaal gesproken kan die procedure wel een paar uur duren, maar Wolfe kende wat trucjes om het proces te versnellen. Eerst draaide hij de twee blauwe spotjes los die in de bodem van de vitrine ingebouwd zaten en verving een daarvan door een gewoon wit peertje met een hoger wattage. Van aluminiumfolie vormde hij een simpel, komvormig bakje en zette dat op het peertje, waarna hij er wat lijm in druppelde.

In de andere fitting stak hij een adapter voor een kleine elektrische ventilator waarmee de circulatie van de dampen versneld kon worden. Vervolgens gebruikte hij de magnetron van het lab om een fles water te verwarmen, die hij naast de ventilator zette. Daardoor zou de luchtvochtigheid vergroot worden, wat het chemische bindingsproces zou versnellen.

Ten slotte deed hij het deurtje van de vitrine dicht en sloot hij de elektriciteit aan. Hij hield het proces nauwlettend in de gaten; als hij te lang wachtte, konden de latente afdrukken te ver ontwikkeld raken en zou de opeenhoping van chemicaliën op de randen elkaar gaan overlappen.

Toen de afdrukken klaar leken, verwijderde Wolfe ze met behulp van tape van het glas. Oliver Tresongs afdrukken zaten al in de computer omdat hij tien jaar geleden was opgepakt wegens het bezit van

marihuana en de meeste afdrukken die Wolfe verwijderd had kwamen met die van hem overeen.
Eén echter niet.
'Wie ben jij?' mompelde hij. 'En wie je ook bent, heb je misschien nog meer dan alleen een vingerafdruk achtergelaten?'
Daarna was het pak aan de beurt. De buitenkant ervan leverde nog een aantal afdrukken op, waarvan sommige overeenkwamen met die van Tresong en andere met die van de onbekende donor. Hij ging met een wattenstaafje langs de binnenkant van elk onderdeel op zoek naar epitheelcellen; hij had geen DNA-monster van Tresong om ze mee te vergelijken, maar als het bewijs in de goede richting wees, kon hij daar wel aankomen.
De kop van het Zeemonster staarde hem blind aan vanaf de van binnenuit verlichte tafel. De verlichting van onderaf verleende zijn uitpuilende ogen een merkwaardige gloed.
'Waar zit jíj nou naar te kijken?' vroeg Wolfe. Zijn stem klonk vreemd galmend en zenuwachtig in het lege lab. '... Doe nou niet alsof je slachtoffer nummer drie in een slechte horrorfilm bent,' vermaande hij zichzelf, 'het is maar een rubber masker...' Hij zweeg. 'Jemig, dat ik tegen je prááat...'
Daar had het Zeemonster niets op te zeggen.
Maar, dacht Wolfe, misschien zijn huid wel...

Horatio glimlachte naar de Rus die tegenover hem zat. De kamer die Horatio meestal voor een verhoor gebruikte leek in niets op de verhoorruimtes uit films, met één felle lamp die in de ogen van de verhoorde scheen, zodat de ondervrager een dreigend silhouet vormde dat aan de andere kant van de tafel opdoemde. Nee, de verhoorruimte van de technische recherche van Miami-Dade was heel licht; het fijnmazige metalen traliewerk voor de ramen filterde het heldere zonlicht tot een soort gouden waas. Dit was geen kamer waar je je in kon verschuilen; dit was een kamer waarin alles duidelijk zichtbaar was, waarin alles open lag.
Alles behalve de vrijheid om weg te gaan. Dat was een privilege waar Horatio je voor liet betalen... en de enige muntsoort die hij accepteerde was de waarheid.

'Nou, Anatoli,' zei Horatio, 'ik moet toegeven dat ik wel stond te kijken van wat we gevonden hebben. Ik had niet verwacht dat zo'n fanatieke ecologische activist als jij zich zou inlaten met dat soort smokkelwaar.'
Kazimirs blik was kil. Hij was teruggevallen op stoïcijns Russisch fatalisme, waarmee hij leek te willen laten zien dat hij zich realiseerde dat hij gepakt was, maar daar niet erg mee kon zitten. 'Wat moet ik daarop zeggen?' zei hij nors. 'We hebben allemaal zo onze ondeugden.'
'Een ondeugd is één ding,' zei Horatio, 'maar dertien kistjes handgerolde *Cohiba*-sigaren, door Castro zelf gesigneerd? Eén zo'n doos doet al duizend dollar op de zwarte markt... dat is geen kwestie van verslaving, vriend, dat is handel.'
Kazimir haalde zijn schouders op. 'Denk je soms dat het goedkoop is om een activistenorganisatie te runnen? Van donaties alleen kan ik niet de rekeningen betalen én brandstof kopen én de apparatuur onderhouden. Dat geld moet toch ergens vandaan komen.'
'En als ex-KGB'er met Cubaanse connecties kom je een heel eind met een beetje smokkelwaar... jammer alleen dat het van de federale wet niet mag.'
'Een KGB-er? Ik? Echt niet. Ik mag dan bij de marine hebben gezeten, maar de KGB... nooit! Je hebt te veel spionagefilms gezien.'
'Dan vergis ik me. Ik denk dat ik in de war gebracht was door de slimme speeltjes waar je je mee bezighoudt,' zei Horatio behoedzaam. Hij schoof een foto over tafel naar Kazimir.
Kazimir wierp er een korte blik op en keek Horatio daarna weer aan. 'Als je wilde weten wat dat is, had je het gewoon moeten vragen. Ik deel met alle plezier mijn kennis met jullie.'
'Ik weet heel goed wat het is, Anatoli. Het is een SPP-1 onderwaterpistool. Wat ik wil weten is: is hij van jou?'
Een voorzichtig lachje verdrong de kille uitdrukking op Kazimirs gezicht. 'Aha, dus daar zocht je naar? En dat kon je vanzelfsprekend niet vinden.'
'Speel geen spelletjes met me, Anatoli. Ik weet dat je er eentje hebt meegenomen bij je emigratie en zoiets raak je niet zomaar kwijt. Waar is hij?'

Kazimir liet een korte snurklach horen. 'Wat zijn Amerikanen toch sentimentele sukkels. Waarom zou ik dat ding niet gewoon op eBay verkocht hebben?'
'Ik weet dat je dat niet gedaan hebt,' zei Horatio kalm. 'Maar misschien heb je hem op een minder openbare manier van de hand gedaan?'
Kazimir schudde zijn hoofd. 'Was het maar waar. Nee, dwaze en goedgelovige sukkel die ik ben, heb ik hem te slordig rond laten slingeren. Hij is zo'n zes, zeven maanden geleden gestolen. Hoezo? Heeft iemand er een supermarkt mee overvallen?'
'Nee, Anatoli. Iemand heeft hem gebruikt om mee te moorden. En als je verwacht dat ik zo'n onnozel verhaaltje over diefstal geloof, dan ken je me nog niet.'
'O nee?' Kazimirs stem werd weer ijzig. 'Denk je dat ik jouw soort niet herken als die tegenover me zit? Ik weet heel goed wat voor iemand jij bent, Horatio Caine. Ik heb al vaker tegenover gasten als jij gezeten. Jij dreigt niet met dingen die je niet waar kunt maken.'
'Dat klopt, Anatoli. Als ik iets wil hebben, krijg ik het ook... en ik wil dít wapen. Ik zou je verhaal nu maar snel aanpassen, want ik heb er in het geheel geen problemen mee je voor de wolven te gooien. Die sigaren zijn goed voor een boete van een kwart miljoen en tien jaar cel; en het opblazen van vissersboten zal je reputatie achter de tralies niet veel goed doen.'
Anatoli zuchtte. 'Wat wil je dan van me? Ik heb het pistool niet, ik heb geen idee waar het is. Ik kan niet eens bewijzen dat het gestolen is, omdat het nooit geregistreerd is.'
'En jij verwacht dat ik geloof dat zo'n stuk hardware toevallig in mijn onderzoek opduikt? Dat gaat er bij mij niet in. Weet je wat ik denk?'
Anatoli keek hem onbewogen aan, maar zei niets.
'Ik denk,' vervolgde Horatio en hij hield zijn hoofd een beetje scheef, 'dat jij de waarheid spreekt.'
Anatoli knipperde even met zijn ogen.
'Ik denk dat je pistool echt gestolen is. Want als je wél zou weten waar het nu was, zou je hebben ontkend dat het van jou was. Maar ik weet ook dat dit pistool is gebruikt om iemand mee te doden en

het bewijsmateriaal vertelt ons dat de dader iemand moet zijn die jij kent. Iemand die jij heel goed kent... dus wat ik van jou wil weten is het volgende.' Horatio boog zich met een geconcentreerde blik in zijn ogen voorover. 'Ik wil details, Anatoli. Ik wil weten waar het pistool lag toen het gestolen werd, ik wil weten wie er bij konden, ik wil weten wie jij ervan verdenkt het te hebben meegenomen. En als je mijn tijd verspilt, ben je nog niet jarig.'

Aanatoli dacht daar een tijd lang over na. Hij krabde zich onder zijn kin. Uiteindelijk zei hij: 'Oké. Jij wilt dat ik iemand aanwijs, dan wijs ik iemand aan. Dat pistool bewaarde ik op het kantoor van de DBA. Het was geen geheim dat het daar lag; iedereen wist ervan. Het was bedoeld als zelfverdediging, voor het geval een of andere junk binnen zou komen om onze donatiebus te stelen. Dus ja, het was iemand van ons.' Anatoli hield Horatio's blik vast. 'Ik denk dat ik zelfs wel weet wie...'

Delko speelde de beveiligingsbeelden nog eens voor zijn baas af. Horatio boog zich voorover en bestudeerde het scherm, terwijl er een tevreden lachje om zijn lippen speelde. 'Zo, zo,' zei hij. 'Dat gezicht herken ik zeker.'

'Geen baard, geen hoed, helemaal geen vermomming,' zei Delko. 'De eerste grote fout van DeVone.'

'Nee, Eric,' zei Horatio. 'De eerste grote fout van DeVone was dat hij dacht ons te slim af te kunnen zijn. Goed werk.'

'We weten nu wie hij is, maar we kunnen hem nog steeds niet in verband brengen met de moorden,' zei Delko zacht.

'Nog niet,' zei Horatio. 'Maar we hebben genoeg in handen om een huiszoekingsbevel te krijgen. En hij moet dat pak toch ergens bewaren.'

Wolfe liep zwaaiend met een vel papier de kamer binnen. 'Dat pak is nep!'

'Het pak dat je bij Tresong in beslag hebt genomen?' vroeg Delko.

'Ja, ik vond het vreemd dat het nog in zo'n goede conditie was, dus ik heb er wat NMR-tests op losgelaten.'

'Kernspinresonantie?' zei Delko.

'Ja. Rubber is vrij gevoelig voor omgevingsdegradatie, maar tot voor kort was de enige manier om slijtage te meten het oppervlak visueel te inspecteren.'

NMR maakt gebruik van atoomkernen waarbij ten minste één proton of neutron ongepaard is; door die onevenwichtigheid draaien de kernen in het rond en gedragen ze zich als magneten. Als ze worden blootgesteld aan een sterk magnetisch veld proberen de kernen hun as evenwijdig te krijgen aan de lijn van het magnetische krachtveld, maar omdat die niet helemaal recht loopt, wordt de rotatie ook niet regelmatig en de afwijking daarvan is voor elke kernsoort anders. Als de kernen in een monster ook nog eens aan radiostraling worden blootgesteld, absorberen en stralen ze zelf ook weer energie uit op specifieke frequenties die afhankelijk zijn van individuele rotatiesnelheden. Een NMR-spectrum toont die frequenties als pieken van verschillende hoogten; die pieken worden gebruikt om de samenstellende kernen van het monster te identificeren.

'Goed idee,' zei Delko. 'Ik weet dat de bandenindustrie experimenteert met NMR-technieken om klapbanden te voorspellen. Daarmee kunnen ze veranderingen opsporen in de lengte van polymeren, kruisverbanden aantonen en de aanwezigheid van degradatieproducten.'

'Ja, en het is ook erg handig om te bepalen hoe oud een stuk rubber is. Dit pak moet zijn eerste verjaardag nog vieren.'

'Heb je nog meer gevonden?' vroeg Horatio.

'Epitheelcellen van twee donors. Eén van een onbekende, de ander komt overeen met DNA dat we van de seksspeeltjes hebben gehaald.'

'Wat betekent dat DeVone het pak aangehad heeft,' zei Horatio.

'Ik heb ook vingerafdrukken gevonden: een paar van Tresong, de andere van een onbekende. Die heb ik door AFIS gehaald en toen kreeg ik een treffer in een marinedatabase...' Hij stopte toen hij het videoscherm zag. 'En dat was híj,' zei hij met een knikje richting scherm. 'Ik geloof dat ik een beetje achter de feiten aanhol...'

'Goed werk,' zei Horatio. 'We gaan het als volgt spelen. Ik zoek een rechter op om een huiszoekingsbevel te krijgen voor het huis van onze vriend hier en jij, Wolfe, laat de heer Tresong komen zodat hij

een DNA-monster kan afstaan. En als hij dan toch hier is, zul je hem misschien wat vragen willen stellen…'
'Komt in orde, H,' zei Wolfe.

Oliver Tresong keek alsof hij niet erg dol was op politiebureaus. Hij zat zenuwachtig op zijn stoel te draaien, zweette ondanks de airco en gedroeg zich voor de rest ook alsof hij een kilo smokkelwaar in een van zijn lichaamsholtes verborgen had.
Wolfe keek hem onderzoekend aan. Hij zei geen woord, glimlachte alleen, wierp even een blik op een vel papier in zijn handen en keek toen weer naar Tresong. Hij deed zijn uiterste best de combinatie van kalme welwillendheid en ingehouden woede uit te stralen waar Horatio zo goed in was, maar aan de blikken van Tresong te zien had het waarschijnlijk meer weg van nauwelijks verholen krankzinnigheid. Wolfe wilde het net opgeven en hem maar vertellen wat er aan de hand was toen Tresong opeens uitbarstte: 'Ik had het geld gewoon heel hard nodig!'
Wolfe knipperde met zijn ogen. 'Pardon?'
'Voor het pak. Het is een kopie, ik weet het, maar ik zweer u dat ik niemand heb geprobeerd te bedriegen; het ging trouwens maar om vijfhonderd dollar. Dat is toch geen misdrijf?'
'Dat hangt ervan af,' zei Wolfe, terwijl hij de indruk probeerde te wekken dat hij wist waar Tresong het over had. 'Daarvoor zou ik eerst het hele verhaal moeten horen, vanaf het begin.'
'Oké, oké.' Tresong schudde ongelukkig zijn hoofd. 'Het *Creature From the Deep*-festival wilde me vijfhonderd dollar geven als ik hen het originele kostuum in de lobby van de bioscoop van Verdant Springs zou laten tentoonstellen tijdens het festival. Ik kon het geld erg goed gebruiken, dus zei ik dat het wat mij betreft prima was. Maar dat was het niet, want ik had het pak niet meer. Wat ik had, was alleen nog een replica.'
'Maar wel een heel goede,' zei Wolfe.
'Ja, ik had het door een kennis uit LA laten maken. Ik heb er zelfs niet voor hoeven betalen.'
'Wat? Was het een cadeautje?'
'Nee, het hoorde bij de afspraak. Een ander lid van de fanclub bood

me twintigduizend plus een vervangend pak; niemand zou het hoeven weten, zei hij. Voor mij is het bezit van het pak een statuskwestie; ik bedoel, je hebt er niet alleen iets historisch mee in huis, maar je kunt er ook goede sier mee maken. Maar die gast vond het volgens mij niet alleen spannend om het ding te hebben, maar ook om dat geheim te houden. Niemand anders in de club, in de hele wereld, wist dat hij het had. Op mij na dan, natuurlijk.'

'En als u zou overlijden, zou bekend worden dat het pak namaak was,' zei Wolfe. 'Misschien beseft u het niet, meneer Tresong, maar u hebt heel veel geluk gehad. Niet alleen leeft u nog, maar ik ga u evenmin iets ten laste leggen. Het enige wat u me hoeft te vertellen is de naam van de man die het pak van u gekocht heeft.'

Tresong hoefde daar geen seconde over na te denken.

'Torrence,' zei hij. 'Malcolm Torrence.'

17

Malcolm Torrence was de zeemeerman.
Zijn gezicht stond op de videoband van de paintballzaak, zijn DNA zat zowel op de replica van het kostuum als op Samantha Voire's speeltjes, en zijn vingerafdruk zat op de binnenkant van de vitrine waarin het pak had gestaan. Net als Tresong had hij de verleiding om het pak aan te trekken niet kunnen weerstaan, ook al was het een kopie, ook al had hij het echte pak nu zelf in zijn bezit. Volgens Kazimir had Torrence achter de toonbank van de DBA gestaan op de dag dat de SPP-1 verdwenen was... en hij had een paar weken geleden een lichte vorm van caissonziekte gehad. Dat was vooral op zijn knieën geslagen waardoor hij een tijdje nogal stijf bewogen had.
Horatio leidde het team dat het huis van Torrence binnenviel: een aftandse keet achter een stel halfdode palmen in Hialeah. Het leek alsof de ramen in het verleden uit voorzorg voor een of andere orkaan waren dichtgetimmerd, wat hij vervolgens maar zo had gelaten. Horatio durfde te wedden dat het interieur van het huis zelfs op de zonnigste dagen nauwelijks een foton licht te zien kreeg.
Calleigh en Delko namen de achterkant voor hun rekening, en Horatio en Frank Tripp liepen naar de voordeur, waar ze dekking kregen van twee agenten in uniform. 'Malcolm Torrence!' riep Horatio. 'Politie! Openmaken! Nu!'
Geen reactie.
'Breek maar open,' zei Horatio.
Ze hoefden maar één keer met de bonk te stoten en de goedkope deur lag al uit de sponning. Een seconde later stond Horatio binnen met zijn Glock in beide handen voor zich uit gestrekt. Het was er precies zo donker als hij had verwacht. De lucht was er zwaar en vochtig als moerasdamp. Hij vond het lichtknopje en knipte het licht aan.
Het was geen groot huis. De voordeur gaf direct toegang tot wat de

woonkamer leek te zijn. De inrichting was op zijn zachtst gezegd merkwaardig; op de vloer lagen een soort zwarte rubber matten, de muren waren bedekt met een muurschildering van een onderwatertafereel. Grote brokken koraal versierden roestige, met zeepokken begroeide planken die uit wrakken moesten zijn meegenomen. Het meubilair – een bank en twee stoelen – was opblaasbaar en gemaakt van doorzichtig plastic; het glom in het blauwe en groene licht van gekleurde spotjes aan het plafond.
Horatio besteedde niet veel tijd aan het bewonderen van de inrichting. Hij liep snel van de ene kamer naar de andere, controleerde de badkamer, de keuken, de slaapkamer. De eerste twee waren heel gewoon, hoewel de douche in de badkamer erg groot was; de slaapkamer, waarvan de deur dicht zat, was nog vreemder dan de woonkamer.
Er was geen plafondverlichting. Het enige licht was afkomstig van de tl-buizen van tientallen aquaria die van de vloer tot het plafond tegen de muren gestapeld stonden. Daarin zaten alle denkbare roofdieren uit de zee: haaien met kille ogen, murenen met wijd opengesperde kaken, barracuda's met vlijmscherpe tandjes en nerveuze scholen piranha's. In één aquarium wiegden de rugvinstekels van een koraalduivel werkloos heen en weer; in een ander zat een octopus aan het glas gekleefd, waardoor de blauwe strepen op zijn tentakels goed te zien waren. Horatio herkende hem als de soort die een gif uitscheidt dat tienduizend keer krachtiger is dan cyaankali.
Een enorm waterbed domineerde het midden van de kamer. Er lag geen beddengoed op, alleen een groot, transparant, met water gevuld matras.
Horatio deed een voorzichtige stap de kamer in. De lucht was hier nog dikker en vochtiger, zout en warm; het voelde alsof je door bloed waadde. Onmiddellijk begon Horatio te transpireren, waarbij een warm straaltje zweet langzaam via zijn slapen en kaak, zijn hals in liep.
Toen hij dichter bij het bed was, zag hij dat ook dat een bewoner had. Er schoot iets heen en weer in de schaduwrijke diepte van het matras, iets wat hij niet goed kon onderscheiden.

'Er is niemand thuis,' zei Horatio tegen Delko en Calleigh. 'Maar ik wil jullie iets laten zien.'
Hij ging hen voor naar de slaapkamer. Calleigh bleef bij de aquaria staan om te kijken, maar Horatio liep met Delko rechtstreeks naar het waterbed. 'Zou je dat voor me kunnen identificeren?' zei hij, naar beneden wijzend.
Delko pakte zijn zaklamp en scheen ermee in het binnenste van het transparante matras om het beter te kunnen zien. Eerst leek het alsof er niets anders dan zand op de bodem lag, maar nadat hij er een paar seconden naar getuurd had, knikte Delko en zei hij: 'Aha.'
Een kop keek hem vanuit het zand aan, met uitpuilende, wit met bruin gespikkelde ogen en een grote bek vol puntige tanden. Zijn kop was zo plat dat het leek alsof er een stoomwals overheen gegaan was.
'De *Eastern Stargazer*,' zei Delko. 'Door sommigen wel het ultieme hinderlaagroofdier genoemd. Hij verstopt zich onder het zand, zodat alleen zijn ogen er nog boven uitsteken. Als er vervolgens een smakelijk hapje langs zwemt, dient hij een stroomstoot toe.'
'Slaapt die gast met een elektrische vis?' zei Calleigh. 'Dat is zo extreem bizar dat ik niet zou weten hoe ik het zou moeten noemen.'
'Een elektrische vis in een grote plastic zak,' zei Delko. 'Daardoor kan hij zelf niet geëlektriseerd worden. Maar inderdaad, de wegen van deze man en van het normale hebben zich al lange tijd geleden gescheiden.'
'Laten we even geconcentreerd blijven, mensen,' zei Horatio. Hij stopte zijn pistool terug in de holster. 'Ik wil dat elke centimeter van dit huis doorzocht wordt. Torrence's ware aard is boven water gekomen. Laten we zorgen dat we hem vinden voor hij weer onderduikt.'

In twee van de aquaria zat iets anders dan vis; een bevatte er een kleine tv en een dvd-speler, de ander een verzameling dvd's. 'Allebei waterdicht afgesloten,' zei Delko. 'Waarschijnlijk om ze te beschermen tegen de hoge luchtvochtigheid hier.'
Calleigh bekeek de stapel dvd's: *Latex Liefde*, *Seksfeest Onder Water*, een verzameling hardcore SM, en natuurlijk de speciale editie van *Creature From the Deep*.

'Ik ga in de kasten kijken,' kondigde Delko aan.
In een berghok naast de keuken vond hij wat hij zocht: een duikuitrusting. Zuurstofflessen, regulator, duikbril, vinnen en wetsuit, maar geen Zeemonsterkostuum.
'Ik heb hier wat vloeibare latex,' riep Calleigh. 'En een soort glitter. Het ziet ernaar uit dat hij zijn eigen metallic blauw probeerde te maken, waarschijnlijk voor de wat intiemere delen van zijn lichaam.'
Horatio stond in de woonkamer na te denken. Sommige mensen in zijn positie zouden overal bovenop zitten om te zorgen dat zijn mensen niets over het hoofd zouden zien. Dat was niet Horatio's werkwijze. Je liep getrainde vakmensen niet voor de voeten; je nam afstand en liet hen hun gang gaan. Dat ze hem van de juiste informatie zouden voorzien, was iets waar hij net zo op vertrouwde als op zijn eigen zintuigen. Hun informatie zou hij aanvullen met wat hij zelf observeerde en te weten kwam. Hij dacht vooruit en probeerde te bedenken wat Torrence's volgende stap zou zijn.
'H?' riep Calleigh. 'Ik geloof dat ik wat gevonden heb.'
Hij liep naar de slaapkamer. Calleigh zat op haar hurken een van de aquaria op de onderste rij te bestuderen. Ze scheen er met haar zaklamp in en het licht werd door iets iriserends en schijfvormigs weerkaatst.
Horatio hurkte neer en tuurde ernaar. Het was een dvd die plat op de bodem lag. Er stond met zwarte markeerstift HORATIO CAINE op geschreven.
'Zo, zo,' zei Horatio zacht. 'Blijkbaar werden we al verwacht.'
De andere bewoner van het aquarium kronkelde over de bodem, een zeeslang met donkere lengtestrepen over zijn bleke, lenige lichaam. Zeeslangen, wist Horatio, waren uiterst giftig; hun primaire neurotoxine kon verlamming, ademhalingsstilstand en een hartstilstand veroorzaken. 'Wat is zwart-wit en levensgevaarlijk?' vroeg Calleigh.
'In dit geval het wereldbeeld van onze moordenaar, wat betekent dat dit aquarium meer dan één soort gif bevat.'

Ze speelden de dvd op de tv in het aquarium af.
Het beeld verscheen zonder uitleg vooraf op het scherm. Eerst dacht Horatio dat hij naar een scène uit de oorspronkelijke *Creature of the Deep* keek; het was een zwart-wit opname van het Zeemonster dat in de schaduw van een grot stond. Maar toen begon het monster te praten, en werd het duidelijk dat dit geen beelden uit een lowbudget horrorfilm waren; ze boden een kijkje in onversneden krankzinnigheid.
'Ik weet dat je dit zult vinden,' klonk de krassende stem van Torrence. 'Ik heb het voor je achtergelaten zodat je een poging kunt doen het te begrijpen. Begrijpen wat het is wat ik ben. Noem me maar *Homo Mermanus*, want ik ben niet zoals jij. Ik sta mijlenver boven jou en je armzalige soort, zoals een orka boven een witvis staat.'
De gedaante schuifelde naar een trapje. Hij tilde zijn armen ter hoogte van zijn middel en nu kon Horatio duidelijk de anderhalve centimeter lange, licht gekromde, zwarte mesjes op de top van elke vinger zien zitten. Ze waren onzichtbaar bevestigd en zagen eruit alsof ze daar zo gegroeid waren.
'Jij denkt dat ik een soort afwijking heb, dat weet ik. Maar júllie zijn juist de monsters. Jullie zijn degenen die onze planeet vermoord hebben, onze zeeën vergiftigd, onze lucht vervuild. Ik schaamde me ervoor een van jullie te zijn.'
Zijn ellebogen dansten zachtjes op en neer, alsof onzichtbare stromingen aan zijn ledematen trokken. Zijn vingers waren voortdurend in beweging, de lange klauwen accentueerden hun trage, behoedzame bogen door de lucht. Het was alsof je naar een handvol cobra's keek.
'Maar ik was niet een van jullie. Ik was iets anders... iets ouders. Er was iets nieuws, iets kunstmatigs, voor nodig om me te leren wat ik was. Technologie. Dankzij technologie leerde ik mijn prototype kennen, dankzij technologie kon ik mijn natuurlijke omgeving omarmen, dankzij technologie kwam ik erachter dat ik iets beters kon worden dan ik was. Zevenennegentig procent van het menselijk DNA is rotzooi en heeft geen enkele aantoonbare functie, dus lijkt het dan niet voor de hand te liggen dat er nog een ánder ver-

dedigingssysteem in gecodeerd is? Een antilichaamprocedure, die geactiveerd kan worden als er iets misgaat? Dát ben ik. Een antilichaam dat door de bloedbaan van de zee zwemt en de infectie vernietigt die jullie, jullie allemaal, zijn...'
Het scherm werd zwart.
Iedereen zweeg.
'Goed,' zei Horatio. 'Calleigh, jij gaat verder met het doorzoeken van het huis. Delko, neem die duikuitrusting mee naar het lab om te kijken of we er iets wijzer van kunnen worden en ik ga een ritje maken.'
'Naar Verdant Springs?' vroeg Calleigh.
'Precies. Als dit figuur denkt dat hij een vis is, zou hij wel eens teruggekeerd kunnen zijn naar de plaats waar hij denkt dat hij uit het ei gekropen is.'

'Oké,' mompelde Delko. 'Nu bevinden we ons op mijn terrein, vriend.'
Hij had de duikuitrusting op de lichttafel uitgespreid. Het betrof een dubbele set Faber duikflessen uit de FX serie, van staalchroom molybdeen met een werkdruk van 232 bar. 241 bar Sherwood knoppen. De zuurstofregulator was een Poseidon Xstream Deep 90, goed voor technische duiken tot tweehonderd meter. De wetsuit was een Henderson Hyperstretch, gemaakt van neopreen met een thermovoering van titanium.
De vinnen waren van een ongebruikelijk model, maar Delko had ze wel al eens gezien; in het Museum voor Moderne Kunst in New York stond een paar tentoongesteld. De Tan Delta Force Fin: open tenen, gemaakt van schokdempend polyurethaan. Met hun licht gebogen, gespleten V-vorm, waren ze een stuk lichter en sierlijker dan de lompe, zware zwemvliezen waar hij mee was opgegroeid.
Halcyon duikmasker met ondoorzichtige rand en waterloosventiel, somde hij in stilte voor zichzelf op. Wingjacket met roestvrijstalen rugplaat. 12 volt nikkel hydride batterij, 4Ah, verbonden met een tien watt HID-polslamp. Allemaal kwaliteitsspullen en hypermodern, maar één veelzeggend element ontbrak: de duikcomputer.
Een duiker die zo uitgebreid in zijn uitrusting had geïnvesteerd,

moest een goede duikcomputer hebben en die hadden altijd een ingebouwd duiklog. Dat had Delko kunnen gebruiken om na te gaan waar Torrence onlangs allemaal gedoken had, maar het zag ernaar uit dat de zeemeerman hem meegenomen had.
Dat was niet erg. Er waren andere manieren.
De zuurstofflessen waren bedekt met een zwart beschermend plastic netje. Hij bekeek het aandachtig, op zoek naar achtergebleven resten; hij wist uit ervaring dat je met duikflessen op je rug ongemerkt ergens langs kon schuren.
Het netje was op verschillende plaatsen beschadigd; het leek alsof de flessen langs iets hards en ruws hadden geschraapt. Toen hij wat beter keek, zag hij een klein, witgeel steentje tussen het gaas en de fles geklemd zitten. Hij bekeek het van alle kanten en dacht wel te weten wat het was.
Delko legde het steentje in een glazen petrischaaltje en deed er een druppel verdund zoutzuur bij. Onmiddellijk schuimden er kleine luchtbelletjes naar het oppervlak die zijn veronderstelling bevestigden.
Kalksteen, heel gangbaar in Florida. Als dat op iemands duikuitrusting zat, kon dat maar één ding betekenen.
Een grot.

Toen Horatio door de hoofdstraat van Verdant Springs reed, besefte hij waarom Malcolm Torrence dit moment gekozen had om alle geheimzinnigheid te laten vallen en een niet mis te verstane boodschap voor hem achter te laten. Niet omdat hij dacht dat Horatio hem bijna te pakken had, maar omdat het ultieme moment voor de zeemeerman, in Torrence's ogen in ieder geval, was aangebroken.
Het was de eerste dag van het *Creature From the Deep*-festival.
Overal in de straat hingen vrolijk gekleurde spandoeken en blauwe en groene ballonnen zweefden als enorme trossen visseneieren aan lantaarnpalen. Er stonden kraampjes op de trottoirs waar T-shirts verkocht werden en hapjes en allerlei soorten souvenirs. Bij een van de kraampjes kon je koekjes in de vorm van het monster kopen; bij een ander kon je je hoofd door een levensgroot uit triplex gezaagd model van het monster steken en je zo laten fotograferen. Het was

lastig te bepalen hoe groot de menigte was die langs dat alles schuifelde en van het festival in al zijn kitscherige glorie genoot, maar Horatio schatte dat het toch zeker een paar duizend mensen moesten zijn.

Hij zette de Hummer voor de plaatselijke bioscoop neer, die als centraal kaartverkooppunt voor het festival dienstdeed. Voor de deur stond een man aan kinderen papieren maskers van het monster uit te delen, die je met een elastiekje om je hoofd kon binden. Twee kinderen met zo'n ding op renden langs Horatio heen toen hij het portier opendeed, grommend en brullend dat ze elkaar gingen vermoorden.

Hij liep naar binnen, liet zijn insigne zien aan een van de gekweld ogende vrijwilligers die achter een lange tafel zat en werd naar het kantoor doorverwezen. Terwijl Horatio over de met rood pluche beklede trap naar boven liep, voelde hij zich een beetje als het door Roy Scheider gespeelde personage in *Jaws*, alleen ging hij nu niet met de politieke leiders van het stadje praten en had hij niet het idee dat het veel zin zou hebben om de stranden in de buurt voor het publiek te sluiten. Een witte haai die trek had in een hapje mens zou niet zo snel zijn intrek in Motel 6 kunnen nemen om daar het juiste moment af te wachten om toe te slaan.

Aan de andere kant, dacht Horatio, terwijl hij op de deur van het kantoor klopte, maakt een haai zich niet druk om festivals of oude films en zelfs niet om mensen die het milieu verpesten. Hij wil alleen maar zwemmen en eten. Malcolm Torrence wil heel wat meer; wat hij ook mocht beweren, hij was net zo goed uit op wat alle seriemoordenaars willen: erkenning. En waar zou hij een betere kans krijgen om die te vinden dan hier en nu?

'Ja?' riep iemand geïrriteerd aan de andere kant van de deur. Horatio deed hem open en zag een kalende man met een knalrood T-shirt met het festivallogo erop achter een bureau zitten; hij fronste verbaasd zijn wenkbrauwen. 'O, sorry, maar ik heb nu echt nergens tijd voor...'

Horatio hield zijn insigne omhoog. 'Voor mij wel,' zei hij kalm. 'Meneer Delfino, mijn naam is Horatio Caine. U hebt eerder deze week met een van mijn mensen gesproken, als het goed is.'

Delfino zuchtte. 'Ja, dat klopt. Wat is er gebeurd? Hebben jullie die

vent al te pakken?'
'Nog niet. Maar we weten intussen wel wie het is en ik geloof dat hij een bekende van u is: Malcolm Torrence.'
'Wat? Dat kan niet waar zijn...' Hij zweeg en een peinzende, verontruste uitdrukking gleed over zijn gezicht. 'Nou ja, ik geloof dat ik me daar toch wel wat bij kan voorstellen. Malcolm was altijd al nogal... fanatiek.'
'Wel meer dan dat. Hij heeft minstens drie mensen vermoord en als ik hem niet in de kraag grijp, worden dat er nog heel wat meer.'
Dat bracht Delfino helemaal tot zwijgen. Hij staarde Horatio aan en zijn mond viel open, maar er kwam geen geluid uit.
'Ik heb uw hulp nodig,' zei Horatio. 'Ik wil u niet aan het schrikken maken, maar Malcolm Torrence is een uiterst gevaarlijk individu met een onstabiele geest. Hij is geobsedeerd door uw lievelingsmonster en heeft al een paar rake imitaties van het wezen weggegeven. Ik twijfel er niet aan dat hij nóg een zwemmer zal aanvallen... en hij zal dit festival absoluut niet links laten liggen.'
'O, mijn god...' fluisterde Delfino met trillende stem. 'Wat een nachtmerrie. Dat is... we moeten het strand afsluiten. We moeten... ik weet niet, politieduikers of de kustwacht of wie dan ook laten patrouilleren. We kunnen hem niet zomaar zijn gang laten gaan.'
'Meneer Delfino.' Horatio's stem klonk rustig maar scherp en dit trok de man als een vishaakje weer bij het gesprek. 'Luister, ik verzeker u dat er geen doden meer zullen vallen. Ik beloof u dat ik die man niet nog meer slachtoffers zal laten maken. Niemand van de aanwezigen op uw festival, niemand uit deze stad, loopt enig gevaar. Oké?'
Delfino staarde hem aan, slikte en knikte toen. 'O... oké. Wat wilt u dat ik doe?'
'U hoeft alleen uw kalmte maar te bewaren en met mij te praten. Alles wat u van Torrence weet, kan ons verder helpen.'
'Zo goed ken ik hem niet. Ik bedoel, hij kwam wel op de bijeenkomsten en ik heb wel eens met hem gemaild, maar hij was nogal op zichzelf. Hij was van het type dat altijd vanuit een hoekje toekijkt.'

'Oké. Kunt u zich nog iets opvallends herinneren uit uw gesprekken met hem? Misschien een onderwerp waar hij meer dan normaal in was geïnteresseerd?'
'Nou, we hebben het natuurlijk vooral over Gilly gehad. Malcolm was altijd erg met details bezig. Hij wilde precies weten hoe het kostuum gemaakt was, op welke locaties er gefilmd was... van die dingen.'
'En heeft u een lijst van die locaties?'
'Zeker. Er wordt zelfs een rondleiding georganiseerd als onderdeel van het festival.' Hij keek op zijn horloge. 'Die vertrekt over een minuut of twintig. Een gedeelte van de film is in de studio in Los Angeles opgenomen, maar er zijn ook veel plekjes hier in de buurt gebruikt: de snackbar, een park, het strand natuurlijk, de grotten...'
'Wat zei u?' zei Horatio. 'Grotten?'

Er was veel waar Florida in overvloed over beschikte en het meeste daarvan was Delko wel bekend: versgeperst sinaasappelsap en sterke Cubaanse koffie, felle zon en meedogenloze orkanen, stranden met een overdaad aan wit zand en nachtclubs met een overdaad aan mooie vrouwen.
En grotten.
Forida bestond voor een groot deel uit karst; de streek had een onderliggende structuur die voornamelijk bestond uit carbonaat in de vorm van dolomiet of kalksteen. Het grondwater vormde in combinatie met koolstofdioxide een lichte zoutzuuroplossing, die zich over een lange periode van tijd een weg door de steen had gevreten en zo vele grotten had gevormd. De hele staat lag op een uitgestrekte, honderden meters dikke kalksteenlaag, waarvan een gedeelte diep onder de grond begraven zat en waarvan het grootste deel doorzeefd was met grotten.
Vele daarvan lagen onder water. Er waren zelfs meer zoetwatergrotten in Florida dan waar ook ter wereld. Die brachten dagelijks meer dan tweeëndertig miljard liter zoet water naar het oppervlak via meer dan zeshonderd natuurlijke bronnen die over de hele staat verspreid lagen. Regelmatig vonden duikers die niet voorzichtig genoeg waren, daarin de dood.

Grotduiken was een van de gevaarlijkste sporten ter wereld, waarbij de riskante aspecten van speleologie gecombineerd werden met die van duiken. Zelfs voor ervaren open waterduikers werd grotduiken als uiterst gevaarlijk beschouwd; het eiste een combinatie van scherpte, methodologische voorbereiding en zelfverzekerde bravoure die je vooral aantrof bij de beste militairen.
Of psychopaten, dacht Delko.
Zijn mobieltje ging over.
'Delko.'
'Eric,' zei Horatio. Delko hoorde het geronk van de motor van de Hummer op de achtergrond. 'Torrence zou zich wel eens in een grot schuil kunnen houden.'
'Zoals die waarin hij ook zijn dvd-boodschap heeft gefilmd,' zei Delko. 'Ik was net tot dezelfde conclusie gekomen. De duikuitrusting die we gevonden hebben is zonder twijfel voor grotduiken gebruikt. De vraag is alleen: waar?'
'De meest voor de hand liggende plek is een complex in de buurt van Verdant Springs, waar een deel van de film ook is opgenomen. Ik ben erheen op weg en heb alle achtergrondinformatie over die plek nodig die je kunt vinden. Mijn informant heeft me verteld dat het een vrij uitgestrekt geheel is. Zelfs als hij daar zit, kan het nog een hele klus worden hem te vinden.'
'Ik ga meteen aan het werk,' zei Delko.

De ingang van het grottencomplex had veel weg van een overwoekerd verdwijngat, wat het ook eigenlijk was, nam Horatio aan. Mos en onkruid overwoekerden de rand van het gat, dat niet meer dan een meter of zeven in doorsnee was en waaromheen een roestige stalen reling geplaatst was. Een houten trap leidde het hol in. Een groot houten bord met de tekst VERDANT SPRINGS GROTTEN hing aan twee zichtbaar nieuwe kettingen aan de reling. Horatio vroeg zich af hoe vaak dat bord al gestolen was.
Hij was de rondleiding een paar minuten voor, maar toch liepen er al wat toeristen van middelbare leeftijd rond, die foto's maakten en in het Duits tegen elkaar liepen te mompelen. Ondanks de feestelijke aanblik van hun felgekleurde tropische hemden klonken ze

niet erg vrolijk; blijkbaar voldeed het gat in de grond niet aan wat ze verwacht hadden van de grot. Misschien kwam het door de afwezigheid van vleermuizen, dacht Horatio. Of misschien klonken alle Duitse toeristen wel zo als ze de afzonderlijke aspecten van geologische bezienswaardigheden bespraken.
Hij keek met zijn handen in zijn zij om zich heen en probeerde zich een voorstelling te maken van Torrence in deze omgeving. Voor zijn uitrusting zou hij een auto nodig gehad hebben, maar het enige wat er op de parkeerplaats stond was een gehuurde Mazda waar de Duitse toeristen kennelijk mee gekomen waren.
Hij kon toch moeilijk in zijn monsteruitdossing een taxi genomen hebben, hoewel hij zich wel had kunnen laten afzetten met het pak in een tas.
En daarna dan? In de bosjes verdwijnen en zich daar omkleden en dan met vinnen aan zijn voeten die trap proberen af te dalen?
Hij liep naar de trap en keek naar beneden. Onder aan de treden zag hij een spijlenhek, dat nu openstond, maar kennelijk gebruikt werd om de grot 's nachts mee af te sluiten. Hij liep de trap af en bekeek het slot van dichterbij. Er leek niet mee gerommeld te zijn, maar misschien had Torrence een sleutel weten te bemachtigen...
'Kan ik iets voor u doen?' De vraag kwam van een jonge blonde vrouw; ze droeg een spijkerbroek, wandelschoenen en een kaki bloes en ze had een witte bouwhelm met het logo van de Verdant Springs Grotten op. Ze stond op een houten plankier in een natuurlijke entreehal met boven haar hoofd een indrukwekkende hoeveelheid stalactieten. Het licht was afkomstig van verschillende spots langs het plankier.
'Dat kunt u zeker,' zei Horatio en hij liet haar zijn insigne zien. 'Zijn er nog meer ingangen naar dit grottenstelsel?'
'Ja, maar die zijn geen van alle toegankelijk, behalve dan voor vleermuizen, slangen of insecten,' zei de vrouw. Op haar plastic naambordje stond IK HEET STACY! Horatio gokte erop dat ze een studente was die zo wat bijverdiende en misschien ook studiepunten kreeg voor het geven van rondleidingen.
'Weet u zeker dat er geen andere mogelijkheden zijn om hier binnen te komen?'

'Dat weet ik zeker. Deze grot is in de jaren zeventig helemaal in kaart gebracht. Hoezo?'
'Ik ben op zoek naar iemand die misschien denkt dat hij zich hier schuil kan houden.'
Stacy trok een fronsende blik. 'Nou, daar zou ik dan van staan te kijken. De rondleiding komt overal, behalve bij de gedeeltes die onder water liggen.'
'Hm. Zijn er ook ruimtes alléén via het water toegankelijk?'
'Geen hele ruimtes, maar misschien zitten er wel op een paar plaatsen wat luchtzakken, maar...'
Horatio's mobieltje ging over. 'Momentje.' Hij stak zijn hand op. 'Caine.'
'Daar zit hij niet, H,' zei Delko.
'Ik was net tot dezelfde conclusie gekomen.'
'Maar ik denk dat ik weet waar hij wel is. Ik heb het gas uit de duikflessen geanalyseerd en het blijkt een mengsel van zuurstof en helium te zijn. Dat wordt alleen gebruikt voor technische duiken op dieptes van meer dan vijfenvijftig meter.'
'En zo diep liggen de grotten van Verdant Springs niet?'
'Nee, de diepste ligt op achtendertig meter. Er zijn zelfs maar vier grottenstelsels in Florida die op een grotere diepte dan vijfenvijftig meter liggen en een daarvan ligt binnen de gemeentegrenzen van Verdant Springs. Het is een verdwijngat in een bosje op de hoek van Twenty-third Street en Vargas Avenue.'
'Pak je duikspullen, dan zie ik je daar,' zei Horatio.

18

Verdwijngaten vormden een groot probleem in Florida. Ze vormden weliswaar een belangrijk onderdeel van het stelsel van aquifers, ondergrondse waterbassins, maar de schade die ze veroorzaakten liep in de honderden miljoenen dollars. Het proces waardoor ze gevormd werden, was hetzelfde als dat wat de grotten vormde: zuur grondwater knaagde aan het zachte kalksteen onder de oppervlakte en vormde zo enorme holtes die zich vulden met H_2O. Zolang het waterpeil hoog bleef, was er geen probleem; maar zodra het zakte, kon het plafond van de holte het gewicht van de grond, die vaak was samengesteld uit zware klei en afzettingsmateriaal, niet langer dragen en stortte in. Er waren in Florida meer verdwijngaten dan waar ook in Amerika; Horatio had een geoloog de staat wel eens horen vergelijken met een gigantische tand die uit de rand van het continent stak en die onherstelbaar was aangevreten door cariës.
Soms zorgde dat voor surrealistische effecten. Als er een verdwijngat ontstond onder een bestaande plas water, leek het alsof er een stop uit een volle badkuip getrokken werd. Hele meren werden dan compleet met vissen, vegetatie, vogels en alligators in één keer meegezogen in een gigantische draaikolk. Op sommige plaatsen gebeurde dat zelfs regelmatig en deze plekken stonden bekend als de 'verdwijnende meren'. Lake Jackson in Tallahassee was zo'n meer dat in de twintigste eeuw tot vier keer toe met zo'n omvangrijke, plotselinge leegloop te maken had gehad, voor het laatst in 1999.
Soms werden ze helaas ook gebruikt als vuilstortplaatsen. Er was al meer dan één verdwijngat in Florida dat tot laatste rustplaats was gebombardeerd van oude apparaten, matrassen, banden en soms zelfs complete auto's. Horatio wist niet of het principe dat daaraan ten grondslag lag 'uit het oog, uit het hart' was, of een soort collectieve wrok; een mogelijk vergeldingsmiddel tegen een natuurlijk fenomeen dat huizen en snelwegen deed instorten en visplekjes deed verdwijnen.

Het maakte niet uit. Hoeveel rotzooi de mensen er ook in gooiden, de verdwijngaten zouden zich blijven openen als onvoorziene, hongerige monden die alles opslokten wat ze krijgen konden.
Horatio was dichterbij dan Delko en arriveerde als eerste. Het was een bosje aan de rand van de stad, vlak bij een school; aan de sigarettenpeuken, kapotte flessen en lege chipszakken te zien werd het regelmatig bezocht door verveelde tieners. Het verdwijngat zelf leek een kleine vijver, niet meer dan een meter of tien in doorsnee, waarvan alleen de zwarte kleur van het water deed vermoeden hoe diep het moest zijn.
Horatio liep behoedzaam om de vijver heen, terwijl hij de grond langs de rand afspeurde. Hij had de Hummer vrij dichtbij kunnen parkeren en wel zo dat hij verborgen stond tussen de bomen; Torrence zou hetzelfde gedaan kunnen hebben. Als hij 's avonds laat kwam, had hij vooral door de week makkelijk ongezien kunnen blijven.
Aan de rand van het water vond hij in een stukje vochtige, kleiachtige grond wat hij zocht: een voetafdruk, die er niet uitzag alsof hij van een mens afkomstig was.
Toen Delko twintig minuten later in een andere Hummer van het bureau arriveerde, was Horatio net klaar met het in gips gieten van de voetafdruk. 'Wat heb je gevonden?' vroeg Delko.
'Bewijs dat iets met grote poten met vliezen tussen de tenen hier onlangs nog geweest is,' zei Horatio. Hij legde de gipsafdruk in een kartonnen doos en verzegelde die, waarna hij hem achter in de Hummer legde.
Delko keek om zich heen. 'Geen voertuig.'
'Ik weet het, maar misschien heeft hij zich door een taxi laten afzetten of heeft hij zijn auto in een verderop gelegen straat geparkeerd, en zijn spullen met de hand hiernaartoe gedragen,' zei Horatio. 'Ik heb de plaatselijke politie al gebeld en die zetten een zoekactie in de wijk op. Intussen zou ik graag willen dat jij daar naar beneden gaat om te zien of je wat kunt vinden.'
'Oké,' zei Delko. Hij stond zijn flessen en uitrusting al uit de kofferbak van de Hummer te laden.
'En kijk heel goed uit, Eric. Die vent heeft een heel arsenaal aan manieren om onder water te doden.'

'Ik weet het,' zei Delko grimmig. 'Daarom heb ik dit ook meegenomen.'
Hij haalde een gestroomlijnd harpoengeweer tevoorschijn, met een zwart plastic frame. Het was ongeveer vijfenzeventig centimeter lang, had twee voorgevormde handvatten en vier lange, dunne lopen met aan het uiteinde een driehoekig, zwart vizier. Het leek een kruising tussen een Duitse Luger en een Gatling kanon met anorexia.
'Johnson onderwatergeweer,' zei Delko. Hij laadde alle vier de lopen snel en efficiënt met een korte harpoen met vlijmscherpe punt. 'Vier schoten. Tweeëntwintig kaliber.'
'Ik geloof niet dat ik er al eens zo een gezien heb.'
'Het is een oudje uit de vroege jaren zeventig. Ik heb hem van een vriend van me geleend. Aan een speer heb je weinig van dichtbij, en met een gewoon harpoengeweer kun je maar één keer vuren voor je weer moet laden. Op deze manier heb ik in ieder geval minstens evenveel schoten als hij tot mijn beschikking.'
Delko trok snel zijn pak aan. Een grotduikuitrusting was voor een leek hetzelfde als een gewoon duikpak, maar toch waren er een paar belangrijke verschillen. De wetsuit die Delko aanhad was warmer dan het pak dat hij in zee droeg vanwege de lagere temperaturen in grotten. Alle losse onderdelen van het pak – ventielen, slangen, lampen, alles wat achter een touw of een stuk rots kon blijven haken – zaten ofwel heel strak tegen het lichaam gebonden of waren verwijderd. De stroming kon in grotten heel sterk zijn, dus een gestroomlijnd profiel hielp ook de weerstand te verkleinen. Hij gebruikte een duikmasker met een ingebouwde radio dat met een brede, donkere rand zijn hele gezicht bedekte; hoewel communicatie heel belangrijk was, vormde licht dat via de zijkant naar binnen viel een overbodige afleiding in een grot.
Hij had geen snorkel nodig, dus stopte hij het riempje van zijn masker in zijn capuchon in plaats van aan de buitenkant. Zijn lichtbron was een polslamp die verbonden was met een batterij aan zijn middel; hij had twee reservebatterijen bij zich.
In tegenstelling tot de hippe Tan Delta Force vinnen die Torrence bezat, gebruikte Delko vinnen met springstraps en met een ouder-

wets zwemvliesdesign. Gespleten vinnen konden makkelijk ergens achter blijven haken en hoewel de V-vorm van de Force vinnen redelijk open was, vond Delko veiligheid toch belangrijker dan uiterlijk.

Nauwkeurige instrumenten waren ook heel belangrijk. De onderwatermanometer op de hogedrukslang van zijn flessen was een ultraprecies, koperen model met bourdonbuis en een schaalverdeling van nul tot vierhonderd bar. Een duiker in open water droeg meestal een polsduikcomputer, soms met een draadloze verbinding met de eerste trap van zijn zuurstofregulator; een grotduiker liet dat tweede deel meestal achterwege, omdat het draadloze signaal toch vaak niet goed werkte in een grot. Delko gebruikte een multigas duikcomputer met polsband waarin een duiktijdmeter, een digitale dieptemeter en een conventioneel duikhorloge ingebouwd zaten.

Duikers in open water gebruikten meestal een enkele aluminium fles, maar grotduikers in Florida gaven de voorkeur aan een dubbelset stalen cilinders met een manifold met isolator en een tweede zuurstofregulator. Korte slangen verbonden de flessen met het onderdeel van de uitrusting waarmee het drijfvermogen geregeld werd, een vleugelvormig vest dat snel vijftig tot zestig pond aan liftvermogen leverde als het werd opgeblazen. Een klos volglijn met honderdvijftig meter dun, gevlochten nylontouw ging in de zak van zijn wetsuit, in plaats van aan een ring aan de buitenkant. Alles wat loshing moest vermeden worden.

Grotduikers gebruikten meestal geen loodgordel, aangezien de extra uitrusting die nodig was al meer dan zwaar genoeg was; toch nam Delko nog één extra attribuut mee dat ook behoorlijk zwaar was en dat de meeste grotduikers niet nodig hadden.

Een kogelvrij vest.

Delko gaf Horatio een ontvanger. 'Ik weet niet hoe goed dit werkt als ik beneden ben,' zei hij. 'Misschien zit de rots het signaal in de weg.'

'Doe voorzichtig,' zei Horatio.

Delko knikte, zette zijn masker op en liep naar de waterrand. Hij liet zich in het water glijden.

'H? Hoor je me?'
'Luid en duidelijk, Eric.'
'Mooi. Ik ben nu op vijfendertig meter diepte. Het water is vrij helder. Niet veel te zien op wat rotsmuren na en af en toe een vis. Ik zak nog wat dieper.'
'Begrepen.' Horatio ijsbeerde heen en weer, met zijn hand om de headset van de ontvanger. Hij had er een bloedhekel aan om passief te moeten observeren en vond het vreselijk dat Delko daar alleen was. Of erger nog, níet alleen was.
'Ik ben nu dieper, op iets van vijfenveertig meter. Ik doe mijn lamp nu aan. Ik zie de bodem. Veel troep hier. Ik geloof dat ik de laatste rustplaats voor winkelkarretjes gevonden heb.'
'Enig teken van onze vriend?'
'Nog niet. Ik onderzoek de zijwanden nu. Hè?'
Horatio's hart maakte een sprongetje. 'Wat is er?'
'Ik voel hier een stroming in de richting van de noordelijke wand. Die lijkt naar een paar oude bedspiralen te stromen die hier tegen de wand staan. Wacht even. Ik probeer ze weg te duwen.'
Horatio onderdrukte met moeite de neiging om te zeggen dat hij voorzichtig moest zijn. Delko wist wat hij deed.
'Dacht ik al,' zei Delko. 'De spiralen verborgen de ingang van een tunnel. Dit moet het zijn, H. Ik ga erin.'
'Oké, doe maar. Hou zo lang mogelijk contact.'
'Is goed. Ik maak nu een volglijn vast aan een van die bedspiralen. De tunnel is smal, krap een meter twintig in doorsnee. De muren zijn glad met ribbels. Hij buigt af naar... kkkrrr... rechts...'
Delko's signaal werd zwakker. 'Kun je dat herhalen, Eric?' vroeg Horatio.
'... Kkkrrr... daal nog steeds af... kkkrrr... wordt breder, maar... kkkrrr...'
'Eric? Eric?'
Het enige wat Horatio nu nog hoorde was statische ruis.

Elk kind maakt een fase door waarin hij obsessief geïnteresseerd is in maar één ding en voor de tienjarige Delko waren dat een tijdlang tunnels geweest. Het was allemaal begonnen toen hij op een regen-

achtige zaterdagmiddag *The Great Escape* op tv had gezien, waarna het onderwerp al snel tot een obsessie was uitgegroeid. Zelf een tunnel graven was hem niet genoeg geweest en hij had alles wat los en vast zat over het onderwerp gelezen, van grote bouwkundige projecten tot het handwerk van gevangenen.
En de Vietcong.
Het ingewikkelde tunnelsysteem dat tijdens de oorlog in Vietnam onder het tropische oerwoud was gegraven fascineerde hem enorm. Er waren daar hele ondergrondse steden gegraven, compleet met ziekenhuizen, keukens, woonwijken en bronnen. De eerste tunnels die in 1948 werden gegraven, waren bedoeld om te ontsnappen aan het Franse leger. Aanvankelijk waren dat op zichzelf staande holen geweest onder verspreid liggende dorpjes, maar in de loop van de tijd werden die met elkaar verbonden tot er rond 1965 een heel netwerk van meer dan honderdtachtig kilometer uit de harde klei onder het Vietnamese platteland uitgegraven was.
De tunnels waren een indrukwekkend staaltje bouwkunst, zowel in fysiek als sociaal opzicht; ze boden huisvesting aan zo'n tienduizend mensen die onder de grond woonden, werkten en sliepen, soms weken aan een stuk.
Op dit moment gingen Delko's gedachten echter niet uit naar de slimme constructies die de Vietnamezen bedacht hadden voor hun geheime ventilatiekanalen en zelfs niet naar de verborgen onderwateringangen die ze soms hadden gemaakt.
Hij dacht vooral aan de vallen.
De Vietcong maakte graag gebruik van kuilen met op de bodem *pungi* staken, puntige bamboestokken die ze insmeerden met menselijke uitwerpselen om geïnfecteerde wonden te veroorzaken. Ook verbonden ze struikeldraden met granaten of mijnen. Soms maakten ze zelfs gebruik van dierlijke schildwachten door bijvoorbeeld een giftige slang, zoals een krait, vast te leggen in een tunnel, of een kist schorpioenen zo neer te zetten dat hij boven op het hoofd van een eventuele indringer zou vallen.
Delko dacht aan de aquaria met roofvissen in Torrence's slaapkamer. Hij hoopte dat geen daarvan een bewoner miste.
De Vietcong maakte ook gebruik van ondergrondse hinderlaagtac-

tieken, door bijvoorbeeld bewakers op verstopplaatsen net achter een tunnelingang te plaatsen. Een vijandelijke soldaat die zich daar naar binnen waagde, kon dan zo plots een wurgtouw of mes tegen zijn luchtpijp voelen dat hij niet eens de tijd had om nog te schreeuwen.
De weg door de tunnel was kronkelig en had veel bochten en voerde nu eens omhoog, dan weer omlaag. Delko zwom tegen een stroom in die niet heel sterk, maar wel gelijkmatig was; door de eeuwen heen had die de wanden van de tunnel tot een kanaal uitgesleпen dat net zo glad was als de binnenkant van een gigantische keel. De bodem van de grot was bedekt met sediment in verschillende tinten, een veelkleurige tong in de muil van het beest.
'... Kkkrrr... Delko, ben je... kkkrrr...'
Horatio's stem ging verloren in de ruis. Sorry, H. Ik ben bang dat ik er alleen voor sta.
De tunnel leidde nu weer omhoog. Delko bleef doorzwemmen.
Het verbaasde hem niet toen zijn hoofd opeens boven het wateroppervlak opdook en hij lucht voelde. Hij knipte zijn lamp uit en luisterde ingespannen; het enige wat hij hoorde was het langzame, echoënde druppelen van het water. Het was aardedonker.
Delko stak zijn polslamp boven water uit en deed hem aan. Wat hij zag, was een kleine ruimte, met een plafond op ongeveer drie meter boven hem en een gladde, uitstekende rotsrichel een meter of twee van hem vandaan, ongeveer dertig centimeter boven de waterspiegel. Hij kon niet zien hoe ver de ruimte zich daarachter nog uitstrekte.
Hij zwom naar de richel toe, keek over de rand en trok zich toen op het droge.
Hij probeerde zijn radioverbinding nog een keer. 'Horatio?'
Niets.
De ruimte had een uitgang in de achterwand, een opening van ongeveer een meter twintig hoog. Delko liet zijn uitrusting afglijden en trok zijn vinnen uit; hij wilde zich niet door een nauwe tunnel wurmen met zuurstofflessen op zijn rug. De lamp op zijn pols en de batterij om zijn middel liet hij zitten.
Met zijn harpoengeweer in de aanslag boog hij zich voorover en stapte hij de tunnel in. De gladde, rotsachtige bodem voelde koud aan zijn voeten aan.

Aan de andere kant lag een andere, grotere ruimte; het plafond ervan was zeven meter hoger en er hingen gelige stalactieten als lange, rottende slagtanden. De ruimte zelf had een diameter van minstens vijftien meter.
En hij was leeg.

Er dook een hoofd boven het wateroppervlak op. Horatio had zijn pistool al tussen de ogen van de duiker gericht voor de schouders nog maar zichtbaar waren.
Delko spuugde zijn zuurstofregulator uit. 'Ik ben het, H. Sorry, maar ik kreeg de radio niet meer aan de praat.'
Horatio liet zijn Glock zakken. 'Wat heb je gevonden?'
Delko klom uit het water. 'Een heleboel.' Hij hield een verzegelde plastic bewijszak omhoog waarin een luguber apparaat zat: een nagemaakte kaak die was bevestigd aan iets wat nog het meeste weg had van een stalen berenval. 'Ik heb dit meegenomen om aan je te laten zien, maar het is nog lang niet alles. Ik heb ook restanten gevonden van het originele kostuum. Het ziet ernaar uit dat hij stukken daarvan gebruikt heeft voor zijn nieuwere versie.'
'Dus dat is geënt op delen van het oude? Alsof hij het DNA van een voorouder wilde doorgeven... En verder?'
'Het is... het lijkt wel het hol van een dier, H. Hij heeft er voedsel en water, een chemisch toilet, een soort hangmat van neopreen, oplaadbare batterijen als energiebron...'
'Maar geen Torrence.'
'En geen andere uitgang. Wat ik er wel vond, waren twee snorkels, waarschijnlijk van Gabrielle Cavanaugh en de Stonecutters. En foto's.'
Horatio knikte. 'Trofeeën.'
'Ja. Ik denk dat hij een onderwatercamera bij zich had toen hij Janice Stonecutter gevangen hield. Ik heb chemicaliën en materiaal gevonden waarmee je foto's kunt ontwikkelen. Het moet hem heel wat tijd gekost hebben om al die spullen daar te krijgen.'
'Maar zodra hij het voor elkaar had, had hij daar wel de perfecte donkere kamer.'
Delko schudde zijn hoofd. 'Hij had ze allemaal aan de muren

geplakt, tientallen kiekjes. Behoorlijk gruwelijk allemaal.'
'Maar perfect bewijsmateriaal. Goed werk, Eric. Maar als hij hier niet is...' zei Horatio en hij zette zijn handen in zijn zij. 'Waar is hij dan wel?'

Er was maar één antwoord dat logisch leek: onder water. Maar in een kuststaat als Florida, die ook nog eens honderden andere waterpartijen bevatte zoals meren, rivieren, stroompjes en kanalen, was dat geen erg bruikbaar antwoord. En als Delko gelijk had en Torrence inderdaad een rebreather in zijn kostuum ingebouwd had, kon hij letterlijk dagenlang ondergedoken blijven.
Horatio was teruggekeerd naar Miami. Hij was nog eens gaan praten met Anatoli Kazimir, verschillende andere leden van de DBA, Oliver Tresong en Leroy Delfino en zelfs met Samantha Voire. Allemaal kenden ze Malcolm Torrence op de een of andere manier, maar geen van hen kende hem goed. Hij had nooit met hen over zijn familie gesproken, vrijwel nooit zomaar een praatje met iemand gemaakt en had zich altijd obsessief op elke taak gestort die hem werd opgedragen.
Horatio had één bruikbaar feitje te horen gekregen: toen Torrence bij verschillende van zijn duikmaatjes de cyrillische tatoeage had gezien en ernaar had gevraagd, was hij zo aangedaan geweest door de ontstaansgeschiedenis ervan dat hij er zelf ook een had laten zetten, nadat dr. Nicole Zjenko al vertrokken was bij de DBA.
De enige die hij nu nog moest spreken was dr. Zjenko zelf.
Hij had het telefonisch geprobeerd af te handelen, maar ze had hem alleen maar in het Russisch uitgescholden en opgehangen. Horatio had een diepe zucht geslaakt, zijn zonnebril opgezet en was naar de Hummer gelopen.
Horatio's eerste reflex was altijd mensen te helpen. Af en toe kwam hij wel mensen tegen die zijn hulp niet wensten of konden waarderen, maar hij had nog nooit iemand gezien die hem met zoveel bitterheid afwees als Nicole Zjenko.
Niet dat hij haar zoveel te bieden had gehad. Hij was naar haar toe gegaan omdat hij informatie nodig had, aanvankelijk vooral technisch, maar later ook persoonlijk. Nee, waar Zjenko zich vooral aan

leek te storen, was Horatio's medeleven; ze reageerde op zijn natuurlijke compassie alsof het zout in een wond was. Ze had zichzelf ervan overtuigd dat alle mensen in het diepst van hun wezen egoïsten waren en iedereen die dat idee leek tegen te spreken irriteerde haar mateloos.

Ze hield zich niet bezig met het verlies van anderen. Ze had het te druk met dat van zichzelf.

En dat raakte Horatio juist weer heel erg. Hij had lang geleden al ingezien dat verdriet je langs heel duistere paden kan leiden. Hij had andere agenten dat pad zien afgaan; het kende verschillende zijpaden, maar ze leidden allemaal de afgrond in. Alcohol, drugs, geweld, seks... allemaal manieren om de pijn buiten te sluiten. Hijzelf had een ander pad gekozen, een veel moeilijkere weg, door de pijn te accepteren en hem te gebruiken om er zelf sterker van te worden. In zekere zin had Nicole Zjenko dat ook gedaan. Maar waar Horatio zijn pijn als brandstof gebruikte, vormde hij bij haar een pantser. Een pak dat stijf stond van de vlijmscherpe weerhaakjes, waaraan iedereen die te dichtbij wilde komen zich sneed. Ze was niet bepaald sympathiek, maar ze was een overlever... en daar had Horatio respect voor.

Hij reed naar het Aquarian Institute, parkeerde de Hummer en stapte uit. Een enkele halogeenlamp brandde op een lange paal bij de voordeur, waar insecten omheen zwermden en een enkele vleermuis langs scheerde. Hij zag de gloed van de lichten uit het bassin vanaf de zijkant van het gebouw oplichten, maar achter de ramen was alles donker. Ze zou wel bij het bassin zijn, of erin.

De voordeur was open. Zodra hij binnen was, wist hij dat er iets mis was.

Er lag niets overhoop, er was niets wat duidde op een worsteling of een inbraak, maar Horatio wist het gewoon. Een verzameling subtiele aanwijzingen die hij dankzij zijn jarenlange ervaring bij de politie onmiddellijk registreerde, zorgde ervoor dat in zijn achterhoofd meteen luidkeels 'alarm' geschreeuwd werd, zo hard als zijn onbewuste longen dat konden.

Hij had zijn pistool al gegrepen voor hij zich er nog maar van bewust was dat hij zijn hand ernaar had uitgestoken. Hij zocht snel

en stil zijn weg door de donkere entreehal en de gang erachter. De deur aan het eind stond op een kier. Horatio gluurde door het spleetje, maar kon het bassin vanuit die hoek niet zien, alleen het platform en een deel van de hellingbaan. Hij hoorde een stem, maar die was te zacht om hem te kunnen verstaan.
Hij deed de deur open en liep het platform op. Daarvandaan kon hij wel het bassingedeelte zien.
De zeemeerman had één gevinde arm strak om Nicole Zjenko's keel geslagen. Ze stond voor hem op haar protheses, in een wit badpak. Hij hield zijn wijsvinger waaruit een gekromd, zwart mesje stak bij haar ooghoek.
'Staan blijven, Torrence!' riep Horatio. Verdomme, zo kon hij niet schieten.
De zeemeerman keek op. Horatio begreep meteen hoe het kon dat iemand de indruk kon krijgen dat hij een echt waterwezen was; van zijn apparatuur was niets te zien, geen slangen of flessen, alleen de ronde bult van de bochel op zijn rug. Zijn ogen waren grote, glazige bollen, strak en donker. De twee rijen naaldachtige tandjes die in de openstaande kaken van zijn masker te zien waren, zagen eruit alsof ze afkomstig waren van een echte vis, een barracuda misschien.
De illusie werd verbroken, toen Torrence begon te praten. De kaken bleven roerloos. 'Inspecteur Caine,' zei hij, met een stem die maar een klein beetje gedempt klonk. 'Kom erbij.'
'Laat haar gaan, Torrence, of ik schiet een kogel door dat masker van je.'
'Nee, inspecteur. Kom jij maar hier of ik steek mijn klauw recht door haar oog haar hersens in.'
Voor deze keer leek dr. Zjenko niets te zeggen te hebben. Toch drukte haar gezicht geen angst uit, maar enkel woede.
Horatio liep langzaam de hellingbaan af, terwijl hij zijn pistool op de zeemeerman gericht hield. Toen hij beneden was, zei Torrence: 'Zo ben je wel dichtbij genoeg. Laat je wapen zakken.'
'Het is afgelopen, Torrence. Laat Zjenko gaan.'
De klauw die tegen haar gezicht gedrukt zat, bewoog nauwelijks merkbaar. Ze gaf geen kik, maar een enkele druppel bloed welde op en rolde als een vuurrode traan over haar wang.

'Wil je soms dat ik haar een oog afneem om te bewijzen dat ik het meen?' sneerde Torrence. 'Hoeveel meer wilt u haar nog laten kwijtraken?'
Langzaam liet Horatio zijn pistool zakken.
'Goed zo. Gooi hem nu in het water.'
Horatio aarzelde. Je pistool verliezen was de ergste nachtmerrie voor een politieman, maar hij zag geen andere mogelijkheid. Hij gooide hem weg; de lichte plons die hij maakte klonk hem abnormaal hard in de oren.
'Pak je handboeien en maak je rechterpols ermee vast aan de reling.'
Horatio deed wat hem gezegd werd. 'Je kunt nergens heen, Torrence. We hebben je knusse hol in het verdwijngat in Verdant Springs gevonden.'
'Dat was ik toch al zat. Ik hoor thuis onder de golven, niet onder de grond.'
Onder een steen, bedoel je, dacht Horatio. 'Ga dan maar, als je je hierboven toch niet thuis voelt. Maar laat haar met rust.'
'Dat kan ik niet, inspecteur,' siste de zeemeerman. 'Daarvoor is ze te belangrijk voor me. Zij heeft me geïnspireerd, weet je. Ik bleef altijd wat huiverig om me over te geven aan de Andere Wereld, de Echte Wereld, maar toen liet zij me zien dat het mogelijk was. Dat ons lichaam, onze verschijningsvorm, er niet toe doet; dat rechtop lopen niet meer is dan een slimme apentruc. Dat je je ook sierlijk en gracieus door onze natuurlijke habitat kan voortbewegen. En net zoals die tijgerhaai haar veranderde, heeft zij mij veranderd. Net zoals zij haar lot aanvaardde, heb ik het mijne aanvaard.'
'Malcolm?' zei Zjenko, met een geknepen en schorre stem.
'Ja, Nicole?'
'Als je... als je dat glibberige rotpak niet aan had gehad, had ik allang je nek gebroken.'
Torrence liet een vette, vochtige grinnik horen. 'Dat weet ik, Nicole. Maar je hebt nu geen houvast, geen evenwicht, geen wapens. Geen kans.'
'Heb ik... niet nodig. Heb... iets veel beters.'
'O?' Torrence's stem klonk spottend. 'En wat mag dat dan wel zijn?'

'Vrienden,' kraste Nicole. 'Mijn goede vriend... Horatio... neemt je nog wel te grazen...'

Torrence lachte. Hij trok haar met een ruk naar achteren, waardoor ze haar evenwicht verloor en ze met de hakken van haar protheses met een droog, krassend geluid over het beton schraapte. 'Ik dacht het niet. Ik denk eerder het tegenovergestelde.' Hij drukte haar in haar rolstoel en bond haar daar met een stuk ketting in vast. Hij maakte het af door de ketting met een zwaar hangslot vast te zetten, wat hem met zijn lange klauwvingers niet gemakkelijk afging. De Levo zelf was al lamgelegd met een bezemsteel door de spaken van de achterwielen.

Horatio ving een glimp van een beweging op uit het bassin, terwijl Torrence zo druk bezig was. Iets grijs en soepels zwom net onder het oppervlak.

Torrence kwam op Horatio af. Zijn handen kwamen omhoog en toen hij zijn vingers boog, klikten de mesjes als castagnetten tegen elkaar. 'Je onder water doden zou zoveel aangenamer zijn, maar soms moeten we ons tevreden stellen met wat haalbaar is...'

Nicole greep een fluitje dat aan een sleutelkoord aan de leuning van de Levo hing. Ze blies er twee keer kort en snel op.

Torrence draaide zich naar haar om op hetzelfde moment dat de kop van Whaleboy uit het water opdook. Horatio balde zijn vrije hand tot een vuist, hief hem en liet hem met een snelle beweging weer neerkomen.

Torrence keek naar het bassin, maar Whaleboy was weer onder water verdwenen. 'Wat was daar de bedoeling van?' snauwde hij.

Whaleboys kop dook weer op, nu met Horatio's pistool tussen zijn kaken.

'Versterking,' zei Horatio.

De dolfijn wierp het wapen met een korte hoofdbeweging naar Horatio. De Glock zoefde door de lucht... rechtstreeks Horatio's uitgestrekte hand in.

Torrence liet een kreet van pure woede ontsnappen en dook met uitgestrekte arm op Horatio af om hem een dodelijke haal te geven.

Horatio schoot. Een, twee, drie keer.

Een van de kogels doorboorde het zuurstofreservoir. Torrence zakte op het beton in elkaar en het laatste geluid dat hij maakte, was het borrelende, fluitende geluid van lucht dat zich een weg baande door bloed...

Calleigh, Wolfe, Delko en Tripp kwamen met zijn allen naar het Aquarian Institute zodra Horatio zich had gemeld. Dat was nergens voor nodig, had hij hen geprobeerd duidelijk te maken: hem mankeerde niets en Torrence was geschiedenis.
Ze kwamen toch.
'Wat een geval, Horatio,' zei Tripp, terwijl Torrence's lichaam op een brancard getild werd. 'Die gast dacht echt dat hij een of ander monster was.'
'Dat was hij ook,' zei Horatio zacht. 'Hij had alleen de details niet helemaal goed begrepen.'
Wolfe en Calleigh kwamen aanlopen. 'Ik kan er nog niet bij dat je je pistool van een dolfijn hebt teruggekregen,' zei Wolfe hoofdschuddend.
'Ik wel,' zei Calleigh met een glimlach. 'Blijkbaar stond Horatio in een veel betere positie om te vuren dan hij.'
Horatio glimlachte terug, maar zijn ogen waren op Nicole gericht. Ze bevond zich aan de andere kant van het bassin en stond rechtop in haar Levo met een deken om haar schouders met Delko te praten. Hij kon niet verstaan wat ze zeiden, maar uit de giftige blikken die ze op het lichaam van Torrence wierp en de verbaasde gezichtsuitdrukking van Delko meende hij de essentie wel op te kunnen maken. Zij zou zich er wel doorheen slaan.
'Met jou ook alles goed, H?' vroeg Calleigh.
'Ja, hoor. Weet je, Malcolm Torrence zag zichzelf als een unieke soort. Het ultieme roofdier. Maar zelfs het dodelijkste roofdier heeft natuurlijke vijanden... en dát, mijn vrienden,' zei hij met een blik op zijn team, 'waren wij.'

Lees ook van Karakter Uitgevers B.V.

DONN CORTEZ

CSI: Miami: Noodweer

Inspecteur Horatio Caine staat aan het hoofd van een topteam van forensische wetenschappers dat de sporen van de misdaad volgt in het tropische Florida. Samen verzamelen en analyseren ze bewijsmateriaal dat de waarheid aan het licht moet brengen en dat recht moet doen aan hen die in de meeste gevallen niet voor zichzelf kunnen opkomen: de slachtoffers...

Een raadselachtige dood in een vegetarisch restaurant. Horatio Caine vindt het slachtoffer, ober Phillip Mulrooney, met aan flarden gescheurde kleren in het toilet. Hij heeft brandwonden in zijn gezicht en zijn schoenen zijn van zijn voeten geblazen. Hoe ongeloofwaardig het ook mag klinken: alles wijst op dood door blikseminslag...

CSI: Miami: Noodweer is een superspannende thriller van Donn Cortez, gebaseerd op de in Amerika met vele prijzen bekroonde televisieserie.

ISBN 978 90 6112 185 5

Ook van Karakter Uitgevers B.V.

Max Allan Collins

CSI: Teamgeest

De leden van het forensisch onderzoeksteam zijn de onbekende helden van het politiekorps van Las Vegas. Onder leiding van veteraan Gil Grissom combineren Catherine Willows, Warrick Brown, Nick Stokes en Sara Sidle de nieuwste wetenschappelijke onderzoeksmethoden met het aloude, degelijke speurwerk in hun zoektocht naar bewijsmateriaal op de plaatsen delict.

Een nieuwe supervisor heeft drastische veranderingen doorgevoerd in Gil Grissoms bedreven CSI-team door Catherine Willows, Nick Stokes en Warrick Brown naar een ander team over te plaatsen. Maar dat betekent niet dat hun wegen zich niet meer kruisen. Want al snel moeten de beide teams de krachten bundelen om twee gruwelijke moorden te onderzoeken, die op een wonderlijke wijze veel met elkaar gemeen hebben aangezien het bewijsmateriaal nagenoeg identiek is. Ondanks het verschil in werkwijze komen de teams al snel op het spoor van twee imperfecte misdaden die samen weleens één perfecte zouden kunnen zijn...

CSI: Teamgeest is een superspannende thriller van Max Allan Collins, gebaseerd op de in Amerika met vele prijzen bekroonde televisieserie.

ISBN 978 90 6112 075 9

Lees ook van Karakter Uitgevers B.V.

KATHERINE RAMSLAND

De forensische wetenschap van de Cold Case Files

COLD CASE: Er wordt een haar gevonden van een vrouw die al achttien jaar vermist is.
Hoe kan deze het mysterie van haar verdwijning oplossen?
COLD CASE: Een dubieus sterfgeval wordt verklaard als een betreurenswaardig ongeluk.
Totdat het in verband wordt gebracht met de botbreuken van een ontvoeringsslachtoffer van jaren later.

De forensische wetenschap van de Cold Case Files onthult de ware verhalen achter de afleveringen uit de populaire tv-serie *Cold Case* (van de makers van *CSI: Crime Scene Investigation*) en achter de rechercheurs wier onderzoek resulteerde in het oplossen van de meest ingewikkelde misdaden – soms tientallen jaren na het moment dat deze werden gepleegd.

In dit boek laat forensisch psychologe Katherine Ramsland een verscheidenheid aan methoden zien die worden gebruikt in de forensische opsporing; van bloedsporenanalyse en handschriftanalyse tot gezichtsreconstructie, geurdetectors, vingerafdrukken, de nieuwste DNA-technologie, maar ook ouderwets doorzettingsvermogen en politiespeurwerk. Met als uitgangspunt de meest fascinerende Cold Case Files ooit – ook enkele die nooit op televisie zijn vertoond – en intrigerende aanknopingspunten uit zaken die tot op de dag van vandaag onopgelost zijn gebleven.

ISBN 978 90 6112 923 3